ACTES NOIRS
série dirigée par Manuel Tricoteaux

# FLEUR DE CIMETIÈRE

Titre original :
*Cemetery Girl*
Éditeur original :
New American Library / Penguin Group, New York
© David Bell, 2011

© ACTES SUD, 2013
pour la traduction française
ISBN 978-2-330-01408-7

# DAVID BELL

# Fleur de cimetière

roman traduit de l'anglais (États-Unis)
par Claire-Marie Clévy

*ACTES SUD*

*À la mémoire de mon père,*
*Herbert Henry Bell (1932-2011).*

# PROLOGUE

Quelques mots au sujet de ma fille.

Ma fille a disparu, et il y a eu des moments où je me suis demandé si elle n'y était pas pour quelque chose.

Caitlin ne ressemblait pas aux autres enfants : elle n'était ni immature ni naïve. Ce n'était pas une ingénue. Au contraire, elle faisait preuve d'une compréhension peu commune de la manière dont fonctionnaient le monde et les êtres humains. Elle s'en était servie plus d'une fois pour me tromper, et pour cette raison – même si j'ai honte de l'admettre – je me suis parfois interrogé sur sa part de responsabilité dans ce qui est arrivé.

Caitlin a disparu il y a quatre ans de ça, à l'âge de douze ans. Mais la première fois que j'ai pris conscience de ses talents de dissimulatrice, elle n'en avait que six, et nous passions notre samedi ensemble. J'ai vécu beaucoup de journées comme celle-là avec Caitlin, et dans mon souvenir elles font toujours partie des plus heureuses : simples, paisibles, aussi sereines et tranquilles que de se laisser porter au fil de l'eau.

Ce jour-là, Caitlin jouait avec un groupe d'enfants du quartier. À l'époque, plusieurs familles vivaient dans notre rue, et nos jeunes enfants avaient tous à peu près le même âge. Ils s'amusaient dans les jardins, jouaient à la balançoire ou à sauter dans les feuilles mortes. Où qu'ils aillent, des adultes les gardaient à l'œil ; c'était pour ça que nous aimions ce quartier.

Malheureusement, peu de temps après notre installation et la naissance de Caitlin, la municipalité a fait agrandir le boulevard perpendiculaire à notre rue pour améliorer le trafic. La circulation a augmenté. Tous les parents étaient inquiets, et certains ont parlé de déménager. Mais nous voulions rester, alors nous avons établi une nouvelle règle avec Caitlin : *Ne traverse jamais la rue si personne ne te surveille. Jamais.*

Quoi qu'il en soit, en ce samedi fatidique – que je ne viendrais à considérer comme tel que plus tard –, ma femme Abby était de sortie pour la soirée, et j'étais en train de faire revenir des steaks dans une poêle, me débrouillant comme toujours pour asperger le dessus de la cuisinière d'une généreuse quantité de graisse, tandis que des frites surgelées cuisaient dans le four : le repas typique du père à qui on a laissé sa fille.

À l'heure du dîner, je suis sorti dans le jardin, m'attendant à trouver Caitlin et les autres enfants dans les parages, ou du moins à entendre leurs voix. Mais non. Debout dans l'ombre de fin d'après-midi du grand érable planté devant notre maison, j'ai regardé d'un côté puis de l'autre, à la recherche de Caitlin et de sa petite bande. J'allais crier son nom quand je l'ai enfin aperçue.

Elle se tenait au bout de la rue, à l'intersection agrandie quelques années auparavant. Je l'avais reconnue de loin car elle portait ce jour-là un haut rose vif, dont la couleur électrique contrastait violemment avec les tons bruns et orange de l'automne. Je me dirigeais vers elle, la main levée pour lui faire signe, lorsqu'elle est descendue du trottoir d'un pas rapide.

Je ne saurai jamais si elle avait vu la voiture.

Le véhicule a tourné dans notre rue, plus vite qu'il n'aurait dû, et son pare-chocs a envahi mon champ de vision, surgissant derrière Caitlin comme une mâchoire d'acier béante.

Mon cœur a cessé de battre.

Je me suis figé et, pendant une éternité, le temps s'est suspendu.

Puis le conducteur a écrasé les freins et pilé à quelques pas de mon enfant.

À deux doigts de la broyer.

Mais Caitlin n'a pas hésité. Avec un bref coup d'œil à la voiture, pourtant toute proche, elle a continué de traverser la rue, pénétré dans un jardin et disparu à l'arrière d'une maison comme si de rien n'était. Je suis resté cloué sur place, comme pétrifié, la bouche figée en un cri qui n'est jamais sorti.

Après un temps d'arrêt, la voiture est repartie. Elle a longé la rue lentement, passant juste devant moi. Un couple qui devait avoir mon âge occupait les sièges avant ; l'homme conduisait. Sa femme, ou sa petite amie, agitait frénétiquement les bras, l'air furieux, lui reprochant sans doute son imprudence. L'homme levait la main droite en un geste apaisant, comme pour lui demander de se calmer, de le laisser s'expliquer. Ils ne m'ont même pas remarqué.

Qu'aurais-je dû faire ? Les forcer à s'arrêter pour leur hurler dessus ? Tirer l'homme de la voiture et le bourrer de coups de poing ? La vérité, c'était que Caitlin s'était jetée devant eux, et que s'ils l'avaient percutée ou écrasée, je n'aurais pas pu les tenir pour responsables de l'accident. Ma fille s'était montrée imprudente, terriblement imprudente ; mais surtout, elle avait désobéi. Et moi aussi, j'avais été imprudent. Je l'avais laissée partir trop facilement, sans réfléchir. En tant que parent, j'avais ma part de responsabilité.

Je suis retourné dans la maison, où planait une épaisse odeur de viande frite, et j'ai attendu le retour de Caitlin.

On pourrait croire que ma colère grandissait avec l'attente, que je faisais les cent pas en fulminant, réfléchissant à la punition appropriée pour cette enfant qui m'avait ouvertement désobéi et avait failli en mourir. Mais non. Abby et moi avions décidé de ne jamais hausser le ton devant Caitlin, et nous n'aurions en aucun cas levé la main sur elle.

Environ une demi-heure plus tard, Caitlin s'est engouffrée par la porte d'entrée. Elle est arrivée tranquillement dans la cuisine et a bondi sur une chaise.

J'ai déposé des assiettes en carton et des serviettes sur la table. Caitlin a reniflé, puis soufflé proprement dans un mouchoir. Elle m'a regardé, le visage réjoui, plein d'attente.

"On mange ?

— Pas tout de suite. Caitlin, ma puce, j'ai une question à te poser.

— Quoi ?"

J'ai pris une profonde inspiration. "Est-ce que tu as traversé la rue quand tu jouais dehors ? Est-ce que tu as traversé sans permission ?"

Elle n'a pas rougi, cillé ni dégluti. "Non, papa.

— Tu es sûre, ma puce ? Tu es sûre que je ne t'ai pas vue traverser ?"

D'une voix calme, elle a répondu : "J'en suis sûre, papa."

J'ai tordu la serviette en papier que je tenais entre les doigts, puis l'ai lâchée sur la table. Caitlin n'a pas eu l'air de le remarquer. Elle me regardait bien en face, avec de grands yeux innocents. Tout à fait candide.

J'ai insisté. "Donc tu n'as pas failli te faire renverser par une voiture en traversant la rue ? Je t'ai vue, ma chérie. Je te surveillais depuis le jardin."

Son visage a changé légèrement de couleur. Ses joues se sont empourprées, et même si Caitlin n'était pas une pleurnicharde, je me suis dit qu'elle allait peut-être craquer, prise en flagrant délit de mensonge. Mais elle n'a pas cédé. Elle a gardé contenance, une vraie petite joueuse de poker de six ans.

"Non, papa. Je n'ai pas traversé."

Je ne me suis pas mis en colère, ne l'ai pas envoyée dans sa chambre, ne lui ai pas donné une leçon de morale sur l'importance de dire la vérité. Je me suis contenté de me lever de table pour aller remplir son assiette, puis je suis revenu la déposer devant elle. Assis tous les deux dans la cuisine à la lumière déclinante du soleil, nous avons mangé nos hamburgers frites comme une belle petite famille américaine. Tout en mâchant notre nourriture, nous avons discuté des amis de Caitlin et de l'heure à laquelle sa mère allait rentrer. Nous n'avons plus jamais évoqué cet événement ni l'accident mortel qui avait failli se produire.

Et je n'en ai jamais parlé à Abby.

Tous les parents finissent un jour ou l'autre par se rendre compte que certains aspects de leurs enfants leur resteront à jamais cachés. Peut-être l'ai-je découvert plus tôt que d'autres. Pour une raison que j'ignore, les profondeurs insondables de Caitlin ont formé un trou noir au centre de mon être ; et lorsqu'elle a disparu, six ans plus tard, j'ai souvent repensé à ce moment.

PREMIÈRE PARTIE

# 1

Le chien avait compris qu'il ne reviendrait pas.

Lorsque j'ai agité sa laisse en m'approchant de la porte, Frosty ne m'a pas suivi. Au lieu d'accourir immédiatement à ce bruit comme d'habitude, griffes cliquetant sur le parquet, il s'est détourné, la tête baissée, le regard fuyant. Je l'ai appelé, mais il m'a ignoré. Alors je me suis avancé vers lui.

Frosty était un gros chien, un labrador jaune sable, doux, affectueux, et assez intelligent pour déceler quelque chose d'inhabituel dans ma voix, quelque chose qui lui disait que cette promenade ne serait pas ordinaire.

Quand j'ai essayé d'attraper son collier, Frosty a rentré la tête dans les épaules pour m'empêcher d'attacher la laisse. De près, je sentais l'odeur pénétrante de son pelage, son souffle chaud sur ma main.

"Frosty, arrête."

De plus en plus agacé, j'ai serré les dents, grinçant des molaires. Il s'est rétracté davantage. Sans réfléchir, j'ai levé ma main libre pour lui donner une petite tape sur le museau. Son glapissement m'a surpris, et j'ai immédiatement éprouvé la sensation d'être un pauvre imbécile, un impardonnable salaud. Je ne l'avais jamais frappé avant, même pas pendant son dressage.

Il s'est recroquevillé encore plus, mais quand j'ai à nouveau tendu la main, il a levé la tête pour me permettre d'attacher la laisse à son collier.

Je me suis redressé avec un profond soupir, envahi par un sentiment d'impuissance.

"Qu'est-ce qui se passe ?"

Debout à la porte de la cuisine, Abby, les cheveux tirés en queue de cheval, m'observait avec de grands yeux. Elle était pieds nus, et portait une jupe noire et un chemisier à rayures, même si on était samedi : elle qui avait l'habitude des tenues décontractées le week-end s'habillait désormais de la même façon tous les jours, apprêtée comme pour partir à l'église – ce qui était souvent le cas.

"Rien, ai-je répondu.

— J'ai cru que le chien avait aboyé.

— Oui. Je l'ai frappé."

Elle a plissé les yeux.

"Je m'en débarrasse. Je l'emmène à la fourrière.

— Oh, a-t-elle dit, portant une main à sa poitrine.

— Ce n'est pas ce que tu voulais ? Ça fait presque un an que tu m'en rebats les oreilles.

— C'est vrai. Mais je croyais que tu n'étais pas d'accord."

Frosty était assis à mes pieds, la tête basse. Vaincu. Le frigo s'est mis en marche avec un bourdonnement sourd avant de se taire. J'ai haussé les épaules.

"Tu dis tout le temps qu'il faut qu'on passe à autre chose, non ? Qu'on tourne la page."

Elle a acquiescé, un peu hésitante. Ces dernières années, le visage d'Abby trahissait rarement l'incertitude. Son engagement auprès de l'église lui donnait un air assuré, comme si elle ne doutait jamais de rien. Sauf de moi. Je savais qu'elle nourrissait des doutes à mon sujet. En dernier recours, j'avais décidé de sacrifier le chien – un gage de bonne volonté. Mais je n'avais pas pensé qu'elle me laisserait aller jusqu'au bout. J'avais cru que lorsqu'elle verrait Frosty en laisse, prêt à partir pour la fourrière, elle m'arrêterait.

Les larmes aux yeux, elle a pris une inspiration.

"Je crois vraiment qu'on a besoin de ça, Tom, a-t-elle dit en soupirant. Avec la cérémonie commémorative qui approche, je pense qu'on peut passer à autre chose." Elle a poussé un nouveau soupir, qui ressemblait plutôt à un hoquet, presque à un sanglot. "J'aimais beaucoup Frosty, mais chaque fois que je le regarde aujourd'hui, je pense à Caitlin. Et ce n'est pas possible. Je n'en peux plus.

— Tu es sûre, Abby ? Vraiment ? C'est un bon chien."

Elle a secoué la tête, tapé du pied. "J'en suis sûre.

— Bien."

J'ai tiré sur la laisse, plus brutalement que nécessaire, et Frosty s'est levé d'un bond. Ses pattes ont foulé le sol, lentement, méthodiquement. Un cadavre en marche.

"Tu seras là à mon retour ?

— J'ai une réunion à l'église."

J'ai hoché la tête, la main sur la poignée de la porte du fond. "C'est drôle.

— Quoi ? Qu'est-ce qui est drôle ?

— Tu ne supportes plus de voir Frosty parce qu'il te rappelle Caitlin. Moi, c'est justement pour ça que je voudrais le garder.

— Tom. Arrête.

— D'accord."

J'ai franchi la porte, menant à la mort le seul témoin connu de l'enlèvement de ma fille.


Je ne suis pas allé directement à la fourrière. Envahi par un sentiment de culpabilité – culpabilité d'avoir condamné Frosty, de l'avoir frappé, et de Dieu sait quoi encore –, je me suis arrêté au parc près de chez nous. Quand je me suis engagé sur le parking, Frosty s'est ragaillardi. Les oreilles dressées, la queue battant contre la banquette arrière, il s'est mis à haleter, emplissant l'air confiné de la voiture d'une forte odeur musquée. Après avoir trouvé une place à l'ombre, je suis allé lui ouvrir la porte. Il a sauté de la voiture puis, la truffe au ras du sol, a commencé à renifler chaque pouce du terrain, avec un bref arrêt pour uriner sur un arbuste. J'en ai profité pour attacher sa laisse avant de le suivre.

Comme tous les samedis de fin d'été, le parc fourmillait de vie. Une équipe de garçons s'entraînait sur le terrain de base-ball près de la route, leurs battes en aluminium résonnant au contact de la balle. Des gens couraient ou marchaient à grandes foulées sur la piste principale, et je me suis engagé dans leur sillage, laissant Frosty m'entraîner de côté tous les dix mètres pour examiner une branche morte ou une odeur inconnue. J'essayais de me dire que j'étais venu là pour le chien, qu'il méritait de passer ses derniers instants sur terre à faire ce qu'il aimait le plus, gambader dans le parc, chasser les papillons ou courir après les écureuils. Mais je mentais. C'était à cet endroit que Caitlin avait disparu quatre ans plus tôt alors qu'elle promenait Frosty, et je n'avais cessé d'y retourner depuis, seul, encore et encore.

Le parc occupait près de quatre-vingts hectares à seulement deux rues de chez nous. Sur les côtés est et sud s'étendaient de nouveaux lotissements aux noms de rues choisis autour du thème des cervidés – passage du Faon, allée de la Biche. Les briques des maisons étaient flambant neuves, les rues lisses et propres. Tandis que nous marchions, Frosty continuait de haleter au bout de sa laisse, la queue battant l'air comme un métronome. Il avait le pardon facile. Mon geste de tout à l'heure semblait déjà oublié, et je n'avais de toute façon pas le temps d'y penser. Frosty m'emmenait vers l'endroit où le parc longeait Oak Ridge, le plus ancien cimetière en activité de la ville, où devaient se tenir cette semaine la cérémonie commémorative et "l'enterrement" de Caitlin.

Les rangées bien droites de pierres tombales et les pelouses soigneusement tondues sont apparues à l'horizon. Je devais avoir ralenti le pas, car Frosty a tourné la tête vers moi, l'air interrogateur. Je n'étais plus allé au parc ni au cimetière depuis qu'Abby avait décidé d'organiser la cérémonie et d'ériger une stèle à la mémoire de Caitlin. Elle se faisait "aider" par le pasteur de son église, le pasteur Chris, qui considérait apparemment que quatre ans suffisaient à faire le deuil d'un enfant disparu. Il avait réussi à convaincre Abby qu'il était temps de tourner la page.

Les cimetières m'apportaient autrefois un certain réconfort, même après la disparition de Caitlin : ils me prouvaient que la mort pouvait être belle, que même lorsqu'on avait cessé de vivre, un souvenir, un témoignage de notre existence pouvait subsister.

Mon téléphone s'est mis à sonner dans ma poche.

La vibration m'a fait sursauter, et Frosty a tourné la tête, langue pendante.

J'ai sorti mon portable, pensant qu'Abby venait aux nouvelles. J'aurais peut-être ignoré son appel, mais le nom affiché n'était pas le sien. C'était mon frère. Ou plutôt mon demi-frère, Buster – il s'appelait William, mais on lui avait donné ce surnom de "brise-tout" à cause de sa tendance à casser tout ce qu'il touchait quand il était petit.

J'ai décroché juste avant que le répondeur ne se mette en marche.

"Quoi de neuf, chef ?" a-t-il claironné.

Il s'exprimait toujours d'une voix exagérément enjouée. À lui parler au téléphone, on avait l'impression d'avoir affaire à un téléprospecteur particulièrement convaincant, qui arrivait presque à vous faire croire que c'était votre jour de chance et que vous seriez vraiment bête de laisser passer son offre. Buster adoptait le même ton aujourd'hui, alors qu'on ne s'était pas parlé depuis six mois. Il avait déménagé à une heure de chez nous l'année précédente, et nos échanges, déjà sporadiques, avaient pratiquement cessé. Nous avions la même mère – décédée cinq ans plus tôt – mais pas le même père. Le mien était mort quand j'avais quatre ans. Ma mère s'était remariée et avait eu Buster.

Je lui ai dit que je promenais le chien.

"Bien, bien." Il s'est raclé la gorge. Quelqu'un lui parlait à l'autre bout du fil ; on aurait dit une voix de femme. "J'appelais pour te dire que j'allais venir cette semaine.

— Pour quoi faire ?

— Pour l'enterrement… ou peu importe comment Abby veut appeler ce truc. Tu ne m'as pas invité, et tu n'as peut-être même pas envie que je vienne, mais c'est elle qui me l'a proposé. Elle a dit qu'elle voulait que toute la famille soit là, et puisque tu n'as pas vraiment de… Enfin, il ne te reste plus que moi de ce côté-là, tu vois ?

— J'avais pensé à t'inviter, mais…" De là où je me tenais avec Frosty, à côté du cimetière, je distinguais l'endroit où la stèle de Caitlin s'élèverait dans quelques jours. "Je me suis dit que tu ne voudrais pas venir parce que…

— Parce que c'est une vaste connerie."

J'ai hésité. "Oui, voilà.

— Qu'est-ce qu'elle va faire, enterrer un cercueil vide ? Ça ressemble à quoi, un enterrement pour quelqu'un qui n'est peut-être pas mort ?

— On n'a pas acheté de cercueil.

— Mais vous avez acheté une concession et une pierre tombale ?"

Frosty a tiré sur sa laisse, me signifiant son désir d'avancer. "Oui.

— Bon Dieu… C'est à cause de son église de cinglés ? Comment ça s'appelle, déjà ?"

Je commençais à regretter d'avoir pris l'appel.

"L'Église chrétienne de la Communauté.

— Très original. Moi qui croyais que toutes les églises étaient chrétiennes. Tu te rappelles quand les gens fréquentaient de vraies églises ? Tu sais, les baptistes, les méthodistes, les presbytériens… J'ai horreur de toutes ces religions simplistes, pas toi ? On construit un café dans un entrepôt, on accueille tout le monde, et les gens sont contents.

— Je ne pensais pas que tu t'insurgeais si facilement.

— La bêtise me débecte. Cette mentalité de troupeau. Combien tu as dû payer pour le cénotaphe et la concession ? Quelques milliers de dollars ?"

Frosty s'est remis à tirer sur la laisse, et j'ai tiré à mon tour pour qu'il se tienne tranquille.

"Le quoi ?

— Le cénotaphe. Ça s'appelle comme ça quand on installe une pierre tombale sans personne en dessous. Un cénotaphe. T'es pas le seul à connaître des mots compliqués, professeur.

— Écoute, il faut que j'y aille. Le chien a fait ses besoins.

— Je t'appellerai quand je serai en ville, d'accord ?

— Pas de problème. Mais ne te sens pas obligé…

— Si, je me sens obligé." Buster avait l'air on ne peut plus sincère, et j'avais envie de le croire. Vraiment. "Tu peux toujours compter sur moi. Tiens-moi au courant. Je serai là."


J'avais le choix entre repartir sur le chemin avec Frosty, ce qu'on ne faisait presque jamais, et retourner à la voiture pour accomplir ma mission. Frosty m'a tiré légèrement dans la direction du parking, mais j'ai tiré plus fort, et nous sommes entrés dans le cimetière.

Je savais que les animaux n'étaient pas les bienvenus, par crainte qu'ils déterrent les fleurs ou se soulagent sur les tombes, mais Frosty paraissait avoir vidé son réservoir et je préférais encore la perspective d'un petit accident au cimetière à celle de l'emmener à la fourrière.

Nous avons suivi l'allée centrale avant de tourner à droite, vers le fond. Je connaissais les noms inscrits sur les plus grandes pierres tombales, des noms qu'on retrouvait partout dans la ville, sur les bâtiments et dans les parcs : Potter, Hardcastle, Greenwood, Cooper. Ils ne prenaient pas la mort à la légère, ces pères fondateurs et ces pionniers de l'éducation, ces conseillers municipaux et ces chefs spirituels. En plus de leurs pierres tombales raffinées ornées de magnifiques gravures, aussi immaculées que le jour de leur mise en place, ils s'étaient payé des gardiens grandeur nature pour veiller sur leurs tombes : Vierges attentives, anges ailés, Christ aux yeux tournés vers le ciel comme pour plaider leur cause. Même si la pierre que nous avions choisie pour Caitlin n'avait rien d'aussi imposant, elle n'était pas non plus donnée. Buster avait raison : nous avions dépensé trop d'argent.

Suivant les panneaux installés à hauteur de genou, j'ai trouvé la section B, puis j'ai remonté l'allée en direction de notre numéro. Malgré la présence des morts dormant sous la terre, c'était une belle journée. La température atteignait les vingt-six degrés, et seuls quelques nuages cotonneux se détachaient sur le bleu du ciel. Le moteur d'une tondeuse à gazon invisible tournait au loin. En jetant un œil autour de moi, j'ai constaté que j'étais seul : les joggeurs et les promeneurs s'en tenaient au parc, et je me suis contenté d'écouter les halètements de Frosty et le cliquetis de son collier.

"Juste un petit détour, mon chien."

La plus grande partie du cimetière était occupée, les pierres nichées trop près les unes des autres pour laisser place à une nouvelle tombe. Je cherchais un petit espace vide, une dernière parcelle libre que nous avions achetée en espérant ne jamais l'utiliser. Mon regard passait sur des maris enterrés avec leur femme sous une même pierre tombale, monument à l'amour et aux unions éternelles ; des enfants placés près de leurs parents ; des anciens combattants aux stèles ornées de petits drapeaux qui flottaient dans la brise. Et tout à coup, j'ai cru voir le nom de Caitlin.

Ce n'était qu'une vision fugitive, une image captée du coin de l'œil, et je l'ai aussitôt chassée de mon esprit, pensant que mes yeux et mon cerveau, à la recherche d'un lien avec ma fille, avaient imaginé son nom. Mais comme j'avançais, je l'ai aperçu de nouveau, gravé sur une grande pierre rectangulaire. Il était bien là. CAITLIN ANN STUART. NOTRE FILLE. NOTRE AMIE. NOTRE ANGE. 1992-2004.

La pierre n'aurait pas dû se trouver là.

Abby m'avait affirmé qu'on ne l'installerait que dans les jours suivant la cérémonie, que lorsque nous nous tiendrions devant la tombe mercredi, il n'y aurait qu'un petit carré d'herbe verte. Pas de terre retournée, pas de stèle. Et j'avais tiré un certain réconfort de ce scénario, parce qu'il me semblait un peu moins définitif, moins irrévocable que ce qu'Abby avait prévu. Je m'étais persuadé que la cérémonie n'aurait pas vraiment de rapport avec ma fille, qu'on la tiendrait en souvenir d'un autre enfant, ou peut-être même de quelqu'un que je n'avais jamais vu : un inconnu, la victime sans visage et sans nom d'une tragédie lointaine.

Je fixais la stèle. Frosty s'est éloigné, tirant sur la laisse pour aller renifler une pierre voisine, tandis que le chant strident des cigales s'élevait dans les arbres au-dessus de nous avant de s'affaiblir comme le tic-tac d'une horloge fatiguée. J'avais souvent essayé d'imaginer ce qui était arrivé à Caitlin. Malgré tous mes efforts, je n'avais jamais pu aboutir à une représentation cohérente et sensée des événements qui s'étaient déroulés à quelques mètres de cet endroit ; mais la bande-son résonnait dans ma tête, souvent.

La nuit, étendu dans mon lit alors que les phares des voitures dansaient sur le plafond et les murs de ma chambre, j'entendais les hurlements de Caitlin, ses cris terrorisés qui se muaient en sons rauques. Avait-elle pleuré, le visage trempé de larmes et de morve ? Avait-elle souffert ? Combien de temps m'avait-elle appelé ?

Je bourrais le matelas de coups de poing rageurs, le visage enfoui dans l'oreiller jusqu'à avoir l'impression que mon crâne allait exploser.

Je connaissais les statistiques : après quarante-huit heures, les chances de retrouver un enfant vivant sont quasi nulles. Pourtant j'avais réussi à ignorer ces chiffres, à prétendre qu'ils ne me concernaient pas – à l'époque comme aujourd'hui. Je continuais de m'arrêter sur le palier tous les soirs pour allumer la lumière de l'entrée et m'assurer que la clé de secours – celle que Caitlin utilisait parfois en rentrant de l'école – était cachée sous le pot de fleurs habituel, où elle pourrait la retrouver.

Mais il était difficile de contredire une pierre tombale.

Frosty est venu me donner un petit coup de museau sur le mollet, impatient de repartir. Il n'aimait pas rester immobile quand il aurait pu aller chercher des bâtons ou marquer son territoire. Je l'ai repoussé, perdu dans mes pensées. Je ne supportais pas la facilité avec laquelle Abby avait décidé de tourner la page, d'accepter de vivre sans espoir de retrouver notre fille. J'avais mené bataille au nom du souvenir de Caitlin, et pour quoi ? Pour découvrir que la vie continuait sans elle, et sans moi aussi ?

"Frosty. Viens là."

Il est revenu vers moi, remuant la queue d'un air joyeux. Je me suis accroupi dans l'herbe et lui ai attrapé la tête. Il a ouvert de grands yeux, mais n'a pas résisté, se rappelant peut-être la tape qu'il avait reçue plus tôt. Son haleine fétide me soufflait au visage, et je distinguais les taches sur ses longues dents. Je lui ai posé la question que je lui avais posée plusieurs fois déjà, depuis ce jour où il était revenu du parc sans Caitlin, traînant sa laisse derrière lui.

"Frosty, qu'est-ce que tu as vu ce jour-là ? Qu'est-ce qui s'est passé ?"

Il m'a regardé, haletant de plus belle. La façon dont je le tenais ne lui plaisait pas et il a commencé à se tortiller.

"Qu'est-ce que tu as vu ?"

Alors qu'il se dérobait, j'ai tiré la laisse vers moi. Frosty a secoué la tête comme pour se défaire de la sensation de mes mains sur son corps. Je me suis relevé.

"Foutu chien. Même pas capable de parler."

J'ai regardé la pierre tombale une dernière fois, laissant le nom de ma fille et la date supposée – et probable – de sa mort s'incruster dans mon esprit, avant de tirer une nouvelle fois sur la laisse.

"Viens, Frosty. Il faut qu'on y aille."

# 2

Buster est arrivé en retard à la cérémonie.

J'avais cru qu'il ne viendrait pas. Il lui arrivait souvent de promettre quelque chose – croix de bois croix de fer – et de ne jamais donner suite. Son apparition m'a bien plus surpris que son retard.

Je me tenais au fond de l'église, engoncé dans ma veste et ma cravate, en proie à un tourbillon d'émotions. À chaque personne venue me saluer, à chaque poignée de main échangée, à chaque étreinte reçue, je me sentais plus amer et plus proche des larmes. Tant de ces visages m'évoquaient un souvenir, un aperçu fugitif de Caitlin : une de ses camarades de classe, par exemple, qui avait bien grandi et faisait parfaitement ses seize ans. Caitlin avait-elle atteint le même âge quelque part dans ce monde, loin de nous ? Était-elle devenue une jeune femme ? En apercevant une ancienne voisine, une vieille dame qui gardait parfois Caitlin quand elle était petite, je me suis demandé pourquoi on lui avait accordé le droit de vivre, à près de quatre-vingts ans, alors que ma fille était peut-être morte.

La gorge comme remplie de coton, les mâchoires serrées à m'en faire mal, je m'efforçais de ravaler mes larmes et ma colère – non parce qu'elles ne me semblaient pas sincères, mais parce qu'en m'y abandonnant, je craignais de rendre cette cérémonie légitime, de confirmer ce que je refusais toujours d'accepter.

Lorsque Buster est apparu, en retard et penaud, mes sentiments à son égard ont un peu changé et je me suis réjoui de la distraction que m'offrait son arrivée. Presque tout le monde était assis ; il ne restait donc plus à la famille endeuillée qu'à prendre place.

"Je suis désolé, a commencé Buster. Ma voiture... Et les embouteillages..."

À sa décharge, il avait mis un costume. Un costume emprunté à un nain, certes, mais un costume tout de même. Les jambes de son pantalon s'arrêtaient bien au-dessus de ses chaussures, dévoilant des chaussettes blanches, et je ne pense pas qu'il aurait pu boutonner sa veste. Il portait des lunettes de soleil en plastique trop grandes qui lui glissaient sur le nez et qu'il repoussait de l'index toutes les cinq secondes.

Il y a eu un long silence. Abby, Buster, le pasteur Chris et moi nous tenions en un petit cercle gêné, attendant que l'un de nous prenne la parole.

Enfin, le pasteur Chris a déclaré en souriant : "Merci d'être venu."

Abby a retrouvé ses bonnes manières avant moi. "Je vous présente le demi-frère...

— Le frère, est intervenu Buster.

— Le frère de Tom, William."

Buster a serré la main du pasteur Chris, puis s'est penché vers Abby pour lui donner une bise maladroite. Elle a détourné les yeux comme un enfant se préparant à une piqûre. Elle n'avait jamais aimé Buster, raison pour laquelle j'avais été surpris qu'elle prenne la peine de l'inviter. Il s'agissait d'un geste de bonne volonté, d'un sacrifice auquel elle avait consenti pour moi, j'en étais sûr. Et ça me permettait de m'accrocher à un faible espoir : avec le départ de Frosty et la cérémonie, Abby et moi arriverions peut-être à retrouver un terrain d'entente. Quand j'imaginais le retour de Caitlin, je nous voyais toujours réunis tous les trois, en famille. Je n'arrivais pas à l'imaginer autrement, même si j'avais conscience qu'il existait des failles dans notre mariage avant même la disparition de Caitlin.

"Impressionnante, cette église", a commenté Buster.

Il avait raison. L'ancien entrepôt converti huit ans auparavant en lieu de culte pouvait accueillir deux cents personnes, et comprenait un centre de remise en forme et un café. L'église projetait d'installer un écran géant qui permette à tous les fidèles de voir le pasteur Chris de près. Plus d'une fois, Abby avait mentionné avoir versé de l'argent pour cette cause.

"Il faudrait commencer, a dit le pasteur Chris en regardant sa montre, puis les gens qui finissaient de s'installer. Tout le monde est d'accord ?"

Abby a hoché la tête en silence, et je l'ai imitée. Elle a tendu la main pour attraper la mienne. Son geste m'a surpris. Le fait de lui tenir la main me procurait une sensation inhabituelle, étrange – mais étrange dans le sens agréable de deux personnes qui viennent de se rencontrer et apprennent à se connaître. Mon cœur s'est mis à battre un peu plus vite ; j'ai serré doucement sa main et elle a serré la mienne. Tels deux enfants effrayés, nous avons suivi le pasteur le long de l'allée centrale, Buster sur nos talons.


Derrière son autel, le pasteur Chris ressemblait à une vedette. Ses dents bien droites étincelaient de blancheur, et malgré ses cheveux un peu clairsemés et grisonnants, il gardait l'air jeune et dynamique. À quarante-cinq ans – quelques années de plus qu'Abby et moi –, il pratiquait la course à pied de manière intensive, allant jusqu'à participer à un marathon de temps en temps, et son costume parfaitement ajusté laissait deviner un corps svelte et sain. Le pasteur avait la conviction que Dieu récompensait ceux qui prenaient soin de leur corps et que l'exercice favorisait la vivacité d'esprit ; il n'était donc pas surprenant que l'idée d'accoler un centre de remise en forme à l'église soit venue de lui.

Buster et moi avions été élevés dans la religion catholique, traînés à l'église tous les dimanches matin par mon beau-père, un homme autoritaire persuadé que manquer la messe un seul dimanche de l'année constituait un péché capital. Même si je n'étais plus pratiquant, ni même vraiment croyant, je ne me sentais pas prêt à changer de confession, et encore moins à rejoindre une église qui professait une religion si différente de celle que je connaissais. L'Église chrétienne de la Communauté me semblait bien trop mièvre, trop positive. Le pasteur n'offrait jamais rien d'autre que des encouragements à ses fidèles, et donnait l'impression qu'on pouvait atteindre la félicité en appliquant les principes d'un livre de développement personnel. Pour moi, un guide spirituel se devait d'être distant, quelque peu dogmatique, et me fixer du haut d'une chaire dans des habits sacerdotaux flamboyants ; je ne réagissais pas bien face à ceux qui essayaient de devenir mon ami. Je n'arrivais pas non plus très bien à saisir la nature de la relation qu'Abby entretenait avec le pasteur Chris. J'en comprenais l'aspect spirituel : Abby cherchait du soutien et un esprit de communauté, qu'elle avait trouvés à l'église. Mais ces derniers mois, elle s'était rapprochée du pasteur, avec lequel elle déjeunait en semaine et qu'elle décrivait comme son "meilleur ami". Jamais en dix-huit ans de mariage je n'avais soupçonné Abby d'infidélité ; pourtant, son "amitié" avec le pasteur Chris – de même que l'état précaire de notre couple – me donnait quelques doutes.

Abby et moi avons continué de nous tenir la main pendant le début du service, tandis que le pasteur guidait l'assistance dans une suite de prières et d'extraits des Évangiles, y compris le passage où Jésus ressuscite Lazare. Buster, assis à ma droite, faisait rebondir ses lunettes de soleil sur sa cuisse gauche. Il avait vieilli. Les rides aux coins de ses yeux semblaient plus marquées, ses mèches grises plus prononcées. Mais il paraissait suivre la cérémonie avec attention, le regard fixé sur l'autel, et ma réaction initiale s'avérait trompeuse : j'étais content qu'il soit là. Mon frère. Mon plus proche parent.

Le pasteur Chris a commencé son sermon – que j'appelais toujours "homélie" – en remerciant les amis et les membres de la congrégation présents. Il n'y avait que des amis d'Abby, et des fidèles de son église. Elle n'avait pas beaucoup de famille. Son père était mort quand Caitlin était petite, et sa mère avait pris sa retraite en Floride. Cela faisait des années qu'Abby et elle n'étaient plus très proches, et même si Abby l'avait invitée à la cérémonie, sa mère avait visiblement choisi de s'abstenir. Pour ma part, je n'avais invité aucun collègue de l'université. J'étais en congé sabbatique, ayant décidé sans grande conviction de m'accorder une année pour terminer un nouveau livre, et je savais que mes collègues ne se fondraient pas facilement dans cette foule d'évangélistes.

Le pasteur Chris a poursuivi son sermon d'une voix légère-ment trop aiguë et grêle, un peu comme celle d'un adolescent en train de muer.

"Bien que nous soyons réunis à la suite d'une tragédie, la perte d'une jeune vie, nous sommes également rassemblés aujourd'hui pour nous soutenir les uns les autres et tirer récon-fort de la promesse éternelle du Christ. Et quelle est cette pro-messe ? Que ceux qui ont obtenu le salut par Jésus-Christ ne mourront pas, mais connaîtront la vie éternelle dans la gloire du Christ."

"Amen", ont répondu des voix dans l'église, dont celle d'Abby. J'ai observé son profil. Quelque part en elle subsistait une trace de la personne dont j'étais tombé amoureux près de vingt ans auparavant. C'était certain. Pourtant, j'avais de plus en plus de mal à la retrouver, et tandis que je la regardais murmurer ses "amen" et contempler le pasteur Chris comme s'il était l'incarnation même du Seigneur, je me demandais si ce que je savais d'elle, ou croyais savoir, n'avait pas disparu à jamais, tout comme Caitlin.

"J'ai eu le bonheur de parler à Tom et Abby hier soir."

En entendant mon nom, j'ai de nouveau tourné le regard vers le pasteur. Il m'a fallu un moment pour comprendre ce qu'il venait de dire. Il prétendait nous avoir parlé – m'avoir parlé – la veille, mais ce n'était pas vrai. Je ne l'avais même pas vu.

"Bien qu'ils soient, naturellement, dévastés par la perte de leur bien-aimée Caitlin, ils m'ont confié tous les deux, Tom aussi bien qu'Abby, qu'ils tiraient consolation du fait que Cait-lin se trouve à présent au paradis, auprès du Christ, illuminée par son amour divin."

Je me suis tourné vers Abby, mais elle regardait toujours droit devant elle, marmonnant ses "amen". Buster s'est penché vers moi. Son haleine sentait les pastilles pour la gorge.

"Tu nageais en plein délire, hier soir.

— Je n'ai jamais dit ça", ai-je chuchoté.

J'ai lâché la main d'Abby. Elle n'a pas eu l'air de s'en rendre compte.

Après la dernière prière et le dernier hymne, nous avons quitté l'église. Abby, Buster et moi sommes sortis en premier avec le pasteur Chris ; puis nous avons attendu derrière le bâtiment que les gens regagnent leur voiture. Abby et moi nous tenions côte à côte, sans nous toucher.

"Je vais dans la voiture de Buster, ai-je déclaré.

— Tu ne veux pas venir avec nous ?

— Buster ne connaît pas le chemin.

— C'est une procession. Il peut nous suivre.

— Il faut que je lui parle, c'est tout, ai-je dit en évitant son regard.

— Mais tu viens au cimetière, Tom ? Tu seras là ?"

Je n'ai pas répondu. J'ai posé la main sur le bras de Buster et l'ai guidé vers le parking.


Nous nous sommes arrêtés chez Shaggy, un bar près du campus. La plupart des tables étaient occupées par des étudiants : les garçons s'efforçaient d'impressionner les filles, et les filles, calées sur leur chaise, savouraient l'intérêt qu'on leur portait, en réclamaient davantage. Nous avons commandé des sandwichs et Buster un pichet de bière. Quand la serveuse est repartie, je lui ai demandé s'il s'était remis à boire.

"Juste de la bière", a-t-il répondu de l'air le plus nonchalant du monde.

Il avait suivi deux cures de désintoxication avant de se faire arrêter pour conduite en état d'ébriété. On l'avait aussi inculpé pour outrage à la pudeur, un fait qui avait retenu l'attention des policiers chargés de l'enquête sur la disparition de Caitlin. Buster affirmait qu'il avait perdu ses vêtements alors qu'il était ivre, mais comme il avait croisé un groupe d'enfants dans un parc, on l'avait d'abord accusé des crimes beaucoup plus graves de détournement de mineur et d'exhibition sexuelle. Il avait passé deux jours en prison et effectué mille heures de travail d'intérêt général.

"Tu es sûr que tu ne veux pas aller au cimetière ?"

J'ai secoué la tête. "Pas la peine.

— Abby va piquer une crise."

J'ai haussé les épaules. Il avait raison, bien sûr. Mais quand j'avais entendu le pasteur Chris m'attribuer des convictions, et même des paroles, qui n'étaient de toute évidence pas les miennes, quelque chose avait cédé au fond de moi. J'avais essayé de me montrer conciliant, d'apaiser la situation, mais j'avais atteint mes limites. Quelqu'un – le pasteur, ou peut-être Abby – avait décidé de mentir, de déformer mes croyances en public. Je n'avais pas supporté qu'on m'inclue dans cette mascarade, qu'on me mette dans le même panier que tous ces moutons.

On nous a apporté la bière, que Buster a versée dans les gobelets en plastique fournis avec. C'était l'un des inconvénients de vivre dans une ville universitaire : les restaurants et les bars n'investissaient pas dans le verre. J'ai pris une gorgée, qui m'a fait du bien. Puis une autre. Il n'en a pas fallu plus pour qu'un bourdonnement se déclenche à la base de mon crâne.

Mon portable a vibré dans ma poche. Un SMS.

*Il faut qu'on se voie. 16 h.*

“Qui c'est ? a demandé Buster. Abby ?

— Non. Liann Stipes.

— Qui ?

— C'est une avocate. Elle s'occupe des affaires de tous les jours : les hypothèques, les testaments. La petite criminalité.

— Qu'est-ce qu'elle te veut ? Tu prépares ton testament ?

— Sa fille a été assassinée il y a une dizaine d'années. Elle n'avait que seize ans. Ils ont retrouvé le coupable et l'ont condamné.

— Il est passé à la chaise ?

— Réclusion à perpétuité, sans libération conditionnelle. Tu es sûr que tu n'as pas rencontré Liann, juste après la disparition de Caitlin ? Elle était souvent à la maison.

— Je ne traînais pas beaucoup dans les parages à l'époque.”

J'ai étudié son visage avec attention. Buster a pris une grande gorgée de bière, ignorant mon regard scrutateur.

“En tout cas, elle a vraiment essayé de nous aider, ai-je repris. C'est devenu une sorte de militante des droits des enfants disparus ou assassinés, et de leurs familles. Elle tient à s'assurer que les coupables soient punis. Elle ne s'occupe pas des poursuites judiciaires, bien sûr, mais elle donne des conseils pratiques. C'est ce qu'elle fait pour nous. Elle s'efforce d'aider les familles à y voir plus clair, à gérer les relations avec la police et les médias. Elle fait en sorte qu'on garde le moral. Et elle croit à la justice.

— Une avocate, a grogné Buster en mimant un haut-le-cœur.

— Pour moi, c'est moins une avocate qu'une amie. Une militante, comme je le disais."

Buster grimaçait toujours. J'ai reporté mon attention sur le téléphone et demandé à Liann où elle voulait me retrouver.

*Au Fantasy Club.*

"Hmm." Je fixais l'écran. "Elle me donne rendez-vous dans un club de strip-tease.

— Drôle d'endroit pour retrouver une militante des droits de l'enfant.

— Qui sait ? Elle rencontre pas mal de gens intéressants au cours de ces affaires. Elle devient souvent assez proche des victimes et de leurs familles. On dirait qu'elle connaît tout et tout le monde. J'aimerais juste savoir de quoi elle veut me parler… Tous ces foutus mystères… c'est à croire qu'elle se prend pour un agent de la CIA, des fois.

— Bois donc, ça fera passer le temps." Buster avait vidé la moitié de son gobelet à la première gorgée, et terminait à présent le reste. Il s'est resservi, puis m'a adressé un regard encourageant. "Dis-moi pourquoi on fait l'impasse sur la cérémonie au cimetière.

— Je n'ai jamais dit tous ces trucs sur le paradis. Cet imbécile de pasteur Chris a tout inventé. Ou Abby. Mais il n'y a pas que ça…

— Ah ?"

La bière était délicieuse. Vraiment délicieuse. Elle me montait vite à la tête. Mon beau-père, le père de Buster, était un ivrogne. Quand il buvait, il nous hurlait dessus et finissait en général par s'écrouler sur le canapé. Je n'avais pas hérité de cette habitude, contrairement à Buster.

"Je savais qu'Abby allait acheter la pierre tombale. Je savais combien elle coûtait, même. Mais elle m'avait promis qu'on ne l'installerait pas avant la cérémonie. Elle me l'avait promis.

Sauf qu'elle était là l'autre jour au cimetière, le jour où tu m'as appelé, quand je promenais Frosty."

À la seule mention de ce nom, la culpabilité m'a envahi. Où était Frosty ? Chez une famille de tortionnaires ? Assis dans ses propres déjections, en attendant la chambre à gaz ?

"Il y a son nom sur la pierre tombale. Le nom de ma petite fille. Il y a marqué qu'elle est morte il y a quatre ans. Et ce putain de truc est énorme, en plus. Impossible de le rater. Tu le crois, ça ?

— De quoi ?

— Tout ça."

Quelqu'un avait mis des pièces dans le juke-box et un morceau de country a débuté, beaucoup trop fort. Les geignements de la guitare hawaïenne ont déclenché des protestations, et le barman s'est penché derrière le bar pour diminuer le volume, au soulagement général.

Buster a posé son gobelet, puis joint les doigts devant son visage avec un air de sincère sollicitude. "Est-ce que tu as déjà pensé... Et si je te parle de ça, c'est parce que je m'inquiète pour toi. Vraiment. Je sais que je peux être un vrai connard, et qu'Abby ne me supporte pas. Si ça se trouve, toi non plus, d'ailleurs. Je pourrais pas t'en vouloir.

— Si, je te supporte. La plupart du temps."

Il a souri. "Merci.

— Et je crois que j'ai compris où tu voulais en venir...

— On sait ce qui est le plus probable. Et c'est sûrement vrai : il n'y a jamais eu de demande de rançon. Elle est sûrement morte ce jour-là. On n'a aucune preuve du contraire."

J'ai fermé les yeux. Même dans ce bar bruyant, j'entendais ses cris. La voix de Caitlin. Aiguë. Rauque. Au bord de la rupture. *Papa !*

"Je n'aime pas me dire qu'on l'a perdue ce jour-là.

— C'est normal. Je comprends. Et à la police, qu'est-ce qu'ils en disent ? a-t-il demandé en attrapant un bol de cacahuètes sur une table vide derrière lui.

— Pas grand-chose. Quand on a des nouvelles, c'est toujours la même chanson. Ils ont un inspecteur sur le coup. Le FBI s'est retiré de l'affaire. Ils affirment que l'enquête est en cours, mais qu'est-ce que ça veut dire ? Je sais qu'ils ont d'autres dossiers, des affaires plus récentes.

— Ils pensent toujours qu'elle a fugué ?

— C'est plus facile comme ça, non ? Si elle a fait une fugue, il n'y a pas de crime. Elle aurait seize ans aujourd'hui…"

Ma voix s'est éteinte.

"On peut changer de sujet, si tu veux", a dit Buster.

J'ai acquiescé.

On nous a apporté nos sandwichs. Buster a salé ses frites et commencé à manger. J'ai regardé mon assiette, pas sûr d'avoir faim.

"Je suis passé par chez vous avant d'aller à l'église des cinglés, au cas où vous seriez encore à la maison. J'ai frappé plusieurs fois, mais rien.

— On était déjà à l'église.

— Je sais. Par contre, Frosty n'a pas aboyé.

— Il n'est plus là.

— Mais tu le promenais l'autre jour… il est mort ? Qu'est-ce qui s'est passé ?

— Rien, je l'ai emmené à la fourrière. C'est un vieux chien, il a ses petites habitudes. On m'a dit qu'il y avait des chances pour que quelqu'un l'adopte, mais sinon ils finiront par l'euthanasier.

— Il était malade ?"

J'ai secoué la tête.

La compréhension s'est fait jour sur son visage. "Abby n'en voulait plus ?"

Sans répondre, j'ai pris une frite et l'ai fourrée dans ma bouche.

"Et tu l'as fait ? Tu l'as emmené à la fourrière ?

— Je l'ai fait pour Abby. Et pour moi. C'était le chien de Caitlin, il nous rappelait sans arrêt ce qu'on avait perdu. Si ça peut nous aider à tourner la page…

— Merde alors. C'est cruel.

— Le chien qui en savait trop, mais qui ne pouvait que se taire."

J'ai vidé mon gobelet et nous ai resservi de la bière.

"Comment ça va, entre Abby et toi ?"

J'ai commencé à manger mon plat tiède. "Comme d'habitude.

— Si bien que ça ?

— Ça va.

— Je me demandais… mais si je vais trop loin, dis-le-moi.

— Et ça t'arrêtera, peut-être ? ai-je rétorqué avec un petit rire.

— Non." Il a fait signe à la serveuse de nous apporter un autre pichet. "Je me demandais juste… vous le faites encore ? Je veux dire, vous dormez dans le même lit ? Vous couchez ensemble ?

— Mettez ça sur la note de mon frère, ai-je déclaré lorsque le pichet est arrivé.

— Vous pouvez tout mettre sur ma note, c'est moi qui régale. Je t'en dois bien une, a ajouté Buster avec un clin d'œil à mon adresse ; mais il n'a pas rempli son gobelet tout de suite. Alors ?

— Je sais très bien que tu essayes de me provoquer. Ça finit toujours comme ça avec toi.

— Vous le faites pas ? Jamais ? a-t-il demandé, incrédule. Je comprends pas comment c'est possible. Moi, il faut que j'aie ma dose, tu vois ? Je peux pas vivre sans." Il secouait la tête. "En fait, j'essaye juste de comprendre pourquoi tu restes marié avec elle, si vous n'avez plus rien en commun. Elle fait partie de cette église de tordus, tu es prof à l'université. Elle veut organiser un enterrement, toi non. Elle pense que Caitlin est morte…

— Ça fait longtemps qu'elle n'a pas travaillé. Elle a arrêté d'enseigner après la naissance de Caitlin.

— Et alors ?

— Nos vies sont liées. Ce n'est pas aussi simple que tu le crois.

— Ah oui ?" Il a repoussé son assiette et avalé une nouvelle gorgée de bière, avant d'émettre un rot sifflant. "Ça me paraît pourtant très simple. Le chien est parti. La pierre tombale est installée. Tout le monde passe à autre chose. Tu te rappelles quand papa est mort ? Mon père ? Tu te rappelles comme tu pleurais à l'enterrement ?

— Je n'ai pas pleuré.

— Si.

— Pas pour lui, sûrement pas."

Buster a soupiré. "C'est lui qui t'a élevé.

— Si on peut dire."

Buster s'est reculé sur sa chaise et a levé la main pour se gratter la mâchoire. Je percevais sa colère. Chaque fois qu'on parlait de mon beau-père, l'un de nous au moins finissait par exploser. Mais cette fois, Buster a réussi à ravaler sa fureur. Quand il a repris la parole, sa voix était calme.

"Voilà où je veux en venir : c'est juste après la mort du vieux que tu as décidé de continuer tes études. Tu as commencé une nouvelle vie, une nouvelle carrière, rencontré Abby, eu un bébé. C'était comme si sa mort t'avait libéré, d'une certaine manière. Tu sais, on dit qu'on ne devient vraiment nous-mêmes qu'après la mort de nos parents. C'est peut-être pour ça que je me réveille un peu sur le tard." C'est sans ironie aucune qu'il a prononcé la phrase suivante : "Peut-être que tu as l'occasion de commencer une nouvelle vie. Maintenant. Il faut juste que tu… acceptes les choses…"

Je l'ai regardé par-dessus la table sale et encombrée. J'ai pensé à m'en aller – j'ai pensé à le frapper, même. Mais finalement, je me suis contenté d'appeler la serveuse qui m'a apporté l'addition.

"Donnez-la-lui, ai-je déclaré. On a terminé."

# 3

"Ça te dérange si on s'arrête un instant ?

— Où ça ?"

À la vue du refuge pour animaux, Buster a poussé un soupir. "Tu plaisantes, j'espère. Il est mort.

— Juste une minute."

Le hall d'entrée était imprégné de l'odeur accumulée par des centaines d'animaux en cage : odeur de fourrure, de déjections, de nourriture. Odeur de peur et de détresse. La porte du fond, qui menait au chenil, étouffait les bruits, mais je distinguais quand même un lointain concert d'aboiements et de jappements. Je me suis adressé à la femme chargée de l'accueil, qui a paru déconcertée par ma requête.

"C'est votre chien ?

— Oui.

— Et vous l'avez perdu ?

— Non, c'est moi qui l'ai amené ici. Un labrador sable. Il s'appelle Frosty. Je voulais le donner, mais j'ai changé d'avis."

Elle a pincé les lèvres d'un air de bonne sœur acariâtre.

"Bon, je vais voir. Mais on n'a pas l'habitude de ce genre de cas."

Elle s'est arrêtée à la porte du chenil pour ajouter : "Vous devrez faire un don pour l'adoption, même s'il est à vous."

J'ai hoché la tête. En attendant qu'elle revienne, j'ai observé la salle. Des yeux de chiens et de chats en quête d'un foyer me fixaient depuis un panneau d'affichage, et des avis de recherche étaient épinglés sur un autre panneau à côté. Nous n'avions pas fait de nouvelle affiche pour Caitlin cette année. La police avait créé une image d'elle à quinze ans, mais elle me semblait tellement artificielle et déformée – de trop grands yeux, de faux cheveux – que je ne supportais pas de la regarder. Je trouvais qu'elle aurait eu toute sa place dans un manuel d'apprenti croque-mort, en parfait exemple de la chose à ne pas faire pour préserver l'image d'un être cher. Mais cela n'avait pas empêché la police de la diffuser, et je tombais de temps en temps sur l'une de ces affiches, jaunie et gondolée, punaisée au fond d'un café ou sur un panneau d'affichage municipal.

L'employée du refuge est revenue si vite que j'ai compris aussitôt qu'elle m'apportait de mauvaises nouvelles.

"Il n'est plus là, a-t-elle déclaré d'un ton détaché, comme si elle parlait d'un vulgaire insecte.

— Je croyais que vous les gardiez une semaine…

— Il a été adopté. Quelqu'un est venu le chercher hier.

— D'accord. Vous pouvez me donner le nom de cette personne ? Il faut que je le récupère."

Elle a secoué la tête, affichant de nouveau son air pincé. "Nous ne pouvons pas faire ça, monsieur.

— Mais c'est mon chien !

— C'est vous qui l'avez amené ici. Vous nous l'avez laissé.

— C'était une erreur. Un malentendu."

Je me suis laissé aller de tout mon poids sur le comptoir. Après cette journée, je me sentais épuisé. Et coupable. J'avais espéré que le retour de Frosty me remonterait le moral.

"Nous n'avons pas le droit de vous donner ce genre de renseignement. Raison de confidentialité.

— Je sais, mais…

— On ne peut pas livrer à n'importe qui des informations personnelles sur nos clients.

— D'accord, d'accord. J'ai compris.

— Nous avons beaucoup d'autres chiens ici. De bons chiens, a-t-elle poursuivi, l'air tout à coup joyeux et optimiste. C'est pour une famille ? Vous cherchez un animal pour vos enfants ?

— Non, juste pour moi. Et c'était ce chien que je voulais."

Il ne servait plus à rien de discuter, alors j'ai tourné les talons.

Quand je suis remonté dans la voiture, Buster n'a rien dit. Il a démarré et m'a reconduit chez moi, la voix de l'animateur radio pour seule compagnie pendant tout le trajet. Lorsqu'il s'est arrêté devant notre maison, aucun de nous n'est descendu.

"Merci d'être venu aujourd'hui. Je suis content que tu aies pu te libérer, ai-je déclaré en lui tendant la main, qu'il a serrée.

— C'est à ça que servent les frères.

— Je ne t'ai même pas demandé ce que tu faisais en ce moment."

Il a haussé les épaules. "Je bosse pour un opérateur mobile. Au service des ventes. Ça paye mes factures. Et je sais pourquoi tu me poses cette question…

— Non, je…

— Je vais te rembourser. Les cinq mille, en entier.

— Je m'en fiche.

— Et Abby ?"

J'ai attendu avant de répondre. "Elle non. Mais pour être honnête, elle n'espère plus rien de toi. Elle m'a dit qu'elle avait fait un trait sur cet argent, comme une sorte d'investissement à perte."

Buster s'est mis à tapoter le bord du volant. "Le prix à payer pour m'avoir dans la famille.

— Plus ou moins.

— Et toi ? Qu'est-ce que tu fais de ton temps libre ? Tu écris un livre ? C'est sur qui, cette fois ? Melville ? Moby Dick ? Dick Rivers ?

— Hawthorne. Ses nouvelles. Au fait, j'ai eu l'impression qu'il y avait une femme avec toi la dernière fois que je t'ai parlé au téléphone. Tu vois quelqu'un en ce moment ?

— Pourquoi ça t'intéresse, tout à coup ?

— Je ne veux pas qu'on se quitte fâchés, c'est tout. Je sais que c'est pénible de parler de ton père. Pour nous deux. Ou en tout cas pour moi. Je fais encore des rêves à propos de lui, quand il entrait dans notre chambre la nuit, soûl et enragé. Il nous tombait dessus pour nous cogner. Je revois sa silhouette dans le noir, comme une masse écrasante. Je n'arrive pas à l'oublier.

— Ce n'est pas en restant assis dans cette voiture qu'on va résoudre tout ça.

— Est-ce que tu t'en souviens aussi ? Dis-moi au moins ça.

— Non, Tom, a-t-il répondu sans hésitation. Je ne me souviens pas du tout de ça. Désolé.

— On se pelotonnait ensemble dans le noir. Tu essayais de me défendre, bon sang ! Tu te mettais sur moi pour me protéger. Et tu veux me faire croire que tu ne t'en souviens pas ? Tu préfères vraiment t'en tenir à cette version ? Vraiment ?

— Je ne préfère rien du tout. C'est un fait." Il a jeté un œil à l'horloge du tableau de bord. "Il faut que je rentre, OK ?"

Juste avant que je sorte de la voiture, il a ajouté : "Mais si tu décides de changer de vie, jeune maître Tom*, de changer pour de bon, appelle-moi. Tu as mon numéro."

* Allusion à la nouvelle de Nathaniel Hawthorne *Young Goodman Brown*, "Jeune maître Brown". *(N.d.T.)*

4

Dans les semaines et les mois qui ont suivi la disparition de Caitlin, des rumeurs ont commencé à circuler. New Cambridge, dans l'Ohio, est une petite ville universitaire plutôt tranquille et agréable, peuplée d'environ cinquante mille habitants issus pour la plupart de la classe moyenne : essentiellement des professeurs, leurs familles, et des étudiants qui vont et viennent en fonction du calendrier académique. Il ne se passait jamais rien de grave à New Cambridge, ou du moins rien dont les gens avaient connaissance ou discutaient entre eux.

Mais malgré les efforts de nos amis pour nous épargner les ragots, nous avons entendu ce que racontaient les gens : Caitlin était tombée enceinte et nous l'avions chassée de la maison. Caitlin avait rencontré quelqu'un sur Internet et s'était enfuie avec lui. Caitlin était tombée dans le piège d'un prédateur sexuel sur un site web et il l'avait kidnappée. Ou bien elle avait tout simplement fugué. Lasse de sa vie monotone dans cette petite ville, elle avait décidé de prendre son destin en main et de partir vers de nouveaux horizons. La Californie ou New York. Seattle ou Miami.

La police a bien sûr interrogé tous nos amis et notre famille ; ils ont parlé à quelques-uns de mes étudiants et épluché les casiers judiciaires de tout le monde, sans résultat. Au cours des premières semaines suivant la disparition de Caitlin, les policiers nous ont traités avec les égards dus aux parents d'un enfant disparu, peut-être mort. Ils nous parlaient d'un ton réconfortant, nous adressaient de banals encouragements – qui nous faisaient en vérité beaucoup de bien – et répondaient immédiatement à nos appels et à nos questions. Mais il n'a pas fallu longtemps pour que la situation se dégrade.

Tout a commencé avec Buster et son affaire d'exhibition sexuelle. Il habitait Columbus, à une heure de là, et ne se trouvait *a priori* pas à New Cambridge le jour de la disparition de Caitlin ; mais il n'avait pas d'alibi solide à fournir. Il disait être resté chez lui. Une ancienne petite amie affirmait lui avoir parlé au téléphone une heure avant la disparition de notre fille, mais elle ne savait pas où il se trouvait à ce moment-là. Pendant quelque temps, les policiers ont plus ou moins considéré Buster comme un suspect, même s'ils se refusaient à le désigner ainsi devant Abby et moi. Il a subi quelques interrogatoires musclés et des menaces à peine déguisées. Même s'il n'a jamais réclamé d'avocat ni offert un semblant d'aveu et que rien ne prouvait son implication dans l'affaire, la presse a divulgué que l'oncle – anonyme – de Caitlin "intéressait" les enquêteurs.

Je n'ai jamais pris fermement la défense de mon frère, ni auprès d'Abby ni auprès de la police. J'ai malgré tout déclaré que je ne le pensais pas capable de faire du mal à Caitlin. Pour tout dire, il se montrait étonnamment gaga de sa nièce : il lui envoyait souvent des cadeaux d'anniversaire, et, les rares fois où il nous rendait visite, il s'efforçait de parler à Caitlin comme à une adulte.

"Mais justement, Tom, m'a dit Abby un jour où Buster avait affaire à la police. Il s'intéressait tellement à Caitlin. Ça ne te paraissait pas bizarre, venant de lui ?"

Si. Vraiment. Et je me suis si bien approprié les soupçons de la police et les doutes d'Abby qu'ils ne se sont jamais réellement dissipés, même après que la police en a eu fini avec Buster. Je n'arrêtais pas de ressasser les mêmes questions, encore et encore : où était-il ce jour-là ? Pourquoi s'intéressait-il autant à Caitlin ? Son inculpation pour outrage à la pudeur ne résultait-elle vraiment que d'une erreur d'ivrogne ?

Même si j'ai conservé mes doutes au sujet de Buster dans un coin de ma tête, la police, faute de trouver des preuves concluantes de son implication dans l'affaire, est passée à autre chose. Ils ont examiné chaque morceau de papier, chaque relevé téléphonique, chaque facture et chaque compte rendu de situation financière en notre possession, et rien de tout cela ne leur a donné la moindre piste – mis à part l'ordinateur que nous avions acheté pour Caitlin, celui qu'elle utilisait dans sa chambre. Il ne contenait pas de mails sortant de l'ordinaire, aucun indice suggérant qu'elle avait rencontré un homme qui aurait pu lui tendre un piège ou l'enlever. Mais le jour de sa disparition, Caitlin avait fait des recherches sur Internet : dans les heures précédant son départ avec Frosty, elle avait consulté des sites sur Seattle, les chevaux, le réseau ferré Amtrak et le système présidentiel des États-Unis. Je ne voyais rien d'inquiétant ni d'inhabituel dans cette liste, qui n'évoquait pour moi qu'une enfant curieuse en train de surfer sur Internet, passant d'une idée à l'autre au fil de ses envies. Je faisais la même chose tous les jours.

Pourtant, les policiers se sont appuyés sur deux éléments de la liste, Seattle et Amtrak, pour décréter qu'il existait une forte probabilité que Caitlin ait fugué. Ils nous ont questionnés à ce sujet, insistant tout particulièrement pour savoir s'il y avait des problèmes à la maison. Ils ont interrogé les amis de Caitlin, ses professeurs, nos voisins, et la plupart ont répondu que, même s'ils pensaient que tout allait bien, il leur semblait que Caitlin était une enfant un peu réservée, qui gardait ses distances et ne laissait jamais vraiment deviner ses pensées. Tout cela était vrai, et Abby et moi en avions parlé à la police dès le début. En effet, nous ne savions pas toujours ce que pensait Caitlin ; mais quels parents d'un enfant de douze ans peuvent prétendre le contraire ?

À partir de ce moment-là, une rupture subtile s'est amorcée entre la police et nous. Les moyens mis en œuvre ont peu à peu diminué – la police de l'État a rapatrié son agent de liaison, celle de New Cambridge n'a laissé qu'un inspecteur sur l'affaire – et nous avons eu le sentiment, Abby et moi, que les autorités ne nous prenaient plus au sérieux, qu'on nous reléguait au second plan en attendant que de nouveaux éléments viennent relancer l'enquête.

Ai-je jamais cru, de mon côté, que Caitlin avait fugué ? J'aime à penser que non. Mais je dois admettre qu'il y a eu des nuits où, tandis que je fixais le plafond de ma chambre, les résultats de ces recherches sur Internet défilaient dans ma tête comme les trains en question. Et j'étais bien forcé de me demander, là dans le noir : qu'est-ce que Caitlin pensait ou faisait vraiment ? Pouvait-on — et pouvais-je, moi — réellement le savoir ?

## 5

Le *Fantasy Club*, situé à l'écart de tout commerce respectable, était un petit bâtiment en dur doté d'un parking en gravier et d'un néon clignotant qui proclamait : DIVERTISSEMENTS POUR ADULTES – COUPLES BIENVENUS.

J'ai garé ma voiture dans le parking presque vide, pneus crissant sur les cailloux, en soulevant un nuage de poussière blanche. L'absence de fenêtres donnait à l'endroit un air de forteresse, sorte de dernier bastion du divertissement. Une fois à l'intérieur, j'ai mis du temps à m'habituer à la pénombre ; il n'y avait pas de vigile à la porte, personne pour réclamer un droit d'entrée. La scène était vide, la musique éteinte. Un barman esseulé lisait le journal tandis que son unique client regardait un talk-show à la télévision. Le barman a réussi à s'arracher à sa lecture pour demander :

"On peut vous aider ?"

Comme ma tête bourdonnait encore un peu sous l'effet de la bière que j'avais bue avec Buster, j'ai commandé une eau gazeuse. Le barman a esquissé une moue de dédain.

"Vous voulez un citron vert avec ? J'en ai plus un seul.

— Pas de citron."

Il a rempli un gobelet en plastique et l'a posé sur le bar.

"On est entre deux shows, alors je vous compte pas la boisson.

— C'est bon."

J'ai déniché un billet de un dollar au fond de ma poche, et l'ai placé devant moi en guise de pourboire et de gage de bonne volonté.

Le barman a haussé les sourcils, mais n'a pas empoché le billet. "Merci."

Je suis allé m'installer à l'extrémité du bar. Pianotant des doigts sur le comptoir, il m'a fallu moins d'une minute pour vider mon gobelet. J'ai remué la glace avec ma petite paille à cocktail rouge, essayé de me concentrer sur la discussion enflammée à l'écran, puis demandé un autre verre, que le barman m'a servi sans décoller les yeux de son journal.

"On fait un défilé de lingerie ce soir. Vous devriez rester.

— Il va bien falloir que je rentre affronter ma femme à un moment ou un autre.

— Eh ben, vous n'avez qu'à l'amener, a-t-il répliqué avec un clin d'œil. Vous avez pas vu le panneau, « couples bienvenus » ?

— Vous ne connaissez pas ma femme."

Le barman et son client se sont esclaffés à cette plaisanterie, m'incluant temporairement dans leur petit cercle viril.

"Je peux vous poser une question ?" ai-je demandé.

Les rires se sont tus. Le bruit de la télévision a envahi la pièce ; un adolescent boutonneux accusé d'avoir fait un enfant à deux lycéennes se défendait face à l'animateur, sa voix grêle montant dans les aigus comme une sirène de police.

J'ai sorti de mon porte-monnaie la photo de Caitlin que je gardais toujours sur moi : sa dernière photo d'école, celle que la police avait diffusée dans les médias juste après sa disparition. Je l'ai tendue aux deux hommes, avant de leur demander d'un ton aussi désinvolte que possible :

"Est-ce que vous auriez vu cette petite fille par ici ?"

Le client, un homme âgé à la peau flasque et sillonnée de rides, a détourné les yeux, déléguant au barman la tâche de s'occuper de moi.

"Vous êtes flic ? s'est enquis celui-ci.

— Non.

— Détective privé ?

— C'est ma fille."

Une lueur de compassion a traversé son regard. Il s'est penché un peu pour observer la photo, sourcils froncés.

"Ouais, je l'ai vue." Il a refermé son journal pour désigner la une du *New Cambridge Herald*. "Juste là."

Elle ne figurait pas au premier plan, mais on la trouvait quand même en bas de la première page, coincée à côté des prévisions météo : une photo de Caitlin, la même que celle que je tenais, accompagnée d'un résumé de l'affaire.

"Mais je l'ai jamais vue dans ce bar. On n'accepte pas les mineurs, non monsieur.

— Vous avez bien regardé la photo ?"

Il a poussé un petit soupir, mais l'a étudiée de nouveau, plus longuement, allant jusqu'à incliner la tête d'un côté puis de l'autre pour mieux l'examiner.

"Non, a-t-il conclu. J'ai jamais vu cette petite fille.

— Elle aurait seize ans aujourd'hui.

— Seize ans ? Elle a quel âge sur la photo ?

— Douze ans.

— Vous savez à quel point ça peut changer, un gamin, entre douze et seize ans ?"

J'ai remis la photo dans mon portefeuille.

"J'aimerais bien. Vraiment."

# 6

La femme qui accompagnait Liann me paraissait jeune, de l'âge d'une étudiante. Elle portait un tee-shirt, un short taillé dans un jean et des tongs, et tenait à la main un sac de gym bleu et rouge.

Quand les deux femmes sont passées devant le bar, l'homme qui m'avait servi a grogné : "T'es en retard, Tracy.

— Comment ça se fait qu'on te laisse gérer la salle, Pete ? Quelqu'un est mort ?" a-t-elle rétorqué.

Si je ne me sentais pas à ma place au *Fantasy Club*, Liann détonnait tout autant, avec son tailleur marron strict et ses cheveux bruns relevés en une courte queue de cheval. Plus âgée que moi – elle approchait des cinquante ans –, elle avait conservé une silhouette très fine grâce au jogging et au vélo. Tandis qu'elle guidait la jeune femme dans ma direction, la main posée sur son bras en un geste maternel, elle affichait un air confiant et décidé. Sa présence me rassurait, comme toujours depuis qu'elle était apparue à la maison, au lendemain de la disparition de Caitlin.

Lorsqu'elles sont arrivées à ma table, isolée dans un coin de la pièce, je me suis levé pour serrer la main de la jeune femme tandis que Liann se chargeait des présentations.

De près, à la lueur des spots de la scène et des néons publicitaires pour marque de bière accrochés au mur, j'ai constaté que, même si j'avais bien deviné l'âge de la dénommée Tracy – tout juste vingt ans –, elle ne devait pas avoir eu une jeunesse facile. Ses cheveux étaient fins et cassants à force d'avoir été décolorés, et des rides apparaissaient déjà aux coins de ses yeux et de sa bouche. Elle était mince, mais pas comme une jeune fille en bonne santé : elle affichait au contraire l'air fatigué et usé de quelqu'un qui ne dormait ou ne mangeait pas suffisamment.

Je leur ai demandé si elles voulaient boire quelque chose, mais Liann a secoué la tête.

"Il ne faut pas tarder. Tracy a du travail."

Je me suis assis, les mains jointes sur la table.

"Vas-y, Tracy. On t'écoute, a repris Liann.

— Une minute. Comment est-ce que vous vous connaissez, toutes les deux ?"

Tracy a baissé les yeux vers la table tandis que Liann se tournait vers moi.

"On n'a pas beaucoup de temps, Tom.

— Je comprends bien, mais je voudrais savoir d'où proviennent ces informations. Tu travailles avec des femmes et des familles qui ont été victimes de violences, mais tu es aussi avocate. J'aimerais savoir dans quel contexte tu as rencontré Tracy.

— Elle a eu quelques problèmes…

— Je me suis fait coffrer, d'accord ? est intervenue la jeune femme, levant les yeux pour me regarder. Je me suis fait prendre avec de la drogue, et Liann m'a défendue. Elle m'a évité la prison.

— Je comprends.

— Ça n'a pas vraiment d'importance, a coupé Liann. Raconte-lui ce que tu as vu, Tracy."

La jeune femme a pris tout son temps pour commencer. Elle a sorti un paquet de Marlboro lights et un briquet de son sac de gym, puis, une fois sa cigarette allumée, a soufflé de la fumée vers le plafond, avant de la chasser de la main par égard pour Liann et moi. Cette petite cérémonie accomplie, elle m'a fixé d'un air calme.

"Je vous ai déjà vu. J'étais danseuse au *Love Shack*, et vous veniez poser des questions sur votre fille. Vous m'avez montré sa photo un soir." Elle a tiré sur sa cigarette puis rejeté la fumée. "Moi aussi, j'ai une petite fille. Elle aura bientôt cinq ans. Cassie. Elle habite chez ma tante pendant que je travaille, mais je la vois de temps en temps."

Puisqu'elle semblait attendre ma réaction, j'ai déclaré : "Ça doit être dur."

Tracy a hoché la tête comme si je venais d'énoncer une vérité éternelle. "Ça oui, c'est sacrément dur."

La plupart des jeunes gens que je côtoyais à l'université étaient issus de milieux privilégiés, et connaissaient souvent mieux le monde que moi. Tracy ne menait pas ce genre de vie. Elle ne passait pas l'hiver au ski et l'été à Cancún. Elle n'avait sûrement jamais quitté les environs de New Cambridge, et conserverait toute sa vie les traits grossiers et l'accent campagnard typiques du coin, marqueurs indélébiles de ses origines.

"Elle est comment, votre fille ? m'a-t-elle demandé.

— Tracy...

— Je veux savoir, Liann, c'est tout. Ça m'intéresse.

— C'est bon, ça ne me dérange pas", ai-je dit à Liann.

Mais je n'ai pas trouvé les mots. En quatre ans d'entretiens avec la police et les journalistes, quatre ans passés à établir le portrait de Caitlin pour des affiches et des sites internet, je ne m'étais jamais senti tout à fait capable de livrer une description convenable de ma fille, qui permette à n'importe qui de la reconnaître. Et je me demandais souvent si l'image que j'avais créée de cette petite fille de douze ans ressemblait ne serait-ce qu'un peu à la jeune femme de seize qu'elle était devenue – du moins je l'espérais.

"Elle est intelligente. Très.

— Vous êtes prof à l'université, non ?

— Oui.

— Pas étonnant qu'elle soit intelligente alors.

— Elle est assez réservée, aussi. Elle aimait bien rester dans son coin.

— Elle est jolie ?

— Oui. Elle a les cheveux blonds, très blonds. Et ses yeux étaient... sont bleus. Encore plus bleus que les vôtres."

Tracy a souri, et je n'ai pas pu m'empêcher de penser que je contemplais le visage d'une version plus âgée de Caitlin, de la Caitlin qui n'était jamais rentrée à la maison.

Le barman, Pete, est passé près de nous avec deux caisses de bière. Ses biceps tendus gonflaient sa chemise comme des boulets de canon.

"C'est bientôt à toi, Tracy.

— Fous-moi la paix."

Avec un soupir, le barman a continué son chemin.

Tracy a attendu qu'il soit parti, puis s'est penchée pour écraser son mégot dans le cendrier.

"J'ai vu votre fille une fois. Au *Love Shack*."

Malgré l'eau gazeuse que j'avais bue, ma gorge s'est desséchée. Je n'ai rien dit ; je n'ai pas bougé d'un pouce, ne voulant pas créer de mauvaises ondes qui auraient pu la dissuader de me dire ce que je voulais savoir. Je suis resté parfaitement immobile, tandis qu'un frisson glacé naissait à la base de mon cou et se diffusait dans mon dos. Et j'ai attendu.

Tracy a sorti une nouvelle cigarette de son paquet.

"C'était il y a six mois à peu près, six mois après que vous êtes venu montrer la photo au club. Vous l'avez toujours sur vous ?

— Tracy, raconte-lui ce que tu as vu", a coupé Liann.

La jeune femme lui a jeté un regard et hoché la tête, l'air d'une adolescente penaude, puis a fait tomber ses cendres sur le sol.

"C'était un soir comme les autres, rien de spécial. Je me rappelle pas quel jour on était… sûrement pas un week-end, parce qu'on n'avait pas trop de monde. Un type est venu me voir pour me demander une danse privée. Je lui ai dit que c'était vingt dollars, et il m'a dit d'accord, comme si le prix lui posait aucun problème. Il y en a qui essayent de négocier, ou bien ils posent la question d'une manière très particulière, parce qu'ils espèrent avoir droit à autre chose qu'une danse. Ils disent : « Vingt dollars pour aller avec toi », parce qu'ils pensent que s'ils précisent pas de quoi ils parlent, on leur fera peut-être autre chose. Un petit extra. Mais ils ne nous laissaient pas faire ce genre de trucs au *Love Shack*. Pas question.

"Au club, il y a trois petites cabines sur le côté de la pièce. C'est là qu'on allait pour les danses privées. Elles étaient à peine plus grandes que des placards, mais il y avait des bancs en vinyle sur le mur du fond, et en général une autre chaise en plus. Des fois, on avait des timides qui restaient sur la chaise un moment, à attendre. On les laissait là quelques minutes, mais pas trop longtemps. S'ils se dépêchaient pas, il fallait qu'ils partent. On avait de l'argent à gagner, nous."

Tracy a fixé la table et trituré une écaille de formica. "Bref, je suis allée derrière le rideau de la cabine n° 3 pour attendre le type. Je le sentais pas bien, rien qu'à sa façon de parler, et comment il m'avait donné l'argent.

— Comment ça ?"

Elle a détourné les yeux. "Je sais pas. Avec certains types, je vois tout de suite qu'ils vont être détendus et tranquilles. Ils viennent juste pour s'amuser." Un petit sourire s'est dessiné sur ses lèvres, comme si un souvenir agréable lui revenait ; mais il s'est évanoui rapidement et Tracy s'est de nouveau tournée vers moi. "Il y a un autre genre d'hommes. Un genre que je connais très bien. Ceux-là, ils ont quelque chose d'autre en tête... vous voyez de quoi je parle ?"

Comme elle attendait ma réponse, je me suis lancé : "De sexe ?

— Si seulement, a-t-elle répondu en secouant la tête. Mais non. Ces types veulent faire du mal à quelqu'un. Aux filles, en général. Ils cherchent le contrôle. Ils veulent se servir d'elles, les dominer.

— Cet homme vous a maltraitée ?

— Il est entré dans la cabine où j'attendais. Il était assez vieux, la cinquantaine, je dirais. Il avait les cheveux longs et gras, à moitié gris. Un type moche, un peu bouffi, avec un gros nez plat. Il m'a regardée droit dans les yeux avant d'aller s'asseoir sur le banc, et à ce moment-là j'ai failli lui rendre son argent et lui dire de laisser tomber. Il y a des videurs au club, des gens sérieux qui tendent l'oreille pour intervenir en cas de souci. Mais rien que d'être dans la même pièce que ce type, j'avais la chair de poule."

Tracy frémissait en y repensant, et je me suis dit qu'elle avait dû ressentir la même sensation glacée que celle qui m'habitait à présent.

"Et c'est là que j'ai vu la fille derrière lui.

— Caitlin ?"

Tracy a fait oui de la tête.

Liann a posé sa main sur la mienne sans rien dire, mais sa chaleur n'a pas réussi à me réconforter.

"Ça m'est déjà arrivé plein de fois de danser pour des couples, a continué Tracy. C'était pas si inhabituel. Mais j'en avais jamais vu un comme celui-là. Au début, j'ai cru que c'était sa fille, ou peut-être même sa petite-fille. Mais ensuite il l'a attrapée par la main et l'a attirée à lui, et là j'ai compris ce qu'il y avait entre eux. C'était un vrai couple.

— Tom, qu'est-ce que tu as ? Tu te sens mal ?" m'a demandé Liann.

Je n'en savais rien. Je n'ai pas répondu, même si j'avais en effet l'impression que mon estomac se soulevait. Pendant un instant, je me suis demandé si j'allais réussir à garder mon déjeuner, si la bière et la nourriture grasse que j'avais avalées n'allaient pas ressortir d'un seul coup en une giclée chaude.

Liann s'est levée pour revenir presque aussitôt avec un gobelet d'eau gazeuse. Ma nausée s'est apaisée, et mon corps a retrouvé une température normale.

"Tu veux qu'on arrête ? On peut faire ça un autre jour."

J'ai secoué la tête.

"Je sais que c'est dur à entendre, m'a dit Tracy, qui n'avait pourtant pas vraiment l'air de compatir.

— Pourquoi n'avez-vous pas raconté tout ça à la police ? Pourquoi me le dire maintenant ?

— Tracy n'a fait le rapprochement que cette semaine, quand elle a vu la photo et les articles sur la cérémonie dans le journal, est intervenue Liann. Elle m'a appelée tout de suite. Comme elle l'a dit, je l'ai aidée à se tirer de certains ennuis, ainsi que d'autres membres de sa famille. Ce n'était pas grand-chose, juste des bêtises de gamine. De l'histoire ancienne, maintenant." Liann a de nouveau placé une main sur le bras de Tracy en un geste rassurant et maternel. "Elle me fait confiance.

— Et vous avez réussi à vous souvenir de Caitlin après tout ce temps ? ai-je demandé à Tracy. Vous avez reconnu sa photo dans le journal ?

— Je vous avais déjà vu. Et puis…"

Elle s'est tue. J'ai regardé Tracy et Liann tour à tour, attendant la suite.

"Et puis ?

— Continue, Tracy. Dis-lui."

Je voulais lui demander de se taire. Lui dire que je n'en pouvais plus. J'avais l'impression que mon cœur était en train de se déchirer.

Mais je ne pouvais pas m'empêcher d'écouter.

"Le type est allé s'asseoir. Et la fille…" Tracy a marqué une pause avant de reprendre : "Votre fille s'est assise sur la chaise en face de lui. Vous voyez ce que c'est, le *lap dance* ?"

J'avais participé à assez d'enterrements de vie de garçon pour en avoir une petite idée, et Liann a acquiescé à son tour.

"Ils nous demandent de le faire à l'envers, style « cow-girl ». Ils veulent qu'on tourne le dos au type pour qu'il n'y ait que nos fesses qui touchent ses cuisses. Et on reste habillées, bien sûr. C'est la loi. Je suppose qu'ils se disent que tant qu'on reste de dos, il y a moins de risque que le type essaye de nous peloter. Je sais pas pourquoi ils pensent ça : si le type veut nous peloter, il va le faire de toute façon, non ? Mais quand celui-là m'a demandé de danser face à lui, ça m'a inquiétée. Il me faisait déjà peur, et puis il avait emmené cette fille avec lui, votre fille, et ça me plaisait pas." Elle a soupiré. "Mais je ne me voyais pas refuser. On n'est pas censées dire non tant qu'on ne se sent pas en danger, et je ne pouvais pas vraiment dire que c'était le cas. En plus, j'avais besoin de cet argent, et de garder mon boulot. Alors j'ai fait comme il voulait. Et tout s'est bien passé. Il m'a pas touchée."

Elle s'est tue le temps d'allumer une nouvelle cigarette.

"Mais… ?

— Il ne m'a même pas regardée." Malgré ses efforts, Tracy n'arrivait pas à dissimuler une pointe de déception dans sa voix. "Il regardait derrière moi, en direction de la… de votre fille. Il a gardé les yeux fixés sur elle tout le temps où j'ai dansé devant lui. Elle est plus jeune que moi, ça doit être pour ça. La danse ne dure que pendant une chanson : une fois le morceau fini, on s'en va. Quand je me suis retournée vers la fille, elle avait le regard vide, sans aucune émotion. Rien. On aurait dit une morte. Mais elle le fixait droit dans les yeux. Elle le quittait pas du regard, comme si elle était sous hypnose et qu'elle ne pouvait pas bouger sans son autorisation. Ça m'a encore plus foutu les jetons, pire que s'il l'avait frappée."

Après avoir sorti une énième cigarette de son sac, elle a continué : "J'ai quitté la cabine en premier. J'aurais dû retourner directement à la piste de danse et me remettre à travailler, mais je l'ai pas fait. Je suis restée à côté de la porte. J'avais pas d'idée spéciale en tête, je sentais juste qu'il fallait que je le fasse. C'était une sorte d'intuition qui me disait de rester là. Peut-être que je pensais à ma fille, Cassie. Peut-être que je me disais que si elle se retrouvait dans cette situation un jour, j'aimerais bien que quelqu'un essaye de l'aider.

"Mais ils sont pas sortis tout de suite. J'ai attendu une minute, deux minutes : toujours rien. Pas un signe. Comme je vous le disais, j'ai déjà dansé pour des couples, et je sais que des fois ça les… ça les excite, vous voyez ? Il y a des couples qui prennent leur pied avec ce genre de choses. Mais ils n'ont rien le droit de faire dans le club, parce que ça nous causerait des ennuis. On est censées s'assurer que ça ne se produise pas. Alors je suis allée vérifier."

Tracy s'est tournée vers Liann. Il semblait que la suite constituait un sujet de discorde entre les deux femmes, et que Tracy adressait une dernière supplique muette à Liann, dans l'espoir que celle-ci la tire d'affaire.

L'avocate a secoué la tête. "On en a déjà parlé, Tracy. Tu dois tout raconter. C'est ton histoire, il faut que tu l'assumes."

Après un long silence, la jeune femme s'est tournée vers moi. "Je suis désolée.

— Ça va", ai-je répondu, même si je savais très bien que ça n'allait pas. En vérité, j'avais envie de prendre mes jambes à mon cou.

"Quand je suis entrée dans la cabine, la fille était à genoux, dos à moi…"

Elle n'avait pas besoin de continuer. J'avais compris. Tout le monde avait compris. Même si ça n'avait pas été Caitlin, même si ça avait été la fille de quelqu'un d'autre, j'aurais voulu qu'on traîne cet homme devant la justice, qu'on le fasse castrer, qu'on le torture. Aucun enfant n'aurait dû avoir à faire ça, et aucun parent n'aurait dû avoir à l'entendre. Le fait qu'il s'agissait peut-être de ma fille, que j'espérais qu'il s'agissait d'elle, rendait la chose quasiment insupportable.

"Ils ont dû arrêter quand ils m'ont entendue entrer, a repris Tracy. Ils sont ressortis en marchant côte à côte, enlacés comme des amoureux. Mais en regardant bien, j'ai vu qu'il la serrait très fort. Il gardait le bras autour de sa taille, comme s'il ne voulait pas la lâcher.

— Ou comme s'il craignait qu'elle se sauve, a suggéré Liann.

— Oui, comme ça. Il avait la tête tout près de la sienne, vraiment tout près, on aurait dit qu'il lui murmurait quelque chose… ou qu'il l'embrassait."

J'ai avalé ma salive et attendu la suite.

"Par hasard, la fille était de mon côté. J'ai tendu la main, lentement, tout doucement, et je lui ai touché le bras. Je pensais pas que l'homme me verrait, et je voulais qu'elle sache que j'étais là si elle avait besoin de quelque chose, si elle voulait me parler. Elle s'est tournée vers moi et m'a regardée dans les yeux. Elle avait toujours l'air d'un zombie, mais j'ai vu autre chose dans son regard. De la peur, peut-être. Une émotion. On aurait dit qu'elle voulait me parler. Elle en avait vraiment envie, j'en étais sûre. Et elle a commencé à… elle a ouvert la bouche en me regardant, et j'ai cru qu'elle allait me demander de l'aide. Et je l'aurais aidée, à l'instant même. Je l'aurais fait.

— Qu'est-ce qu'elle a dit ? ai-je demandé, haussant le ton.

— Rien. Juste au moment où elle a ouvert la bouche, le type m'a vue, et il a dû remarquer que je lui touchais le bras parce qu'il l'a tirée vers lui d'un coup, comme on tire sur la laisse d'un chien, vous voyez ? Mais il m'a rien dit. C'était pas la peine. Il m'a simplement fixée du regard en s'en allant, pour me faire comprendre de rester en dehors de ça, de m'occuper de mes oignons." Tracy semblait avoir oublié sa cigarette, dont la cendre menaçait de tomber sur le sol. "J'aurais vraiment voulu faire quelque chose, ou dire quelque chose. J'y pense tout le temps."

Il m'a semblé qu'elle avait préparé cette dernière phrase, que ses paroles ne sonnaient pas juste ; mais Liann a tendu la main pour serrer doucement la sienne.

"Tu es en train de le faire aujourd'hui, a-t-elle affirmé. Tu es en train d'aider cette petite fille.

— J'ai vu la photo dans le journal hier soir, et j'ai appelé Liann immédiatement, m'a dit Tracy avant d'adresser un sourire à l'avocate. C'est vrai que je lui fais confiance. On m'a arrêtée une fois...

— Ça n'a pas d'importance, Tracy", a coupé Liann.

La jeune femme a haussé les épaules. "Bref, tous les morceaux se recollaient. Je veux qu'on arrête cet homme. Je veux qu'on le punisse", a-t-elle déclaré d'une voix qui paraissait tout à coup tendue et sincère, en écrasant sa cigarette dans le cendrier comme pour souligner ses propos. Puis elle a détourné le regard, une main sur la bouche.

La salle du *Fantasy Club* s'était remplie peu à peu. Des hommes d'affaires en cravate partageaient leur table avec des routiers et des travailleurs agricoles : une véritable mixité sociale. Le rideau a remué et quelqu'un s'est mis à applaudir. Le spectacle allait apparemment commencer.

"Il faut prévenir la police", ai-je déclaré.

Tracy a tourné brusquement la tête vers moi.

"Non", a-t-elle rétorqué, toujours aussi tendue. Elle s'est tournée vers Liann. "Tu m'avais dit que je n'étais pas obligée."

Liann m'a jeté un coup d'œil signifiant que j'entrais en terrain miné. Elle s'est penchée vers Tracy et a repris son attitude maternelle, s'adressant à la jeune femme d'une voix douce et rassurante.

"Tu voulais te rendre utile, et c'est la meilleure manière d'y arriver. Tu peux faire la différence. Le seul moyen de retrouver cet homme, c'est d'avertir la police. Je m'occuperai de tout pour m'assurer qu'ils ne te mènent pas en bateau."

Secouant la tête, Tracy a repoussé sa chaise et attrapé son sac de gym.

"Tu m'as jamais parlé de la police, Liann. Tu m'as dit : « pas de flics ». C'est comme ça, et tu le savais très bien. Je t'ai fait confiance."

Puis elle est partie à grandes enjambées. Voyant que même Liann ne parvenait pas à la retenir, je me suis levé pour l'appeler, plus fort que je n'en avais l'intention. Tracy s'est immobilisée, de même qu'une bonne partie des clients. Ils me dévisageaient tous, tête inclinée, bouche entrouverte. Quelques-uns affichaient un sourire en coin, tandis que d'autres poussaient leurs amis du coude, l'air de dire : *Matez un peu ce pauvre type, raide dingue d'une strip-teaseuse.*

"Tracy, attendez. Attendez !"

Elle s'est arrêtée dans son élan. Sans se retourner, sans m'encourager, elle m'a pourtant donné l'impression d'attendre quelque chose. D'écouter.

"C'est ma fille, ai-je plaidé. Si c'était la vôtre, vous aimeriez aussi que quelqu'un l'aide, vous nous l'avez dit."

Quelqu'un s'est exclamé "Ooooooh" d'un ton faussement attendri, tandis qu'un autre criait : "Fais voir tes seins !"

Tracy ne bougeait toujours pas.

"S'il vous plaît. On n'a aucune autre piste."

Je ne distinguais pas son visage, ce qui m'empêchait de savoir ce qu'elle pensait ou si mes paroles la touchaient.

"Je n'aime pas la police, a-t-elle dit d'une petite voix apeurée.

— Liann a raison. Il faut les mettre au courant, ils peuvent nous aider."

Tracy n'a rien ajouté, mais elle a eu un mouvement presque imperceptible. Un bref hochement de tête, paupières serrées. Elle capitulait.

"Merci, ai-je dit. Merci."

# 7

Une berline noire s'était engagée sur le parking du *Fantasy Club* et s'approchait du bâtiment. C'était l'inspecteur Ryan. Liann et moi avons attendu côte à côte qu'il se gare et sorte de la voiture. L'inspecteur était un homme de haute taille, doté d'un ventre proéminent et d'une moustache broussailleuse qui compensait plus que largement son manque de cheveux. Comme sa bedaine avait tendance à déborder par-dessus sa ceinture, Ryan passait son temps à remonter son pantalon avec ses grandes mains épaisses. Il s'était présenté chez nous le jour de la disparition de Caitlin et dirigeait l'enquête depuis lors. Dans les premiers temps, il nous avait fait l'effet d'une présence rassurante, une sorte de figure paternelle lointaine mais bienveillante, capable de rétablir l'ordre.

Nous avons échangé une poignée de main devant le club ; les lumières jaunes et orange de l'entrée donnaient à Ryan un aspect fantomatique. Je savais qu'il ne se réjouirait pas de la présence de Liann à mes côtés. De son point de vue, ses questions et ses critiques incessantes devaient s'apparenter aux coups de bec d'un oiseau enragé. Pour ma part, j'avais toujours apprécié les efforts de Liann : il me semblait que plus on posait de questions et plus on exerçait de pression sur la police, plus on aurait de chances d'obtenir des résultats et de retrouver Caitlin.

Ryan a salué l'avocate de la tête, un sourire pincé aux lèvres. Je l'ai rapidement mis au courant de la situation, laissant Liann préciser quelques détails par endroits. Il nous a écoutés en silence, sans rien commenter, arborant ce que j'appelais son "masque de flic" : Ryan restait impassible en toute circonstance et commençait souvent ses phrases par l'expression "d'un point de vue objectif". Cela dit, je me rendais bien compte qu'il me jaugeait du regard lorsque je parlais, prenant note de chacun de mes gestes et de chacune de mes inflexions pour les enregistrer dans un coin de sa tête.

Une fois mon explication terminée, et voyant qu'il restait silencieux, j'ai demandé : "Alors, qu'est-ce que vous en pensez ?

— Il faut que je parle à cette femme. Si son témoignage me paraît crédible, on pourrait diffuser un portrait-robot de l'homme en question dans les médias."

Enfin, on tenait quelque chose. On allait peut-être avancer.

"Elle n'a pas envie de te parler, Ryan", a déclaré Liann.

L'inspecteur a paru légèrement surpris, comme s'il avait oublié la présence de l'avocate.

"Ah oui ?

— Elle se méfie de la police. Elle a déjà eu quelques ennuis, alors l'idée d'un interrogatoire va avoir du mal à passer.

— Personne n'aime parler à la police. Vous aimez ça, Tom ? m'a demandé Ryan – une question purement rhétorique qui n'attendait pas de réponse. Mais parfois, on n'a tout simplement pas le choix.

— J'ai déjà dû batailler d'arrache-pied pour la convaincre de raconter son histoire à Tom. Il vaudrait mieux que j'assiste à votre entretien.

— Impossible.

— Elle a droit à la présence d'un avocat."

Ryan a poussé un grognement qui aurait pu passer pour un rire.

"Il faut que tu te décides, Liann. Quand tu mets ta casquette d'avocate, tu travailles comme il faut. Mais quand tu préfères jouer les militantes des droits des victimes, tu te mets à donner des leçons à la police, au procureur, à tout le monde. Tu ne sais pas toujours te rendre sympathique, et ça t'a causé pas mal de tort auprès de la police. De toute façon, cette fille n'a pas besoin d'un avocat. Pas que je sache, en tout cas.

— Je peux vous accompagner, ai-je proposé.

— Non, a répliqué Ryan d'un ton tranchant. En fait, le mieux serait que vous rentriez tous les deux chez vous. Je vous appellerai quand j'aurai du nouveau.

— Pas question, ai-je rétorqué. J'attends ici. Je veux vous parler dès que vous aurez fini."

Ryan m'a observé un moment avant d'acquiescer. Au moment où il se tournait vers la porte, Liann l'a arrêté.

"Écoute, Ryan. Cette fille a peur. Elle n'a pas eu la vie facile, alors évite de jouer les cow-boys, d'accord ? Ce n'est pas une criminelle, c'est un témoin. Elle a des droits.

— Et les criminels n'en ont pas ? a-t-il demandé, mais avant même qu'elle réponde, il levait une main pour l'interrompre. Je connais mon métier, Liann. Je sais comment parler aux témoins, et comment parler aux criminels. Et je n'ai pas besoin de toi pour me rappeler la différence entre les deux. J'irai même plus loin : je te remercie de nous avoir amené cette fille. J'apprécie vraiment le geste."

Liann semblait vouloir répliquer, mais elle s'est tue. Je me moquais de leurs passes d'armes, de leurs petits jeux de pouvoir et de leurs stratagèmes. Il y avait une chose que je voulais savoir, une chose qui m'importait plus que tout.

"Un instant, Ryan. J'ai oublié de lui demander... à Tracy..., ai-je commencé, cherchant mes mots. Je voulais savoir si elle pensait... si elle avait trouvé que Caitlin était... Je sais qu'elle n'allait pas bien, évidemment, mais... est-ce qu'elle allait... est-ce qu'elle va bien ?"

Ryan a placé sa grosse main sur mon épaule. C'était la première fois qu'il me touchait, mis à part pour me saluer. J'ai eu l'impression d'être un petit garçon qu'on rassurait, et ça m'a fait du bien.

"Attendez ici avec Liann." Il m'a donné quelques tapes vigoureuses avant de se retourner vers la porte. "On en discutera quand j'aurai fini."

8

Liann ne tenait pas en place. Dès que Ryan est entré dans le club, elle s'est mise à faire les cent pas comme si ma propre nervosité l'avait contaminée.

"Je sais ce qui se passe là-dedans, marmonnait-elle. Les policiers fonctionnent toujours de la même manière, surtout les hommes. Il va essayer de saper les fondations de son témoignage, de le faire s'écrouler. C'est ça qu'il cherche, Tom, ne t'y trompe pas. Il n'a pas envie de la croire : il va tout faire pour mettre son histoire en doute.

— Je ne pense pas. On tient enfin quelque chose de concret. Quand il lui aura parlé, il comprendra."

Elle s'est retournée brusquement vers moi et a pointé la porte du *Fantasy Club* d'un doigt accusateur.

"Ce sont les flics qui cherchent à appuyer la thèse de la fugue. Tu le sais, non ? C'était dans le journal : « D'après nos sources dans la police, etc. » Peut-être que Ryan pense autrement, mais les policiers préfèrent toujours défendre cette hypothèse. C'est plus facile pour eux, ça les dégage de leurs responsabilités." Son débit de paroles a diminué peu à peu et elle s'est détournée, apparemment plus calme. "La police s'arrange toujours pour criminaliser la victime. Ils rejettent la faute sur elle.

— Et si elle avait effectivement fugué ? Et si ce que Tracy nous a dit là-dedans…" J'ai fait un geste vague en direction du club, incapable de continuer ; mais Liann avait compris.

*Caitlin, à genoux devant cet homme… Est-ce que ça ne prouve pas qu'elle avait envie d'être là ?*

"Non, Tom." Liann est revenue s'asseoir près de moi, agitant l'index comme une maîtresse d'école. "Tu ne dois jamais penser ce genre de choses. C'est la police qui raisonne de cette manière. Tu connais ta fille. Tu crois vraiment qu'elle aurait fugué ?

— Non."

J'aurais aimé me sortir cette image de la tête, l'image créée par les paroles de Tracy. Mais je voulais le voir, lui. Je voulais voir le visage de l'homme qui avait enlevé Caitlin.

"Tu ne dois rien lâcher, Tom. Je te le dis depuis le premier jour. C'est pour ça qu'il fallait que tu entendes le témoignage de Tracy. Tu ne dois pas oublier notre but.

— Retrouver Caitlin. C'est vrai."

Liann a acquiescé, avec moins de conviction que je ne m'y attendais. On aurait dit qu'elle avait autre chose en tête, une réponse que je n'avais pas donnée ; mais avant que je puisse la questionner, la sonnerie de mon portable a retenti. L'espace d'un instant, je me suis permis d'espérer que Ryan m'appelait de l'intérieur du club pour me demander de le rejoindre, parce qu'il venait de découvrir une information capitale. Mais le nom affiché à l'écran paraissait bien plus logique.

"Abby, ai-je annoncé à Liann.

— Tu vas répondre ?

— Non, ai-je dit en activant le mode silencieux. Elle est sûrement furieuse. J'ai séché la cérémonie au cimetière pour aller prendre un verre avec mon frère.

— Mon Dieu, Tom…

— Pire que ça : je ne l'ai pas prévenue."

Liann a secoué la tête. "Ça ne va pas être de la tarte. Mais tu as des nouvelles à lui annoncer, tu pourrais la rappeler pour la mettre au courant.

— Je lui en parlerai quand on aura l'avis de Ryan. De toute façon, je ne suis pas sûr que tout ça intéresse vraiment Abby. Elle veut tourner la page, et cette histoire risquerait de la forcer à sortir de son deuil."

Liann tripotait le grand bracelet à son poignet gauche. "Je ne suis pas très convaincue par sa décision non plus.

— Comment ça ?

— Je pense juste que mettre un point final à une affaire comme celle de Caitlin n'est pas une bonne idée. Il ne faut surtout pas laisser les gens et la police penser qu'on est prêt à tourner la page si ce n'est pas le cas. Et je ne crois pas que tu sois prêt, Tom.

— Ça devait être différent pour toi. Tu savais qu'Elizabeth ne reviendrait plus.

— On avait retrouvé son corps, et on a pu organiser un véritable enterrement. Pas une cérémonie commémorative, ou peu importe comment vous appelez ça. Et puis le coupable avait été condamné, a-t-elle ajouté en levant l'index. Ne l'oublie pas. On a coincé ce type.

— Et ça vous a vraiment aidés ?"

Liann a suspendu son geste. "Ça n'a pas fait de mal. Oh que non.

— Et pour votre couple ? Je n'ai aucune envie de donner raison à tous ces foutus clichés, tu sais, les parents d'un enfant disparu qui n'arrivent pas à rester ensemble… Comment est-ce que vous avez réussi, vous ?"

Elle a baissé la main et secoué la tête. "La route a été longue, Tom. Très longue."


Ryan a mis près d'une heure à ressortir du club, une heure pendant laquelle j'ai dû écouter malgré moi une vingtaine de chansons criardes et assommantes. J'étais en train de maudire l'inventeur de la batterie quand Ryan est enfin apparu.

Liann et moi nous sommes aussitôt levés. Le visage impénétrable, l'inspecteur m'a fait signe de le rejoindre un peu plus loin.

"Ça ne me dérange pas que Liann écoute, lui ai-je dit.

— Je préférerais vous parler seul à seul, a-t-il répondu sans la regarder.

— Liann est une amie. Elle sait tout de cette affaire. Elle nous soutient depuis le début. Je voudrais qu'elle entende ce que vous avez à dire, ça me sera peut-être utile."

Ryan n'a pas changé d'expression, mais il m'a observé du coin de l'œil.

"D'accord. Qu'est-ce que vous voulez savoir ?

— Ce que vous avez pensé de son témoignage. Vous croyez qu'elle a vu Caitlin ?

— Je préfère envisager ces choses sur le long terme, a déclaré l'inspecteur, une main dans la poche, l'autre sur sa ceinture. Je me méfie toujours de ce genre de témoignage…

— Et voilà !" s'est exclamée Liann.

Sans lui prêter attention, Ryan a poursuivi : "Je me méfie des témoignages qui surgissent à la suite d'un événement comme la cérémonie que vous avez organisée aujourd'hui. Cette femme dit s'être rappelé ce qui s'était passé en lisant le journal, mais il est tout aussi probable que le journal lui ait mis en tête quelque chose qui ne s'y trouvait pas auparavant. Ça arrive très souvent dans ce genre d'affaire.

— Mais elle n'a pas parlé de ce qui se trouvait dans le journal. Elle nous a appris quelque chose d'entièrement différent, que personne n'avait jamais entendu.

— Je suis d'accord, a concédé Ryan. Son témoignage est vraiment impressionnant, avec des détails très convaincants.

— Mais vous pensez que ce n'est qu'une invention.

— Ce que je pense, c'est qu'il faut prendre en compte le temps qu'elle a attendu avant d'en parler à quelqu'un. Six mois.

— Elle ne savait pas…, a commencé Liann, mais Ryan l'a coupée d'un geste.

— Six mois. Et il faut prendre en compte sa profession, danseuse dans ce genre d'endroit. Avec un casier judiciaire, sans doute ? a-t-il demandé à Liann.

— Criminalisation de la victime, a-t-elle rétorqué.

— Ce n'est pas la victime, c'est un témoin.

— Elle a été victime dans le passé.

— C'est vrai ? ai-je demandé.

— Comme la plupart de ces filles.

— C'est un témoin à présent, et sa personnalité compte autant que son récit", a déclaré Ryan.

J'ai agité les bras pour couper court à leur échange. "Alors vous n'allez rien faire du tout ?"

La porte s'est ouverte derrière moi, et nous nous sommes retournés. Les deux hommes en costume qui venaient de sortir du club ont ralenti le pas à notre vue, nous fixant en silence. Quand Ryan leur a adressé un regard noir, ils ont continué leur route avec un ricanement moqueur.

J'ai repris la parole d'une voix que je voulais calme, mais qui ne parvenait pas à dissimuler mon angoisse : "C'est notre seul espoir, Ryan. Merde, c'est le seul espoir qu'on ait jamais eu !" Ma mâchoire se crispait. "Vous devez faire quelque chose, nom de Dieu ! Ryan…" Ma voix a failli se briser. "On tient quelque chose, j'en suis sûr.

— Elle est d'accord pour rencontrer un dessinateur de la police de Columbus. On organisera ça demain ou après-demain. Ensuite, on diffusera le portrait-robot dans les médias.

— C'est tout ce que vous pouvez faire ?

— Le portrait devrait attirer l'attention. On aura des échos, mais ce ne sera pas forcément ce qu'on voulait entendre. Je ne veux pas vous faire croire qu'on a trouvé le remède miracle.

— Il faudra défendre ce portrait, Ryan, est intervenue Liann. Il faudra le vendre à la presse comme si tu y croyais. Et aucune allusion à la profession de Tracy ni à son passé judiciaire, ça n'a aucun rapport avec l'affaire.

— Je ne veux pas minimiser l'importance de ce qui s'est passé ce soir, a repris Ryan à mon intention. On tient une bonne piste, peut-être la meilleure qu'on ait jamais eue. Nous devrions tous nous en réjouir, et nous allons la suivre aussi loin que possible." Prenant une inspiration, il a poursuivi : "Je suis désolé, mais on est en train de conclure une autre affaire, et il faut que j'y retourne. Mais si vous ou Abby (il a souligné ces deux mots, excluant Liann à dessein) avez la moindre question, n'hésitez pas à m'appeler. Quand vous voulez."

Je suis retombé sur le banc, entraîné par mon propre poids. Les coudes appuyés sur les genoux, j'ai regardé Ryan contourner sa voiture pour ouvrir la portière. Au moment de monter, il a marqué une pause.

"Je suis désolé de ne pas être venu à l'église aujourd'hui. Je voulais le faire. J'essaye toujours d'assister à ce genre d'événements, mais avec l'autre enquête…"

Laissant sa phrase en suspens, il a démarré son moteur. Les pneus de sa voiture ont soulevé des graviers tandis que Liann et moi le regardions partir.

# 9

À mon retour chez moi, il y avait de la lumière dans le salon, et deux voitures garées dans l'allée : celles d'Abby et du pasteur Chris. De toute évidence, il l'avait raccompagnée après la cérémonie au cimetière et le verre de l'amitié, puis était resté avec elle à m'attendre. La jalousie m'a serré le cœur. Buster avait raison : il n'y avait plus rien, ou presque, entre Abby et moi. Pour tout dire, cela faisait six mois que je dormais dans la chambre d'amis. Le fait que nous nous soyons tenu la main quelques heures plus tôt m'apparaissait à présent comme un geste forcé, auquel nous avions cédé sous le coup de l'émotion.

Je suis entré par la porte de derrière. La maison était silencieuse, la cuisine nettoyée. La veilleuse rouge de la cafetière luisait dans le noir et une bonne odeur de café planait dans l'air. Je me suis rappelé le moment où je rentrais du travail, à l'époque où Caitlin était bébé : l'excitation que je ressentais du simple fait de franchir le seuil pour retrouver ma femme et ma fille, le bonheur d'avoir une famille, un foyer aussi stable et sécurisant. J'avais cru que ça ne s'arrêterait jamais.

"Abby ?"

J'ai longé le couloir, passant devant des photos encadrées sur le mur. Notre mariage. Caitlin au fil des années, dont ce portrait que je gardais toujours sur moi et que j'avais montré à Pete au *Fantasy Club*. Mais je voyais aussi les espaces vides, là où Abby avait enlevé des photos de notre fille : un cliché pris en maternelle, un autre la montrant bébé, un autre de son équipe de foot. Des fragments de Caitlin disparaissaient sous mes yeux tandis que je m'approchais du salon.

Abby était assise à un bout du canapé. Elle n'a pas levé les yeux dans ma direction, contrairement au pasteur qui, jambes croisées, une tasse de café à la main, m'a accueilli avec un grand sourire, son visage joyeux reflétant parfaitement son opinion de moi.

"Bonsoir, Tom, a-t-il lancé, comme si nous étions de vieux amis rassemblés pour une sympathique soirée d'automne.

— Il faut que je parle à Abby.

— Bien sûr.

— En privé."

Abby gardait la tête baissée. Elle tenait des mouchoirs froissés à la main, et ses joues semblaient striées de rouge. J'ai attendu, lèvres serrées.

Le pasteur s'est penché tout près d'Abby pour lui chuchoter quelque chose que je n'ai pas réussi à entendre, même dans cette petite pièce. Elle a hoché la tête en retour. Face à ce geste si intime et si familier, accompli juste devant mes yeux, ma bouche s'est crispée encore plus.

Le pasteur a posé sa tasse, décroisé les jambes, puis s'est relevé.

"On se voit demain", a-t-il dit en mettant une main sur l'épaule d'Abby. Puis, avec un signe de tête à mon adresse : "Tom.

— Moi, vous ne me verrez pas."

Le pasteur n'a pas cillé, ni paru décontenancé par ma réponse. Il a gardé son sourire et m'a observé avec le calme immuable des gens ancrés dans leurs certitudes.

"Notre porte vous sera toujours ouverte", a-t-il déclaré.

Puis il a quitté la maison d'un air parfaitement insouciant, nous laissant seuls.

"Abby ?"

Je me suis assis en face d'elle sur un fauteuil rembourré.

"J'ai quelque chose à te dire, quelque chose d'assez incroyable.

— Tu m'as humiliée aujourd'hui, Tom."

Sa phrase est restée en suspens dans l'air, un nuage lourd de reproche. Je savais comment Abby réagissait quand elle était en colère ou blessée. Elle me ressemblait beaucoup de ce côté-là. Elle fulminait en silence.

"Je sais, mais…

— Tout le monde m'a demandé où tu étais, pourquoi tu n'étais pas venu. Qu'est-ce que je pouvais leur dire ?

— Que tu avais menti.

— Quoi ?

— Toutes ces conneries à l'église, ces histoires de paradis, le pasteur qui raconte que je crois que Caitlin est au ciel.

— Je ne décide pas de ce que Chris va dire.

— Mais bien sûr.

— C'est vrai.

— D'accord, d'accord." Je ne voulais pas me disputer avec elle ; je voulais lui parler de Tracy, de ma conversation avec Ryan, du portrait-robot. Feignant un calme que je ne ressentais pas, j'ai expliqué : "J'étouffais là-bas. C'était comme de regarder une pièce de théâtre, sauf que j'en étais à la fois l'acteur et le spectateur. Et je ne me sentais pas du tout concerné. J'avais l'impression qu'on ne parlait plus de moi, ni de ma vie, alors il a fallu que je parte. J'aurais dû te prévenir, c'est vrai. Mais j'ai découvert quelque chose. C'est ça que je suis venu te dire.

— Tu m'as laissée seule devant la tombe de notre fille.

— Ce n'est pas sa tombe. Ne dis pas ça. C'est ce que j'essaye de te dire : quelqu'un l'a vue. Quelqu'un que j'ai rencontré aujourd'hui a vu Caitlin. Vivante. Elle est vivante. La police est venue, Ryan est venu, il a pris sa déposition et ils vont faire un portrait-robot, et ça veut dire qu'elle est vivante."

Pour la première fois, Abby m'a regardé en face. Elle avait le bout du nez rouge à force de se moucher. Je ressentais encore quelque chose pour cette femme : pas seulement de la pitié – un sentiment que j'aurais pu éprouver pour n'importe qui –, mais quelque chose de plus compliqué, de plus profond. Les racines de l'amour et de la rancœur s'étaient entrelacées en nous au point de devenir presque impossibles à démêler, mais il me semblait que j'étais parvenu à la toucher.

Elle a dégluti et pris une inspiration rauque, comme étouffée par les larmes et le mucus.

"Je ne suis pas sûre de comprendre.

— Quelqu'un a vu Caitlin, ai-je articulé lentement. Un témoin.

— Qui ça ?

— Une danseuse dans un club de Russellville."

Abby a levé les yeux au ciel. "Une strip-teaseuse.

— Écoute-moi, s'il te plaît.

— Tu recommences…" Sa voix s'est éteinte alors qu'une révélation la frappait. "Tu étais dans un club de strip-tease pendant l'enterrement de notre fille.

— Ce n'était pas un enterrement."

Abby s'est levée pour partir. "Je ne veux pas entendre ça. Je n'en peux plus.

— Attends !"

Elle s'est arrêtée à l'entrée du couloir, dos à moi.

"Écoute-moi, tu veux bien ? C'est tout ce que je te demande. Cette femme a contacté Liann. Elle la connaît. Ce n'est pas moi qui suis allé la chercher, d'accord ?

— Liann la connaît ?

— Oui.

— D'où ?

— Est-ce que tu veux bien me regarder ? S'il te plaît ?"

Abby s'est retournée lentement, sourcils levés l'air de dire : *Dépêche-toi, finissons-en.*

"Tu ne veux pas t'asseoir ? L'histoire n'est pas très agréable à…

— Réponds-moi, Tom. D'où est-ce que Liann la connaît ?

— Il semble que cette jeune femme, celle qui a vu Caitlin, a eu des ennuis dans le passé, et Liann l'a aidée.

— Oh.

— Ça n'a pas vraiment d'importance, si ?

— D'accord. Dis-moi ce qu'elle a vu. Je suis prête."

Puisqu'elle ne semblait pas vouloir quitter le couloir ni regagner sa place, je me suis lancé dans mon récit. Je ne lui ai pas tout dit, mais j'ai conservé la plupart des détails. Quand j'en suis arrivé à la danse, Abby s'est un peu décomposée. Elle a regardé le sol, et ce mouvement a fait glisser une mèche de ses cheveux, qu'elle a replacée derrière son oreille d'une main tremblante. Le seul fait de répéter cette histoire me donnait la nausée, et j'ai préféré passer le pire sous silence.

*Caitlin à genoux devant cet homme…*

"C'était il y a six mois, tu dis ?

— Oui, à peu près."

Le tic-tac régulier d'une horloge résonnait quelque part, un mouvement de balancier monotone.

"Ça fait long, Tom.

— Pas tant que ça.

— Dans notre cas, si. La police nous a dit…

— La police ? Tu me parles de la police ? Abby, ils ne s'occupent même plus sérieusement de cette affaire. Ils sont passés à autre chose.

— La police nous a dit qu'on disposait d'un créneau de vingt-quatre à quarante-huit heures, après quoi la piste refroidit et s'amenuise. Les gens oublient, ou alors ils se fabriquent des souvenirs…, a-t-elle énoncé d'une voix monocorde, comme si elle récitait une leçon.

— Oui, je sais.

— Et cette femme est strip-teaseuse. Elle est sûrement droguée, ou alcoolique. C'est pour ça qu'elle connaît Liann ? C'est son avocate ? Je fais confiance à Liann en ce qui concerne Caitlin, mais si cette femme cherche à nous faire gober une histoire tordue…

— Bon, bon, oublie le témoin. Oublie ce qu'elle a dit."

Je me suis rapproché d'Abby et lui ai posé la main sur l'épaule avec douceur, pour lui manifester mon soutien. Elle a paru un peu surprise, mais ne s'est pas reculée et ne m'a pas repoussé.

"L'important n'est pas le témoin, d'accord ? L'important, c'est qu'il y a six mois, quelqu'un a vu Caitlin. Notre Caitlin. Vivante. À quinze kilomètres d'ici."

J'avais réussi à l'émouvoir. En m'entendant dire "notre Caitlin", elle avait pris une brève inspiration, une réaction qui me prouvait que ces mots signifiaient encore quelque chose pour elle.

"On pensait qu'elle était loin, ou qu'elle…

— Qu'elle était morte.

— Oui. On a pensé ça de notre propre fille, et ce n'était pas normal. Mais on n'a plus à le faire maintenant. On a de nouveau un espoir, Abby. Un véritable espoir. Pour la première fois depuis des années…"

Elle m'a regardé droit dans les yeux, puis a regardé ma main, toujours posée sur son épaule. Elle semblait être en train de prendre une décision, non pas au sujet de cette nouvelle information ni du témoin, mais de moi.

"Tout ça, c'est à condition que cette femme ait réellement vu Caitlin. Elle ne la connaît pas. Elle a vu une photo d'elle à douze ans, mais elle serait bien plus âgée aujourd'hui.

— Ryan est venu lui parler. La police va diffuser un portrait-robot.

— Et il l'a crue ? Il a dit que son témoignage tenait debout ?

— Tu sais comment il est, toujours prudent. Il travaille sur d'autres affaires. Il ne veut pas nous donner de faux espoirs.

— Mais il l'a crue ?"

J'ai eu un instant d'hésitation qui lui a appris ce qu'elle voulait savoir. Elle a commencé à s'éloigner de moi, mais je l'ai retenue par l'épaule.

"Ryan ne ferait pas établir de portrait s'il ne la croyait pas.

— Il me semblait pourtant que tu ne tenais pas la police en haute estime.

— Ils ne nous ont pas toujours dit la vérité. Ils ne nous ont jamais dit qu'ils la croyaient morte, mais tu sais aussi bien que moi qu'ils le pensaient. Ils nous mènent en bateau avec de vagues promesses et des platitudes : « L'enquête est en cours… Il nous reste des pistes… » Mais ils s'en fichent. Liann a raison : ils ne peuvent pas prendre ça autant à cœur que nous. C'est un fait. Le soir, ils retrouvent leur femme et leurs enfants, et les parents de la victime doivent continuer à porter le flambeau tout seuls. C'est pour ça qu'on doit garder le souvenir de Caitlin intact. C'est pour ça que Liann nous est si précieuse. Elle s'implique autant que nous, et elle nous comprend. Sa fille a été…"

Je me suis tu.

Abby ne disait rien. Alors qu'un instant plus tôt j'avais eu le sentiment de me rapprocher d'elle, de briser peu à peu la glace pour atteindre une part essentielle de son être, la situation s'était inversée d'un seul coup. J'étais de nouveau en train de la perdre. Le changement d'atmosphère était aussi perceptible que l'arrivée d'une vague de froid.

"Qu'est-ce qu'il y a ?

— On n'en a jamais parlé, Tom.

— De quoi ? Du fait qu'elle était peut-être morte ?"

Abby a secoué la tête. "Du fait qu'elle ait pu fuguer.

— Non. C'est impossible.

— Elle était tellement lunatique et réservée, a continué Abby, s'animant peu à peu. Je n'arrivais jamais à savoir ce qu'elle pensait, ce qu'elle ressentait. Elle aurait pu vivre des tas de choses sans qu'on le sache. Et ces recherches sur Internet... Seattle, les trains... Elle était partie promener le chien. Peut-être qu'elle a retrouvé quelqu'un au parc, quelqu'un avec qui elle avait l'habitude de parler. On n'en aurait rien su.

— Où veux-tu en venir ?

— Et maintenant, on a ce témoignage sur cette jeune fille dans le club. S'il s'agit bien de Caitlin, si elle faisait ces choses-là... alors peut-être qu'elle n'a aucune envie de revenir. Peut-être que... si elle se trouvait à cet endroit, si près de nous, et que..." Abby s'est brusquement détournée et a commencé à grimper l'escalier qui menait aux chambres. "Je n'y arrive plus. Ce n'est pas possible.

— Quoi ?"

Parvenue en haut des marches, elle s'est retournée. "Ça a été dur, Tom.

— Bien sûr. Je sais.

— Non. Je ne parle pas de la disparition de Caitlin." Elle s'est laissée tomber sur la dernière marche, comme si son corps pesait soudain trop lourd. "Je ne parle pas de ça, mais du mal que ça m'a fait de te regarder traverser ces quatre dernières années. Ryan décide de diffuser un portrait-robot, et tu reviens tout excité. Eh bien, Ryan n'a aucune idée de ce que l'espoir a fait à ce foyer et à notre couple, si ?

— Abby...

— Chaque fois qu'on apprend quelque chose en rapport avec Caitlin... ne serait-ce qu'un élément infime... Une fille se fait agresser à l'autre bout de la ville, et tu veux savoir qui est le coupable. Ou bien une tentative d'enlèvement a lieu à une heure d'ici, et tu appelles aussitôt la police pour leur demander de se renseigner. Ryan te laisse faire, hein ? Il prend toujours tes appels, pas vrai ?

— Il est venu aussi vite que possible.

— J'aime Caitlin, et elle me manque autant qu'à toi…

— Personne n'a jamais dit le contraire.

— Je sais, et je t'en suis reconnaissante." Elle a frotté ses paumes l'une contre l'autre, comme pour se débarrasser d'une tache. "Une fois, tu m'as demandé pourquoi je tenais tant que ça à aller à l'église. Tu semblais stupéfait que je veuille y passer du temps, comme si le fait de nourrir ma foi ne constituait pas une raison suffisante. Je sais que tu méprises les gens qui parlent de cette manière, qui disent des choses comme « nourrir ma foi », mais je n'y peux rien… Si ?"

Je n'ai pas répondu.

"Si j'allais à l'église, c'était parce que tes espoirs insensés ne laissaient plus de place pour autre chose dans notre vie. Je me suis fait évincer. Et même si tu n'as jamais douté que j'aimais Caitlin, tu as douté de mon application à entretenir son souvenir. Pour toi, si je n'examinais pas chaque cas d'enlèvement dans le pays, ou si je décidais d'arrêter de passer mes weekends à organiser des équipes de recherches, ça voulait dire que je ne m'impliquais pas assez. Que je me faisais des illusions, ou que j'étais déconnectée de la réalité. Mais tu te trompais. J'ai simplement décidé de tourner la page. C'est un peu égoïste, je l'admets, mais j'ai décidé de continuer à avancer plutôt que de passer le reste de ma vie dans le rôle de la pauvre malheureuse qui a perdu sa fille. Et c'est en ça que l'église m'aide."

Quand elle a arrêté de parler, j'ai gardé le silence ; mais j'ai remarqué une nouvelle expression sur son visage, un air plus apaisé, détendu. Elle se délivrait d'un fardeau.

"Si je voulais qu'on se sépare de Frosty, ce n'était pas parce qu'il me gênait. C'est ce que tu crois, mais tu as tort. Je voulais le faire pour toi. Je me disais que ça t'aiderait peut-être à passer à autre chose. C'était ma dernière tentative, je suppose. J'ai même cru que ça avait marché. Ça allait mieux ces derniers jours, et ce matin à l'église…

— Comment ça, ta dernière tentative ?"

Elle a baissé les yeux vers ses mains. "J'ai parlé avec Chris. Il m'a donné des conseils. En règle générale, il n'encourage pas les gens à divorcer, et si on avait des enfants, ce serait sûrement différent… Mais on pense – je pense – que ça vaudrait mieux.

C'est inévitable, d'une certaine manière. Ça arrive à beaucoup de couples qui perdent un enfant."

Elle m'a jeté un bref regard, les yeux pleins de larmes. Puis elle s'est levée et a disparu dans ce qui était autrefois notre chambre.

"Attends !" me suis-je exclamé en grimpant l'escalier quatre à quatre.

Les preuves m'attendaient dans la pièce. Deux valises ouvertes et remplies de vêtements. Le placard béant, quasiment vide.

Debout au milieu de la chambre, Abby se mordillait le doigt.

"Alors c'est décidé ?

— L'un de nous doit le faire, Tom."

J'ai tendu le doigt derrière moi, en direction de l'étage inférieur. "Est-ce qu'il y a autre chose ? Est-ce que c'est à cause de…" Je n'arrivais pas à prononcer son nom, qui me laissait un goût de cendre dans la bouche. "Lui ?"

Abby m'a adressé un regard plein de pitié. "Oh, Tom. Si seulement c'était aussi simple.

— Si tu baises quelqu'un d'autre, c'est très simple. Si tu n'es pas celle que je croyais, celle que tu prétends être…

— Pas la peine d'être vulgaire. Chris m'a aidée. Je vais peut-être travailler à l'église, le temps que je trouve autre chose. On m'a proposé une chambre dans les logements qu'ils ont là-bas. C'est temporaire, bien sûr. J'ai parlé à quelqu'un de l'école de formation des maîtres, à l'université de Fields. Je crois que j'aimerais reprendre l'enseignement. Il ne me faudrait pas longtemps pour me refaire certifier, et il y a des postes libres. Peut-être que le fait de travailler de nouveau avec des enfants, en tant que professeur, m'apporterait quelque chose qui me manque aujourd'hui. Je ne te demande pas de quitter la maison. Tu as toujours aimé vivre ici, et je sais que tu penses que l'un de nous devrait rester au cas où Caitlin… Si elle revient un jour."

Nous avons gardé le silence un moment. Je me suis assis au bord du lit, me laissant tomber lourdement sur le matelas. Abby s'est penchée vers moi et m'a embrassé sur le front. Je lui ai pris la main. Nous nous sommes étreints un instant, puis elle s'est dégagée.

"Tu penses que c'est ma faute, ai-je dit.

— Ce n'est la faute de personne. Pas vraiment.

— Je ne parle pas de nous, mais de Caitlin. Tu penses que j'étais trop indulgent avec elle, qu'on n'aurait pas dû la laisser promener le chien toute seule dans le parc. Elle était trop jeune, et Frosty... Frosty était trop grand...

— C'est du passé, Tom.

— Je voulais seulement qu'elle aille au-devant de la vie plutôt que d'en avoir peur. Tu sais, dans ma famille, quand j'étais enfant... c'était horrible, étouffant. Comme de vivre sans oxygène.

— Je sais."

J'en doutais. Les parents d'Abby étaient normaux à en faire peur : des bourgeois traditionnels, un peu coincés, un peu soucieux des apparences – mais à côté des miens, ils faisaient figure de modèle. Je n'étais pas sûr qu'Abby ait jamais vraiment compris ce que c'était que de venir d'une famille comme la mienne, même si elle affirmait souvent le contraire.

"Je ne voulais pas qu'elle se sente trop attachée à nous, ni freinée par quoi que ce soit.

— Tom, il est tard...

— Tu te rappelles quand Caitlin était petite ? On restait tous les trois à la maison, à regarder la télé ou à jouer ensemble... Peu importe ce qu'on faisait, d'ailleurs.

— C'était bien, à l'époque.

— À l'époque, ai-je répété, laissant résonner ces paroles un instant. J'ai voulu récupérer Frosty aujourd'hui. Je suis allé au refuge, mais il n'y était déjà plus."

Abby a mis une main sur sa bouche. "Oh, ça s'est passé si vite...

— Non, quelqu'un l'a adopté. Une famille, sûrement. Je n'ai pas réussi à obtenir leur nom, même quand j'ai dit que je voulais le reprendre.

— Il va sûrement bien, alors. Quelqu'un l'a choisi.

— On aurait pu vivre ici tous les deux. C'était un bon compagnon.

— Il va me falloir un peu de temps pour déménager toutes mes affaires. Il n'y a pas beaucoup de place dans les logements de l'église. C'est un genre de dortoir.

— Après tout, je pourrais prendre un autre chien."

Abby a émis un son venu du fond de la gorge, que personne d'autre que moi n'aurait su reconnaître. Elle pleurait. Ses sanglots commençaient toujours ainsi, et bientôt elle prenait de grandes inspirations heurtées, comme si elle manquait d'air. Et je me suis mis à pleurer à mon tour, les larmes me brûlant les joues avant de tomber sur mes cuisses. Je me suis essuyé le visage du dos de la main.

"Un chien en vaut bien un autre, non ?"

## 10

Ryan est venu me montrer le portrait-robot la semaine suivante. Comme Abby prenait son temps pour déménager ses
affaires, un carton à la fois, il régnait un certain désordre dans
la maison ; l'inspecteur a haussé un sourcil devant ce spectacle,
mais a contourné les cartons sans faire de commentaires. Pour
une fois, il ne portait pas de cravate, et le col déboutonné de
sa chemise blanche laissait apparaître le haut de son tee-shirt
et quelques poils épars.

"Vous l'avez ?" ai-je demandé avant même qu'il s'assoie.

Avec un hochement de tête, il s'est installé dans le grand
fauteuil du salon.

Je ne tenais pas en place. Alors que Ryan restait calmement
assis dans son fauteuil avec une patience digne du Bouddha,
j'allais et venais entre les cartons. Il lui avait fallu trois jours
pour organiser une rencontre avec Tracy. D'abord, son téléphone ne fonctionnait pas ; et lorsqu'il s'était rendu chez elle,
quelqu'un lui avait dit qu'elle n'était pas en ville. J'avais appelé
Liann pour demander, ou plutôt exiger, qu'elle la retrouve et
fasse pression sur elle.

"On a besoin d'elle", avais-je déclaré, m'attirant aussitôt une
volée de bois vert de la part de Liann, qui m'avait expliqué à
quel point il était difficile d'approcher des femmes comme
Tracy, des femmes qui avaient été victimes d'abus toute leur
vie. Je voulais bien me montrer compréhensif, mais ce que je
voulais encore plus, c'était ce fichu portrait. Je ne pensais qu'à
ça. Finalement, Liann avait retrouvé Tracy au *Fantasy Club* et
l'avait emmenée au poste de police.

Et maintenant Ryan se tenait devant moi, en possession du précieux sésame.

"Je peux le voir, s'il vous plaît ?

— Abby n'est pas là, a-t-il dit, une constatation plutôt qu'une question.

— Elle…" J'ai fait un geste vers les cartons. "Ça n'a pas été…"

Il a acquiescé. Il avait sûrement vu ça des millions de fois.

"Vous voulez que je l'appelle pour lui demander de venir ? Je n'ai vraiment pas envie d'attendre. Je veux voir ce portrait.

— J'aimerais d'abord vous dire un mot.

— Oh, bon sang, pas une autre leçon !

— Je ne vous donne jamais de leçon.

— Liann a déjà mis les choses au point, pas la peine de recommencer.

— Liann ne travaille pas pour la police, a répliqué Ryan. Elle ne parle pas en mon nom. Je lui suis reconnaissant d'avoir réussi à nous amener cette jeune femme, mais si j'ai quelque chose à dire, c'est que ça vient de moi."

J'ai fini par m'asseoir, espérant accélérer les choses.

"D'accord, d'accord. Allez-y."

L'inspecteur s'est raclé la gorge. "J'ai assisté à l'entretien de Tracy avec le dessinateur, et j'ai parlé à celui-ci après son départ. Elle lui a fourni le même témoignage et la même description qu'elle m'avait donnés au club, et qu'elle vous avait donnés auparavant.

— C'est bon signe, non ?"

Le visage de Ryan s'est crispé.

"Non ?

— Je crois qu'elle a vu cet homme, comme elle le dit. Sa description était assez détaillée pour qu'on en tire un très bon portrait. En fait, il est fort probable qu'elle le connaisse, et même assez bien.

— Vous lui avez posé la question ? Vous lui avez demandé son nom ?"

Ryan m'a jeté le genre de regard que j'avais l'habitude d'adresser à mes étudiants : *Vous croyez que je ne connais pas mon métier ?*

"D'accord, vous lui avez posé la question, et elle s'en est tenue à son histoire. Mais il me semble que vous avez une autre idée en tête."

Après un temps d'hésitation, Ryan a secoué la tête. Ou bien il venait d'écarter une possibilité de son esprit, ou bien il refusait de m'en faire part.

"J'ai d'autres réserves", a-t-il dit en glissant la main dans la poche intérieure de sa veste.

J'avais cru qu'il allait enfin me montrer le dessin ; au lieu de quoi il a sorti un petit carnet, dont il se servait toujours pour ses enquêtes. Puis il a tiré des lunettes de lecture en demi-lune de son autre poche, les a placées au bout de son nez, et s'est adossé au fauteuil pour étudier le carnet.

"Tracy Fairlawn a été arrêtée deux fois pour possession de stupéfiants, une fois pour racolage, et a fait l'objet d'un signalement aux services de protection de l'enfance. Dans une certaine mesure, ces éléments remettent en question la fiabilité de son témoignage.

— Certainement pas. Vous m'avez dit que son récit vous paraissait crédible…"

Ryan a levé un doigt pour m'intimer la prudence. "J'ai dit que je croyais qu'elle connaissait cet homme.

— Mais vous ne pouvez pas écarter son témoignage à cause de ces arrestations. Ce serait…

— Criminaliser la victime, je sais. Liann vous a bien formé." L'inspecteur a refermé le carnet et l'a mis de côté avant d'enlever ses lunettes. "Les deux fois où j'ai parlé de cet homme avec Mlle Fairlawn, il m'a semblé déceler quelque chose derrière ses paroles, une sorte de colère ou de rancune sous-jacente. Je n'ai pas vraiment réussi à mettre le doigt dessus, mais ça m'incite à réfléchir. Je vais vous donner le choix, Tom. Nous pouvons décider de communiquer le portrait aux médias, ou bien attendre quelques jours, le temps de vérifier d'où viennent ces informations.

— Montrez-le-moi.

— En le révélant maintenant, on risque à mon avis de récolter des informations qui ne serviront à rien, puisqu'on ne sait pas si la source est fiable ou non. On risque de griller notre dernière cartouche…

— Je peux le voir ? Vous ne voulez pas me le donner ? Je n'ai plus envie d'en parler, je veux le voir."

Avec réticence, l'inspecteur a fouillé dans sa poche pour en sortir une feuille blanche pliée en trois. Penchant son corps massif en avant, il m'a tendu le papier.

Je ne m'en suis pas emparé tout de suite. Ma main avançait très lentement, comme freinée par un poids invisible, et plus je la tendais, plus je la sentais trembler. Ryan n'a pas semblé le remarquer. Il a gardé la feuille en l'air jusqu'à ce que je la prenne.

Tandis que je la dépliais, il a déclaré : "Regardez-le bien. Voyez s'il vous rappelle quelque chose. Pensez à vos collègues, aux agents de service, à la personne qui tond le gazon ou qui fait le ménage sur votre lieu de travail."

J'ai observé le portrait, un simple dessin en noir et blanc. Le gros nez épaté que Tracy avait décrit occupait le centre de la page, donnant à l'homme un air bestial, presque simiesque. Il avait d'épais sourcils noirs et de petits yeux étroits qui don-naient l'impression que l'artiste l'avait représenté en train de plisser les yeux. J'ai balayé du regard ses autres caractéristiques – la mâchoire rigide, les lèvres minces. Un sentiment de menace émanait de ce simple dessin.

"Je ne pense pas l'avoir vu.

— J'aimerais qu'Abby y jette un œil aussi."

J'ai continué de fixer le portrait, essayant de coller ce visage sur les images du kidnappeur qui m'habitaient en permanence. Une voiture qui s'arrête dans le parc ; un homme qui parle à Caitlin et l'attrape par le bras.

Un homme dans une cabine de strip-tease avec ma fille.

"Vous croyez que c'est lui ?

— Comme je le disais tout à l'heure… Tom ?"

Ryan voulait que je baisse le dessin, et je me suis exécuté avec lenteur.

"Il faut bien réfléchir à ce que nous allons faire. Ça fait longtemps que Caitlin a disparu, et les gens ont la mémoire courte. Avec le temps, ils finissent par oublier. Ils passent à autre chose, s'intéressent à d'autres histoires. Leurs souvenirs se brouillent."

Je lui ai tendu le papier. "Je veux qu'on diffuse ce portrait immédiatement. Je ne veux pas attendre. Ça fait quatre ans que j'attends, et on n'a jamais eu de meilleure piste. Diffusez-le."

Ryan s'est passé la main sur le visage d'un geste fatigué.

"C'est à moi que revient la décision finale, a-t-il déclaré. Si je considère que ça ne va pas servir l'enquête, je ne le ferai pas.

— Ça va forcément servir l'enquête !

— Bien sûr. Ce que je vous ai dit l'autre soir reste valable : c'est la meilleure piste qu'on ait eue depuis quatre ans. Mais je pense à Abby et à vous tout autant qu'à l'enquête.

— Comment ça ?

— Jusqu'à quel point connaissez-vous votre fille, Tom ?"

Et voilà. Comme Liann l'avait prédit, et comme je le soupçonnais depuis le début, Ryan croyait à la théorie développée par la police, et s'apprêtait à l'exposer.

"C'est assez dur pour moi de répondre à cette question, étant donné que je ne l'ai pas vue depuis quatre ans.

— Avant ça. Avant sa disparition.

— Je la connaissais très bien.

— Vous en êtes sûr ?

— Oui. On était très heureux."

Ryan a haussé les sourcils, puis jeté un œil aux cartons dans la pièce.

"Vraiment ?

— Qu'est-ce que vous cherchez à me dire, Ryan ? Je ne vous suis pas.

— On ne connaît pas toujours les autres aussi bien qu'on le croit. Les gens changent. Nos vies évoluent.

— Et donc… ?

— Vous êtes convaincu que c'est votre fille qu'on a vue dans ce club, n'est-ce pas ?

— Oui."

Il a hoché la tête. "Est-ce que son comportement, tel qu'il a été décrit, correspond à ce que vous pensez savoir de Caitlin ?

— Elle avait douze ans quand elle a disparu. Douze ans. Et cet homme…, ai-je dit en tapotant le papier, cet homme la retient. Contre son gré. Choisissez votre camp, Ryan : soit vous croyez Tracy, et vous pensez qu'il s'agit bien de Caitlin, soit vous ne la croyez pas. Et dans ce cas, pourquoi en parlons-nous ?"

Ryan a pris une grande inspiration. "Quatre ans ont passé, Tom.

— Je sais.

— Sans tenir compte de l'infime possibilité qu'on obtienne des résultats…

— Ryan…

— Non, attendez. Faisons comme si on y croyait. Disons que ce portrait donne des résultats. Disons que cette histoire est vraie et que, d'une manière ou d'une autre, un jour, on retrouve Caitlin et qu'on vous la ramène. Ces quatre années sans elle, tout ce temps que vous avez perdu… Seriez-vous prêt à affronter ça ?

— Est-ce que ce portrait sera dans le journal demain ? ai-je demandé en levant la feuille.

— Vous n'avez pas répondu à ma question.

— Il sera dans le journal ?"

Ryan a regardé les cartons une nouvelle fois. "Est-ce qu'Abby et vous avez pensé à consulter quelqu'un, à vous faire aider ? Ça ne me regarde pas, bien sûr, mais je sais que ce genre de chose peut exercer une pression terrible sur un couple. Et sur chacun d'entre vous. Si vous le souhaitez, je pourrai vous adresser aux spécialistes qui travaillent avec nous.

— Vous me l'avez déjà proposé il y a quatre ans, et chaque année depuis. Je vous en suis très reconnaissant, mais ça ne m'intéresse pas.

— Nous avons un programme subventionné par l'État, à travers lequel des volontaires, des particuliers, rencontrent et conseillent des familles qui ont été affectées par un drame. Je vous en ai déjà parlé ? Ça s'appelle le Service bénévole d'aide aux victimes, c'est assez récent. Ces gens ont reçu une formation, bien sûr, mais certaines personnes préfèrent les consulter plutôt que de suivre une thérapie traditionnelle. Ce n'est pas aussi contraignant, et ils y trouvent plus de réconfort, d'une certaine manière. Les professionnels s'enferment parfois dans leur propre rôle.

— Ryan…

— Vous pourriez évidemment choisir d'avoir recours à des moyens plus conventionnels. Il y a beaucoup de bons thérapeutes et de conseillers conjugaux à New Cambridge. Même à l'université…

— Il n'y a qu'une seule chose dont j'aie besoin, et vous savez de quoi il s'agit." J'ai tendu le papier devant moi. "Ce sera dans le journal ?

— Oui. On le communiquera aux médias demain. Je vous appellerai pour vous donner les détails."

## 11

Cette nuit-là, j'ai été réveillé par un bruit sourd. Je m'étais couché plus tôt que d'habitude, après avoir allumé la lumière de l'entrée et m'être assuré que la clé se trouvait toujours dans sa cachette. Depuis que j'avais entendu le témoignage de Tracy et vu le portrait-robot, ce rituel me semblait encore plus nécessaire, plus essentiel.

Pourtant, les paroles d'Abby m'avaient touché au vif : *Si Caitlin vivait si près de chez nous…* Je savais comment se terminait la phrase : *Pourquoi n'était-elle pas rentrée à la maison ?*

Abby avait déjà emménagé à l'église. Quand elle revenait à la maison pour emporter quelques affaires, nous observions une distance cordiale et polie, et je ne me laissais jamais à penser qu'elle avait changé d'avis.

J'ai émergé de mon sommeil, complètement désorienté. Le réveil sur la table de nuit indiquait 22 : 01. Pas si tard que ça. Mon cœur battait trop vite, mon tee-shirt était humide. J'avais fait un cauchemar. Ce n'était pas un rêve cohérent, mais une suite d'images décousues et obsédantes, une farandole de toutes mes peurs. *Caitlin qui m'appelait dans le parc… L'homme du portrait qui l'attrapait, l'emmenait…*

Un bruit sourd, à nouveau.

J'ai posé les pieds sur le sol froid. Mon cerveau se remettait lentement en marche, chassant les images du rêve pour se concentrer sur la réalité. Il y avait quelqu'un dans la maison. En bas.

*Caitlin ?*

J'ai bondi hors du lit et suis sorti de la pièce, sans aucun effort de discrétion. La personne qui se trouvait en dessous m'entendrait arriver et saurait que je l'avais repérée, mais je m'en moquais. J'ai dévalé l'escalier en tee-shirt et caleçon. Une fois en bas, j'ai appelé :

"Caitlin ? C'est toi ?"

Il y avait de la lumière dans la cuisine et le salon. J'ai tourné à gauche, vers l'entrée.

"Caitlin ?"

Lorsque j'ai pénétré dans le salon, elle était assise sur le canapé. Elle n'a pas levé les yeux mais les a gardés sur la feuille qu'elle tenait à la main.

*Abby.*

Quelques cartons avaient disparu, et d'autres avaient été remplis.

Elle tenait le portrait.

Elle le regardait fixement, sans me prêter attention. Je n'ai rien dit, même si j'aurais voulu lui demander pourquoi elle arrivait si tard. Est-ce qu'elle cherchait à me ficher la trouille ? Mais je l'ai laissée tranquille, le temps qu'elle observe le visage sur le papier.

Tandis que je me refroidissais sur place, Abby a levé sa main libre, puis, lentement, avec douceur presque, a suivi le contour du visage dessiné. On aurait dit qu'elle essayait d'y lire quelque chose, d'y détecter des ondes, à la manière d'un médium. Finalement, elle a reposé le dessin face contre table et s'est adossée aux coussins du canapé.

"C'est lui ? a-t-elle demandé.

— Peut-être.

— Ryan m'a appelée sur mon portable pour me dire que le portrait allait être diffusé. Il ne savait pas si j'étais au courant.

— Il est passé à la maison.

— Tu lui as dit que je déménageais ?"

J'ai désigné les cartons. "C'est un inspecteur. Je crois qu'il a deviné tout seul."

Je suis allé m'asseoir à l'autre bout du canapé.

"J'ai dû te réveiller. Tu as appelé Caitlin dans l'escalier. Tu le faisais tout le temps, avant. Tu te rappelles ?

— Oui.

— J'avais l'impression de ne pas souffrir autant que toi parce que je ne rêvais jamais de Caitlin et que je ne l'appelais pas dans mon sommeil. Je me disais que j'aurais dû le faire aussi.

— Ce ne sont que des rêves, pas une mesure de ton amour pour elle.

— C'est gentil, a-t-elle répondu avec un petit sourire. Tu avais raison sur un point. Parfois… je t'en ai voulu pour la disparition de Caitlin. C'était sûrement plus facile que d'en vouloir à un étranger, un inconnu. J'essaye de travailler là-dessus avec Chris. On essaye de se détacher du passé pour parvenir à un stade plus positif de la vie. Au niveau émotionnel.

— Quelle belle organisation.

— Ryan m'a dit qu'il avait des doutes au sujet du témoin et du portrait-robot, et que si ça ne dépendait que de lui, il ne le diffuserait pas. Je lui ai dit de faire ce que tu voulais. Je pense que c'est important pour toi, pour ton processus de deuil. Tu as besoin de savoir que tu as fait tout ce que tu pouvais.

— Et toi non ?

— On n'en est pas au même stade, toi et moi, sur bien des plans. Mais bizarrement, quand Ryan m'a appelée pour me parler du dessin, j'ai eu envie de le voir. Immédiatement. Je lui ai dit que ça ne m'intéressait pas, mais en fait si. C'est pour ça que je suis venue ce soir. Je me suis dit que j'allais récupérer quelques affaires.

— Aussi tard ? Il est dix heures passées.

— Oui." Elle a eu un petit rire. "Je savais que Ryan t'avait donné un exemplaire, et je voulais le voir. Je voulais voir son visage.

— Je comprends.

— Tu sais à quoi je pensais aujourd'hui ? À nos vacances en Nouvelle-Angleterre, quand Caitlin était petite.

— Et ?

— Je me rappelais comme on s'était amusés. Comme le paysage était beau. Comme ça semblait naturel d'être ensemble, tous les trois. Tu avais voulu baptiser Caitlin dans l'étang de Walden. Elle n'avait que trois ans, mais tu l'as emmenée au bord du lac pour lui verser de l'eau sur la tête, comme dans une église." Avec un léger sourire, Abby a poursuivi : "Je t'ai pris pour un fou, bien sûr. Mais j'ai aussi trouvé ça touchant. Je voyais à quel point tu l'aimais, et à quel point tu aimais l'idée de la baptiser dans ce lac.

— À ce qu'il me semble, l'idée te plaisait aussi. Tu as pris une photo.

— C'est vrai." Elle semblait avoir changé d'humeur. Sa voix s'est faite un peu plus froide, un peu plus distante. "À l'époque, l'idée m'avait plu. Mais quand j'y repense aujourd'hui, je vois la scène différemment. Je vois un couple, et je vois un mari qui veut baptiser sa fille dans un étang tandis que sa femme veut la baptiser dans une église.

— C'est ce qu'on a fait ensuite, comme tu le souhaitais."

Abby n'a pas répondu. Elle s'est penchée pour reprendre le portrait du suspect et me l'a fourré entre les mains, le froissant un peu.

"Je ne veux plus le voir. Ne le laisse pas traîner quand je suis là."

J'ai entrepris de lisser la feuille.

"Je sais que tu me caches des choses, Tom. À la façon dont Ryan m'a parlé au téléphone, j'ai senti qu'il omettait certains éléments. Sûrement des détails sur ce qui s'est passé dans le club de strip-tease, sur ce que cette femme a vu." Elle a dégluti. "Je ne veux pas le savoir, Tom. Jamais. Ce sont des choses que tu vas devoir supporter seul. Je ne peux pas…

— J'ai compris. Ce n'est pas nouveau, de toute façon, que je doive supporter ça tout seul."

Elle a poussé un long soupir. "Mais oui, Tom, c'est toi le plus triste, a-t-elle dit en se levant. J'avais prévu de passer la nuit ici, mais je crois que je vais plutôt rapporter quelques-uns de ces cartons à l'église."

Je me suis levé à mon tour. "Tu veux bien essayer de ne pas trop faire de bruit ? Je suis fatigué."

Et je suis remonté à l'étage, le portrait à la main, sans attendre sa réponse.

# 12

La foule matinale des promeneurs et des joggeurs peuplait encore le parc. Ils me dépassaient les uns après les autres en s'excusant, me frôlant parfois, et je me suis demandé ce qu'ils pensaient à me voir là, échevelé, vêtu d'un jean et d'une chemise au milieu de tous ces shorts et ces chaussures de sport. J'appréciais malgré tout leur présence, le fait de me retrouver dans cette bousculade en compagnie d'autres êtres humains, seul sans vraiment l'être.

Je savais ce qui m'attendait de l'autre côté du parc : le cimetière et la "tombe" de Caitlin. Depuis la cérémonie et ma rencontre avec Tracy, j'éprouvais à l'égard de cette tombe le même sentiment qu'Abby face au portrait-robot : je voulais la revoir, ne serait-ce que pour me convaincre qu'elle existait bel et bien. Quoi qu'on en pense, c'était un monument à la mémoire de ma fille, une preuve gravée dans la pierre qu'elle avait un jour vécu parmi nous.

Je commençais à transpirer sous ma chemise. J'ai remonté mes manches jusqu'aux coudes et continué à marcher. Je réfléchissais à ce qui nous avait menés là : comment l'investissement d'Abby dans les activités de l'église avait abouti à cette pierre tombale plantée dans le sol. Abby avait commencé à fréquenter l'église du pasteur Chris avant la disparition de Caitlin, même si elle s'y rendait alors de manière occasionnelle. Une ou deux fois par mois, peut-être. Finalement, elle avait déclaré qu'elle voulait faire baptiser Caitlin par le pasteur. Notre fille, qui avait huit ans à l'époque, avait refusé ; mais j'avais pris le parti d'Abby, et elle avait fini par accepter, traînant des pieds d'un air maussade jusqu'à la cérémonie, à laquelle je n'avais pas souhaité assister. À leur retour, je lui avais demandé ses impressions.

"C'était bizarre, avait-elle répondu en fronçant le nez.

— C'est bien ce que je me disais. Tu y crois, à leur baratin ?

— Nan."

Sur quoi on s'était mis à pouffer de rire, deux amis préparant un mauvais coup plutôt qu'un père et sa fille. Abby avait quitté la pièce.

"Vous êtes tellement… durs, avait-elle déclaré. Je ne vous comprends pas."

Après ça, elle s'était engagée de plus en plus auprès de l'église – une mission qu'elle avait menée seule –, et quand Caitlin avait disparu, le pasteur et un petit groupe de fidèles s'étaient installés dans notre salon pour prier, nous apporter de la nourriture et répondre au téléphone. Ils avaient veillé sans relâche, puis, lorsque les journalistes et les policiers avaient levé le camp, les gens de l'église les avaient suivis ; mais Abby s'en était allée avec eux, en même temps que ce qui restait de notre mariage.

Arrivé à l'autre bout du parc, près du cimetière, j'ai ralenti le pas. Un bosquet d'arbres un peu plus touffu faisait de l'ombre à cet endroit du chemin. J'ai jeté un œil derrière moi pour vérifier qu'il n'y avait personne, et que je ne risquais pas de me faire bousculer ni de bloquer le passage. Je savais que la stèle de Caitlin – son cénotaphe, comme disait Buster – se trouvait juste derrière les arbres ; à travers les trous du feuillage, je distinguais les interminables rangées de pierres tombales.

Et si Ryan avait raison ?

La diffusion du portrait-robot dans les médias entraînerait une période d'activité : un mouvement d'intérêt général, de nouvelles pistes à creuser.

Mais après ? Si ces pistes ne menaient à rien, et qu'on aboutissait à un cul-de-sac…

Qu'allais-je faire ?

J'ai détourné les yeux du cimetière. Et c'est à ce moment-là que j'ai vu la fille, debout sur le chemin.

Nos regards se sont croisés un instant. Elle m'avait vu aussi, j'en étais sûr. Elle s'est enfuie aussitôt, zigzaguant entre les arbres avant de disparaître dans le petit bosquet qui séparait le parc du cimetière. Elle était blonde, jeune, et ressemblait à…

*Caitlin !*

Je me suis précipité à sa suite. Mes chaussures glissaient et dérapaient sur les graviers, j'avais l'impression de patauger dans l'eau. Je n'avançais pas assez vite. Lorsque j'ai atteint l'endroit où elle avait disparu, j'ai scruté le bosquet. Il y avait un petit passage, un sentier de terre qui reliait le parc au cimetière.

Je m'y suis engagé, tête baissée pour éviter les branches basses, et ai débouché sur la pelouse verte du cimetière. J'ai observé les alentours. Rien que du gazon et des pierres tombales. Aucun signe de la fille.

"Caitlin !"

Je suis parti à gauche, en direction de la route. J'avais le souffle court, de la sueur s'accumulait sous mes aisselles. J'ai franchi le chemin qui serpentait à travers le cimetière.

"Caitlin !" ai-je crié de nouveau.

Toujours aucun signe de la fille. Au loin, un enterrement était en cours. Plusieurs têtes se sont tournées dans ma direction. Je n'avais pas le temps de penser à l'étrange spectacle que je devais offrir. J'ai arrêté de crier, mais j'ai continué à remonter le cimetière en restant tout près de la lisière du parc. Je scrutais les arbres à ma gauche, espérant apercevoir à nouveau la fille, ou simplement entendre un bruit dans le feuillage.

Il ne s'est rien passé. J'ai longé le parc jusqu'à la petite chapelle en calcaire qui accueillait les cérémonies funèbres. De nombreuses voitures attendaient sur le parking, dont un corbillard et deux berlines d'un noir brillant, mais aucune trace de la fille. Aucune trace de Caitlin. Je suis resté là sous le soleil, à reprendre mon souffle. Elle n'était plus là. Elle avait disparu.

# 13

Je suis retourné chez moi dans un état d'hébétude.

Cette fille – blonde, mince, vive – ressemblait comme deux gouttes d'eau à Caitlin, et je l'avais aperçue à l'endroit même où ma fille avait disparu. Elle m'avait paru plus jeune que Caitlin n'aurait dû en avoir l'air après quatre ans d'absence.

Mais s'il s'agissait bien de Caitlin, s'il s'agissait bien de ma fille, pourquoi s'était-elle sauvée en me voyant ? Pourquoi était-elle partie dès que nos regards s'étaient croisés ?

Le soleil atteignait son zénith, et la sueur me démangeait la peau comme un million de petites bêtes. J'ai déboutonné ma chemise, mains tremblantes et malhabiles, puis l'ai enlevée. J'ai parcouru le reste du chemin dans mon tee-shirt trempé et collant.

La sonnerie de mon portable a retenti. Liann.

"Tom, où es-tu ? a-t-elle demandé sans même un bonjour.

— Je viens de voir Caitlin dans le parc, ai-je répondu, ne m'embarrassant pas non plus de politesses.

— Quoi ?

— J'ai vu Caitlin. Enfin, je pense l'avoir vue. Il y avait une jeune fille qui lui ressemblait, mais elle s'est enfuie dès qu'elle m'a aperçu et je n'ai pas réussi à la rattraper.

— On n'a pas le temps pour ça, Tom. Écoute-moi bien. La police, Ryan… Ils tiennent une conférence de presse à l'instant même. Ils vont dévoiler le portrait-robot.

— Maintenant ?

— Oui, maintenant. Il faut que tu y ailles. Ils ont besoin d'un parent, d'un visage humain pour donner plus d'impact à l'histoire.

— Pourquoi ne m'a-t-il pas appelé ?" J'ai baissé les yeux vers mon tee-shirt trempé de sueur et mes chaussures poussiéreuses. Je ne m'étais pas douché. Je devais ressembler à un clochard. "Je ne pense pas…

— Il faut que tu y ailles, Tom. J'arrive chez toi dans deux minutes."

J'avais plus ou moins réussi à boutonner ma chemise quand je suis monté dans la voiture de Liann, où j'ai entrepris de me lisser les cheveux avec un peu de salive en m'observant dans le miroir du pare-soleil. Liann était toute à son affaire. Elle m'a à peine jeté un œil avant de démarrer à la vitesse d'un chauffeur de taxi new-yorkais.

"Qu'est-ce que je suis censé faire là-bas ?

— Il suffit que tu sois présent et que tu répondes aux questions des journalistes. Il faut que tu leur montres à quel point tu souffres, que tu suscites leur compassion.

— Je devrais peut-être appeler Abby ?"

Liann a émis un grognement de dédain. "Tu peux y aller seul. On n'a pas besoin d'elle.

— Je ne ressemble à rien."

Liann a quitté la route des yeux un instant. "Parfait. Ça te donne l'air encore plus désespéré."

Lorsque nous avons débouché sur la place du commissariat, je serrais la poignée de ma portière à m'en briser les phalanges.

"Comment tu as su pour la conférence de presse ?

— J'ai mes sources dans la police. Je discute avec beaucoup de gens tous les jours.

— Pourquoi Ryan ne m'en a-t-il pas parlé ?

— J'ai déjà vu des policiers faire ça, s'ils estiment qu'un parent est ingérable, ou trop bouleversé.

— Ryan pense ça de moi ?

— Franchement, Tom, regarde-toi."

Liann s'est arrêtée derrière un camion de télé. J'attendais la suite. Elle a déverrouillé les portes et m'a fait signe de sortir.

"Vite, vite, tu es en retard !

— Tu ne viens pas ?

— Tu te débrouilleras mieux sans moi. Vas-y.

— Et la fille que j'ai vue au cimetière ?

— Notre cerveau nous joue parfois des tours, Tom. Maintenant, file !"

J'ai posé le pied sur le trottoir éclairé par le soleil. À peine avais-je refermé la porte que Liann a redémarré, me laissant seul.


Les policiers s'adressaient habituellement aux médias dans une petite salle de conférences étroite et miteuse, située à l'arrière du commissariat. Les lambris de bois démodés qui tapissaient les murs avaient grand besoin d'être changés, et les bibliothèques dont on se servait comme arrière-plan étaient couvertes de poussière. Pourtant, tout ça passait très bien à la télé. Dès qu'on plaçait devant cette toile de fond un policier – qu'il soit en uniforme ou en costume – en train de s'adresser à une armée de micros, la scène paraissait tout de suite bien plus crédible et sérieuse. J'étais venu là plus d'une fois après la disparition de Caitlin. On nous avait demandé, à Abby et moi, de nous avancer, clignant des yeux face aux projecteurs des équipes de télévision, pour implorer qu'on nous rende notre fille. Nous devions sans doute ressembler à toutes les victimes d'un drame – hébétés, épuisés et assez désespérés pour que les téléspectateurs se disent : "Dieu merci, ce n'est pas à moi que ça arrive."

J'ai donné mon nom au policier en uniforme chargé de l'accueil et demandé qu'on me laisse accéder à la salle. L'agent a eu un instant d'hésitation, m'observant comme seuls les policiers savent le faire ; on aurait dit qu'il m'avait repéré à l'odeur caractéristique de peur et de désespoir que je dégageais. Finalement, il a tendu la main vers son téléphone.

"Je suis désolé d'arriver en retard, ai-je dit. L'inspecteur Ryan m'avait bien donné l'heure, mais j'ai oublié. Depuis la disparition de ma fille…"

Je me suis efforcé de prendre un air désarmé. Je ne rechignais jamais à me servir de mon image de victime pour parvenir à mes fins. Le policier n'a pas semblé particulièrement ému. Il a décroché son téléphone, composé un numéro, et parlé d'une voix si basse que je n'ai pu distinguer que quelques mots.

*Conférence de presse… père… la salle…*

Puis il a hoché la tête et raccroché.

"On va venir vous chercher.

— Je connais le chemin.

— Il faut que quelqu'un vous accompagne", a-t-il répliqué.

Je me suis mis à tambouriner des doigts sur son bureau et ai jeté un œil autour de moi. Il y avait quelques chaises en plastique, et des numéros du *Reader's Digest* en guise de divertissement. Un vieil homme attendait seul, tête baissée. Dans un coin de la salle, un écran monté sur une applique diffusait un jeu télévisé.

"Est-ce que vous pourriez mettre les informations ? ai-je demandé. Ils passent la conférence de presse ?

— Pas en direct. Prenez donc une chaise.

— Je ne peux pas y aller tout de suite ? Je connais le chemin…

— Vous devez attendre ici, monsieur.

— Pourquoi ça ne passe pas à la télé ?"

Le policier n'a pas répondu. Je me suis retourné vers l'écran. Le présentateur était en train de jeter des billets en l'air, qui retombaient doucement tandis que les participants s'efforçaient d'en attraper des poignées. Le téléphone sur le bureau du policier s'est mis à sonner. L'agent a écouté ce qu'on lui disait, puis hoché la tête en levant les yeux vers moi.

"D'accord, a-t-il dit avant de raccrocher.

— C'était pour moi ?

— On va venir vous chercher.

— Vous l'avez déjà dit.

— Monsieur…"

La lourde porte blindée à côté du bureau s'est ouverte sur une femme en uniforme, qui m'a tenu le battant avec un signe de tête en direction du couloir.

"Merci, ai-je dit en la rejoignant.

— Ils remballent", m'a-t-elle signalé.

La porte s'est refermée derrière nous tandis que nous avancions dans le couloir. Des néons éclairaient le plafond et la peinture bleu pâle des murs.

"Ils remballent ? C'est fini ?

— On ne peut pas débarquer en plein milieu."

Je suis passé devant elle. J'ai tourné à droite, puis à droite à nouveau, avant d'apercevoir la porte de la salle de conférences. Un policier se tenait devant l'entrée, portable à l'oreille.

"Je vais entrer discrètement", ai-je annoncé à la cantonade, mais le policier au téléphone m'a arrêté d'un geste d'agent de la circulation. J'ai senti une autre main se poser sur mon bras.

"Attendez ici", m'a dit la femme.

Et pour s'assurer que je lui obéissais, elle a gardé la main sur mon bras. Nous avons attendu pendant ce qui m'a semblé une éternité.

Enfin, la porte s'est ouverte et quelques personnes sont sorties de la salle. Leurs visages ne me disaient rien, et je me suis mis sur la pointe des pieds pour tenter d'apercevoir l'intérieur de la pièce.

"Vous pouvez me lâcher maintenant ?", ai-je demandé à la femme, qui s'est exécutée.

Les personnes en train de quitter la pièce se sont écartées pour me laisser passer. J'ai repéré Ryan, qui m'a aperçu au même moment. Il avait l'air surpris et – peut-être – un peu déçu.

Je m'attendais à autre chose : plus de caméras, plus de monde ; mais il n'y avait qu'une seule équipe de télévision et une poignée de journalistes.

Quelqu'un a prononcé mon nom.

"Monsieur Stuart ? Qu'avez-vous pensé de la conférence de presse ?"

Il m'a semblé reconnaître une journaliste du *Daily News*.

"Je suis arrivé en retard. Je ne savais pas…

— Trouvez-vous cette nouvelle piste encourageante ?

— Bien sûr.

— Comment avez-vous réussi à garder courage pendant cette épreuve ?"

Un petit groupe s'est rassemblé autour de moi. J'espérais qu'ils étaient tous journalistes. J'ai vu Ryan approcher, bien visible dans la foule avec sa grosse tête et son corps massif. Il semblait nerveux et inquiet. Je me suis rappelé mon apparence : mal rasé, pas encore douché.

Mais les questions continuaient.

"Comment va votre femme ?

— Bien.

— Pourquoi n'est-elle pas venue aujourd'hui ?

— Elle... Je ne sais pas. Je crois qu'elle est passée à autre chose.

— Passée à autre chose ? Comment ça ?

— Elle ne pense pas que Caitlin va revenir."

Un projecteur de télévision s'est allumé. Un point rouge luisait en dessous : ils étaient en train de filmer. J'ai recommencé à transpirer. Ryan a dit quelque chose, mais la lumière m'empêchait de le voir.

"M. Stuart a eu une longue matinée, et j'ai besoin de m'entretenir seul avec lui.

— Pensez-vous que votre fille est encore en vie ? Pensez-vous que vous allez la retrouver ?"

Je ne distinguais pas la personne qui avait posé la question. La pièce s'est mise à tanguer.

"Oui, c'est ce que je pense."

Des appareils photo cliquetaient et bourdonnaient. Il y a eu un flash. Comme on ne me posait plus de questions, j'ai poursuivi :

"En fait, je l'ai vue. Pas plus tard que ce matin, je l'ai vue dans le parc."

Les appareils photo ont cliqueté de plus belle. D'autres flashs ont suivi.

J'avais trop chaud, la nervosité me gagnait, mes habits me serraient, m'étouffaient.

"Vous l'avez vue ?

— Votre fille ?

— Vraiment ?"

J'ai senti qu'on m'agrippait le bras. Ryan essayait de m'entraîner à sa suite, mais je voulais m'expliquer.

"Je l'ai vue... J'ai vu une jeune fille, dans le parc à côté du cimetière. Je ne sais pas exactement si c'était Caitlin..."

L'inspecteur m'a tiré dans le couloir, laissant les journalistes derrière nous, et m'a fait entrer dans une autre salle, une petite pièce avec deux bureaux vides et un classeur à tiroirs.

"Pas très malin, ce que vous venez de faire.

— Pourquoi ne m'avez-vous pas prévenu ?"

Il a soupiré. "C'est évident, non ?

— Non.

— Écoutez, Tom. On a organisé tout ça rapidement pour communiquer le portrait-robot à la presse. C'est ce que vous vouliez, non ? Et même si nous préférons d'habitude que la famille soit présente, étant donné le stress que vous avez subi et vos difficultés actuelles, nous… J'ai pensé qu'il valait mieux que je m'en charge seul.

— Je peux parler de ma fille si je veux. C'est mon droit.

— Vous venez de nous raconter une histoire de fantômes. Et maintenant, tous les résultats qu'on aurait pu obtenir du portrait-robot risquent d'être compromis."

Ryan est allé ouvrir la porte, et a passé la tête dans le couloir pour inspecter les alentours.

"Sortez d'ici. Reprenez votre voiture et allez-vous-en. Et ne parlez plus aux journalistes. Je vais essayer de réparer ça." Il m'a regardé de la tête aux pieds, avant d'ajouter : "Je pense qu'ils comprendront que vous êtes très stressé et que vous ne savez plus ce que vous dites."

Puis il est resté à côté de la porte, qu'il tenait ouverte pour moi.

Mais je n'étais pas prêt à partir.

"Ryan, je peux vous poser une question ?"

Il ne m'a pas invité à poursuivre, mais n'a pas non plus tourné les talons.

"Qu'est-ce que j'ai vu dans le parc aujourd'hui, à votre avis ? Qu'est-ce que c'était ?

— Vous avez vu ce que vous vouliez voir. Rien de plus, rien de moins. C'est la nature humaine. Vous vivez une période très difficile, Tom.

— Alors c'est tout ? Ce n'était qu'une illusion ?

— Qui partait d'un sentiment réel. Le désir de revoir votre fille."

J'ai secoué la tête. "Mais ça ne suffit pas, si ? Un désir ? Une envie ? Pour moi, ça ne suffit pas du tout."

## 14

Mon portable vibrait sur la table de nuit. J'ai gardé les yeux fermés, décidé à ignorer l'appel, mais il m'a semblé que l'appareil vibrait de plus en plus fort, tressautant sur le bois verni comme un poisson hors de l'eau. J'ai attrapé le téléphone et décroché sans regarder qui m'appelait.

"Allô ?

— Mais qu'est-ce qui se passe, bordel ?

— Buster ?

— C'est quoi ces conneries dans le journal ? T'as vraiment dit ça ?"

Je n'ai pas saisi tout de suite de quoi il parlait. Le cerveau embrumé, j'ai essayé de reconstituer les événements de la veille. Tout m'est revenu d'un coup : la matinée au parc, la conférence de presse au commissariat.

"Ils en parlent dans le journal de chez vous ?

— Tu veux rire ? Une petite fille portée disparue est aperçue dans un club de strip-tease en compagnie d'un homme, et voilà le père qui se met à divaguer en racontant qu'il l'a vue dans un parc...

— Je connais l'histoire", l'ai-je coupé. À travers la fenêtre, je distinguais un ciel morne et gris. Il faisait froid dans la maison. Le temps se gâtait. "Je suis content qu'on en parle dans la presse, au moins.

— Oh pour ça, aucun problème. Tout le monde est au courant maintenant."

J'ai tiré la couverture sur mes jambes nues et me suis calé sur les coussins moelleux, y reposant ma tête et mes épaules.

"Je suis étonné de t'entendre. Je croyais que tu m'en voulais.

— C'est vrai. Mais j'ai beaucoup pensé à toi, et à ce que tu traverses en ce moment.

— Vraiment ?

— Mais oui. Je ne m'étais pas rendu compte de ce que tu endurais. Et je ne parle pas des raisons évidentes. Regarde-toi : tu as perdu ton père quand tu étais petit, et maintenant ta fille unique. J'ai tendance à oublier que tu n'avais pas de père parce que le mien était toujours là, mais c'est la vérité : ton père est mort quand tu étais très jeune, et maintenant tu dois affronter cette histoire avec Caitlin. C'est terrible.

— Merci.

— Et de toute façon, on dirait que j'avais tort. Merde, on tient vraiment quelque chose, non ? Tu as vu le témoin ?

— Oui."

Je lui ai raconté mon entrevue avec Tracy dans le club. Buster m'a écouté attentivement, interrompant parfois mon récit par des exclamations de surprise ou d'incrédulité. Le fait de parler à quelqu'un qui prenait mon histoire à cœur, qui avait hâte de l'entendre et qui réagissait comme je le souhaitais m'a fait beaucoup de bien. Le simple fait de résumer ce qui s'était passé me rassurait.

"Et voilà où on en est, ai-je conclu.

— J'espère qu'ils vont attraper ce type. Putain de pervers dégueulasse. Y a qu'à regarder sa gueule. T'as déjà vu un fils de pute pareil ? Je rêverais qu'on me laisse deux minutes avec lui dans une pièce, pas toi ? Je lui sortirais les boyaux du ventre pour ce qu'il a osé faire à une gamine aussi adorable."

Je ne ressentais pas du tout la même colère que Buster. Certains parents de victimes s'exprimaient comme lui, et j'avais toujours eu l'impression que mon incapacité à éprouver une telle fureur signifiait que quelque chose n'allait pas chez moi.

Comme je ne réagissais pas à sa tirade, Buster a changé de sujet. "Comment est-ce qu'Abby prend tout ça ?

— Oh, comme d'habitude. Elle cherche toujours à « tourner la page ». Elle ne veut pas entendre parler de cette histoire. Pour tout dire, elle est en train de déménager. Elle me quitte.

— Oh, a fait Buster d'un ton plat.

— Ça ne t'étonne pas ?

— Pas vraiment. J'avais deviné qu'elle voulait partir. Je l'ai vu dans ses yeux."

Je me suis redressé dans le lit. "C'est vrai ?

— Ouais. On aurait dit un animal en cage. Et je parierais qu'elle s'envoie en l'air avec le pasteur.

— Tu crois ? ai-je demandé, surpris par l'élan de jalousie qui me tordait le ventre.

— Qui sait ?" a répondu Buster d'un air un peu moins assuré. Il s'est éclairci la gorge et a poursuivi : "D'ailleurs… Tu m'avais dit que ça collait plus trop entre vous, alors pourquoi s'en faire ? Bon débarras. Il y a des gens sur qui tu peux vraiment compter.

— Oui." J'ai observé le plafond. Une longue et étroite fissure traversait le plâtre, coupant la pièce en deux. J'allais devoir la repeindre. "Ce serait bien que tu viennes quelques jours ici. Tu pourrais dormir à la maison. Je ne sais pas ce qui va se passer avec ce suspect, et comme tu disais, ça me ferait du bien d'avoir quelqu'un à mes côtés, quelqu'un qui me soutienne."

Buster a gardé le silence. J'ai attendu sa réponse.

"Tu sais… Je ne peux pas vraiment décider de partir comme ça, à la dernière minute. Avec mon boulot…" Il s'est éclairci la voix.

"Juste quelques jours…

— On n'a qu'à attendre de voir comment ça se passe. Si tu apprends une nouvelle importante, ou que les flics découvrent quelque chose, préviens-moi, et j'arriverai tout de suite."

J'ai entendu quelqu'un lui parler à l'autre bout du fil. Une femme. Puis il m'a semblé que Buster posait la main sur le combiné pour étouffer le son. Il a dit quelque chose que je n'ai pas compris, avant de revenir au téléphone.

"D'accord ? m'a-t-il demandé.

— Tu vois quelqu'un en ce moment ?

— Par-ci par-là, a-t-il répondu à voix basse. On se tient au courant et on voit ce qui se passe. D'accord ?

— Oui, d'accord. Je dois travailler sur mon livre, de toute façon.

— Exact. L'oisiveté est la mère de tous les vices, comme on dit. Je t'ai demandé de quoi ça parlait ? Melville ?

— Hawthorne. Tu te rappelles ?

— Super. *La Lettre écarlate.* J'ai détesté ce foutu bouquin."

La voix de tout à l'heure s'est de nouveau fait entendre à l'autre bout du fil.

"Bon, bon, a dit Buster, sans que je sache s'il s'adressait à moi ou à quelqu'un d'autre. Bon, Tom, il faut que j'y aille.

— D'accord", ai-je répondu, mais il avait déjà raccroché.

## 15

J'avais décidé de passer au département d'anglais, plus par obligation qu'autre chose, mais j'étais incapable de me concentrer. Quand je me suis assis derrière mon bureau, j'ai eu l'impression de me retrouver face à un bloc de bois inconnu, un meuble dont l'utilité m'échappait complètement. Toute la pièce me faisait le même effet : il y planait une odeur bizarre, différente de d'habitude, et ses angles et dimensions me paraissaient étranges, comme si ma dernière visite remontait à des années plutôt qu'à des semaines. J'ai tenté sans grande conviction de trier mon courrier en le répartissant en deux piles : l'une que j'allais jeter, l'autre que j'allais sûrement jeter.

J'ai allumé mon ordinateur, et l'ai écouté vrombir et ronronner tandis qu'il se mettait en marche. Les voix des étudiants qui passaient de temps à autre dans le couloir sonnaient à mes oreilles comme des pépiements d'oiseaux exotiques. Je n'aurais pas dû venir, me suis-je dit. Je n'allais jamais réussir à travailler.

J'ai consulté mes mails : plus de quatre-vingts messages non lus, provenant pour la plupart du département d'anglais ou de l'université. J'ai parcouru rapidement la colonne d'objet : *Rendez-vous de la santé. Gestion du patrimoine. Naissance du bébé de Sandy. Emplois du temps du troisième trimestre.* Je n'en ai lu aucun : ils n'allaient pas disparaître, et si les gens cherchaient à me contacter, ils pouvaient toujours m'appeler. Je ne répondrais peut-être pas, mais rien ne les empêchait d'essayer.

J'ai contemplé mes étagères surchargées. Une pile de documents se trouvait à ma hauteur : mes recherches sur Hawthorne. Je m'en suis approché dans ma chaise à roulettes. La première feuille était couverte de poussière ; je l'ai balayée du dos de la main avant de jeter un œil au reste. Quelques photocopies d'articles, des notes que j'avais prises sur un bloc A4. Je reconnaissais bien mon écriture, mais les idées jetées sur le papier ne m'évoquaient rien. Je ne me rappelais pas ce que j'avais voulu dire. "Wakefield", avais-je marqué, puis souligné trois fois. "Opacité", souligné trois fois également.

Quelqu'un a frappé à la porte, de petits coups timides. J'ai décidé de ne pas répondre. Mais les coups ont repris, plus forts et plus insistants.

"Merde", ai-je juré dans ma barbe.

J'ai posé mes notes sur Hawthorne pour aller ouvrir.

"Oui ?

— Monsieur Stuart ?

— Oui ?"

Le visage de la jeune fille me rappelait vaguement quelque chose, et j'ai d'abord pensé qu'il s'agissait d'une de mes anciennes élèves, noyée parmi la masse anonyme des jeunes gens qui faisaient profil bas dans mes classes de littérature américaine, étudiant cette matière obligatoire avec le bonheur et l'enthousiasme qu'on réserve d'habitude à l'idée de faire la lessive. Puis j'ai remarqué ses cheveux ternes et ses yeux fatigués. Et j'ai compris.

"Tracy ! Excusez-moi. Hors de contexte, je…

— Personne ne s'attend à voir quelqu'un de mon genre sur le campus.

— Entrez, venez vous asseoir", ai-je proposé en m'effaçant devant elle.

Elle a parcouru la pièce d'un regard hésitant, comme si elle venait de pénétrer dans un autre monde. Puis elle est venue s'asseoir sur la chaise qu'occupaient d'habitude mes étudiants, en face de mon bureau, tandis que je regagnais ma place.

"Vous étudiez ici ?"

Elle a éclaté d'un rire amer. "Pour me payer ce genre de truc, ça suffirait pas que je me déshabille dans un club, il faudrait que je dévalise une banque. J'ai même pas fini le lycée.

— Merci d'avoir parlé à la police, et de les avoir aidés à établir le portrait-robot."

114

Elle n'a pas répondu. Les yeux fixés sur mon bureau, elle enroulait une mèche de cheveux secs autour de son index.

"Ça va beaucoup nous aider, je pense. Le portrait." Comme elle ne répondait toujours pas, j'ai demandé : "Vous êtes venue pour une raison particulière ? Il y a un problème ?

— Je voulais discuter de ça, justement, de tous ces trucs sur votre fille dans les journaux et à la télé.

— C'est grâce à vous qu'on en parle.

— Oui…" Elle a arrêté de jouer avec ses cheveux pour me regarder en face. "Je suis désolée.

— Pourquoi ?

— Vous croyez à mon histoire, hein ?

— Je ne devrais pas ?"

Elle a secoué la tête lentement, et je me suis souvenu de la remarque de Ryan. *Des détails très convaincants.*

"J'ai vu ce que j'ai vu, je le jure.

— Alors il n'y a pas de problème.

— Vous avez réfléchi à ce que vous feriez si elle revenait ?

— Vous voulez parler de Caitlin, n'est-ce pas ? Est-ce que j'ai imaginé son retour ? Bien sûr, très souvent."

Avec des détails très convaincants. Caitlin qui se jette dans mes bras. Caitlin qui prononce mon nom. Caitlin heureuse et souriante, une belle jeune femme prête à reprendre le cours de sa vie.

"J'espère que ça se passera comme vous voulez, a dit Tracy avec un petit sourire qui manquait de chaleur.

— Qu'est-ce qui ne va pas, Tracy ? Il y a quelque chose que vous n'arrivez pas à me dire ?

— Vous croyez en Dieu, non ?

— Non.

— Oh.

— Pourquoi cette question ?

— Je disais ça à cause de votre… vision dans le parc hier."

Je me suis calé dans ma chaise. "Je n'appellerais pas ça comme ça.

— Mais vous avez vu quelque chose, une chose à laquelle vous croyez. Comme moi au club."

Pour l'instant, je suivais son raisonnement. Elle et moi étions pareils. Nous avions été témoins d'événements cruciaux concernant Caitlin, et même si les autres en doutaient, nous étions sûrs de ce que nous avions vu. Au moins, on croyait en nous-mêmes et en ce que l'autre avait dit.

Tracy s'est remise à tortiller sa mèche de cheveux. "Ça n'a pas été facile pour moi, vous savez.

— Depuis qu'on s'est rencontrés…

— Dans la vie."

Elle m'a fixé de nouveau, sans sourire. Elle avait un regard dur, aussi impénétrable que du verre opaque.

"Je suis désolé", ai-je dit.

Je ne voyais pas où nous menait cette conversation. J'avais cru qu'elle cherchait à se rassurer, à vérifier que j'étais content qu'elle se soit manifestée et qu'elle ait témoigné auprès de la police. Mais je décelais autre chose derrière ses paroles, quelque chose de fuyant, d'insaisissable.

"Je veux vous aider, a-t-elle repris. C'est pour ça que j'ai appelé Liann, même si j'avais déjà eu des ennuis, et que j'aime pas trop la police.

— Je comprends.

— Je voudrais vous aider un peu plus." Elle continuait à triturer ses cheveux tout en tapotant un ongle au vernis sombre et écaillé sur l'accoudoir de sa chaise. "J'ai quelque chose à vous montrer." Elle s'est penchée pour fouiller dans son sac, disparaissant de ma vue. Quand elle a relevé la tête, elle tenait une carte de visite qu'elle m'a tendue après avoir écarté une mèche de cheveux de son visage. "Tenez, c'est pour vous."

J'ai pris la carte, sur laquelle figuraient le nom d'une certaine Susan Goff du Service bénévole d'aide aux victimes et un numéro de téléphone local.

La perplexité devait se lire sur mon visage. "Qu'est-ce que c'est ?

— Le numéro d'une dame qui aide les gens.

— Une psy ?

— Non. Je ne sais même pas si elle a fait des études.

— Ce genre de chose ne m'intéresse pas vraiment, ai-je dit en essayant de lui rendre la carte.

— C'est une amie qui m'en a parlé, mais elle travaille aussi avec les flics."

Ce Service bénévole d'aide aux victimes me disait quelque chose. Ryan nous en avait parlé plus d'une fois, mais nous ne les avions jamais contactés.

"La police s'occupe déjà de ça, ai-je déclaré.

— C'est pas un flic, juste... une personne à qui on peut parler, et qui est prête à vous soutenir quoi qu'il arrive. Elle n'a pas d'idée derrière la tête.

— Tout le monde en a une, non ?

— Susan est sympa. Rien à voir avec les avocats et tout le reste. Elle comprend les gens, et la vie en général. Je veux dire... Je sais que Liann essaye de m'aider, mais seulement jusqu'à un certain point, vous voyez ? Elle veut bien m'aider, mais à sa manière. Si je lui demande quelque chose qui fait pas partie de son programme, ça ne l'intéresse pas.

— Vous avez déjà suivi une thérapie ?

— C'est que des conneries. Les psys, les services sociaux... Il suffit de leur dire ce qu'ils veulent entendre. Ils cochent leurs petites cases sur leurs petits formulaires, et puis ils vous refilent à quelqu'un d'autre." Tracy s'est de nouveau penchée vers son sac pour sortir son portable. Elle a examiné l'écran en fronçant les sourcils. "Il faut que j'y aille. Mais gardez ce numéro, et servez-vous-en si vous voulez. Vous pourriez parler à Susan. Je l'ai déjà fait, et elle donne vraiment de bons conseils, vous savez, sur la vie, les relations... Elle m'écoute. Pour de vrai. Vous savez ce que c'est, quand quelqu'un vous écoute vraiment ?

— Je vois ce que vous voulez dire.

— Susan essaye jamais de vous embobiner, jamais. Elle vous dit la vérité si vous avez envie de l'entendre. Et si vous n'avez pas de prêtre, ni de psy, ni rien, vous avez besoin de quelqu'un à qui parler. Pas vrai ?

— Je ne sais pas...

— Pensez-y, d'accord ? Elle... sait des choses. Beaucoup de choses. Des fois, j'ai l'impression qu'elle me connaît mieux que moi-même. Et ça ne la dérange pas de parler de sujets difficiles.

— C'est de ça dont vous êtes venue me parler ? ai-je demandé en levant la carte. Rien d'autre ?"

Tracy s'est tortillée sur sa chaise, s'appuyant d'un côté puis de l'autre comme si quelque chose la démangeait.

"Il y a autre chose, Tracy ?

— Vous vous rappelez quand je vous ai parlé de ma fille ?

— Oui."

Elle a baissé la voix. "Vous savez ce que ça coûte d'élever un enfant.

— Je ne vous suis pas."

Elle s'est agitée un peu plus, oscillant de gauche à droite à la manière d'un métronome.

"C'est de l'argent que vous voulez ?

— Vous voyez…" Elle s'est interrompue et a poussé un long soupir. "J'ai réfléchi à ce que j'ai vu l'autre soir. J'ai beaucoup réfléchi…

— Et ?"

Elle s'est légèrement affaissée sur sa chaise.

"Tracy ?

— Je voudrais me souvenir de plus de choses. Je voudrais vous aider encore."

Elle s'est tue. Quelque part au-dehors, une tondeuse à gazon s'est mise en marche, et a commencé à traverser le campus avec un grondement sourd.

"Qu'est-ce que vous savez ?" ai-je demandé.

Pas de réponse.

"Si vous croyez que vous pouvez venir ici pour me manipuler, jouer avec mes émotions…"

D'un bond, elle s'était levée de sa chaise, avait attrapé son sac et remis ses cheveux derrière ses oreilles. Sans me jeter un regard, elle s'est tournée vers la porte.

"Attendez."

J'ai mis la main dans la poche arrière de mon pantalon. Je ne gardais jamais beaucoup de liquide sur moi. J'ai fini par trouver quarante-deux dollars, que je lui ai tendus.

Elle s'est retournée vers moi et a fixé l'argent dans ma main, sans faire mine d'aller le chercher. J'ai lâché les billets sur mon bureau.

"Prenez-les. Je m'en fiche."

Elle restait immobile, à se mordiller la lèvre inférieure.

"Achetez des couches, ce que vous voulez. Mais si vous savez autre chose…"

Elle s'est avancée rapidement pour prendre l'argent, qu'elle a contemplé un instant avant de plier les billets en deux et de les glisser dans la poche de son short.

"Cet homme est très dangereux.

— Vous le connaissez ? Vous l'avez déjà vu ?"

Elle a reculé, évitant mon regard.

J'ai entrepris de contourner le bureau. "Tracy, si vous savez quelque chose et que vous ne le dites pas…"

Elle a tendu la main devant elle pour me signifier de rester où j'étais. J'ai obéi.

"Parlez-en à Liann, ai-je suggéré.

— J'ai dit la vérité. J'ai déjà raconté mon histoire.

— Il y a autre chose ?"

Elle a fait un signe de tête vers mon bureau. Il m'a fallu un moment pour comprendre ce qu'elle désignait : la carte de visite. Le Service bénévole d'aide aux victimes.

"Pensez à appeler Susan", a dit Tracy.

Puis elle s'est glissée par la porte et l'a refermée sans bruit.

## 16

La voiture d'Abby stationnait dans l'allée. Elle était remplie de cartons et de vêtements, les dernières affaires qu'elle devait encore récupérer à la maison.

Trois cartons attendaient sur la table de la cuisine. Des vêtements accrochés à des cintres étaient posés dessus ; des habits d'hiver, des gros manteaux et des pulls. Je me tenais sous les néons du plafond, éclairage que nous avions toujours eu l'intention de changer sans finalement jamais aller au bout du projet. J'ai passé la main sur les pulls en laine, puis, saisissant une manche au hasard, je l'ai portée à mon nez avant d'inspirer profondément. J'avais toujours aimé les odeurs d'Abby : le parfum fruité de ses shampoings, celui de ses savons, et même l'odeur de sa sueur quand elle faisait du sport ou s'agitait dans la maison ; mais ce pull sentait le renfermé, résultat d'un séjour prolongé au fond d'un placard.

"Te voilà."

J'ai lâché le pull. Abby se tenait dans l'encadrement de la porte, chargée d'un sac en toile rempli de vêtements.

"J'ai passé la journée au bureau.

— C'est bien, a-t-elle commenté en s'avançant dans la pièce pour déposer le sac par terre. C'est tout ce qui reste. Je vais ranger ça dans la voiture.

— Tu veux de l'aide ?

— Non. C'est mes affaires, je m'en occupe.

— Tu vas te casser le dos.

— Ça va, ce n'est pas si lourd."

Elle a empoigné l'un des cartons et poussé du coude la porte de la cuisine, qui s'est refermée derrière elle. Je suis passé dans l'autre pièce pour examiner le courrier : surtout des factures, et un magazine que j'ai feuilleté rapidement, parcourant les gros titres sur les guerres et les crises politiques. Pendant ce temps, la porte de la cuisine s'est ouverte et refermée plusieurs fois. J'ai fini par abandonner le magazine sur la table basse avant de retourner dans la cuisine, où ne restait plus que le sac de toile. Abby était dehors, penchée sur la banquette de sa voiture ; la lumière du plafonnier formait un petit point blanc dans le crépuscule. Nous n'avions même pas discuté du partage des biens, des voitures, des comptes en banque et des cartes de crédit que nous n'avions pas fini de payer. Pourtant, ceux de nos amis qui s'étaient retrouvés dans la même situation avaient passé des semaines à régler chaque petit détail.

Puis une pensée m'a frappé : ces gens avaient tous des enfants. Ils étaient obligés de tout prévoir et de couper les cheveux en quatre. Abby et moi nous séparions comme des jeunes mariés, comme un couple d'étudiants qui aurait fini par se lasser de vivre ensemble.

Abby est rentrée dans la maison en s'essuyant le front du revers de la main. "Il me faut un verre d'eau.

— Tu as lu les journaux ? Simple curiosité…"

Elle a pris une grande inspiration. Elle se tenait devant l'évier, dos à moi. "Oui. J'ai vu ce que disent les médias. Les gens m'en auraient parlé de toute façon.

— Et tu n'y crois toujours pas ?"

Elle a reposé son verre sans se retourner. "Tom, je pense que tu devrais parler à quelqu'un. Un professionnel.

— Un psy ?

— Oui.

— Pourquoi ?" ai-je demandé avec un haussement d'épaules exagéré.

Elle n'a pas répondu, mais s'est tournée vers moi et a croisé les bras sur sa poitrine. Dans cette lumière crue, elle paraissait plus vieille, mais toujours aussi belle que lors de notre première rencontre.

Je me suis approché d'elle. "C'est à cause de ce que j'ai dit ? Sur la fille du cimetière ?

— En partie.

— C'est pourtant toi qui as la foi. Pourquoi ne me crois-tu pas ?"

Elle a secoué la tête. "Parce que Dieu ne fonctionne pas de cette manière.

— Comment le sais-tu ? C'est le pasteur Chris qui te l'a dit ?

— Quand Caitlin a disparu, j'ai proposé qu'on aille voir un conseiller, tu te rappelles ? Pas un conseiller conjugal, mais quelqu'un qui aurait pu nous aider à affronter la perte de notre enfant. Tu t'en souviens ?

— Oui, ai-je fini par répondre, puisqu'elle semblait attendre une réaction.

— Et tu m'as dit que tu ne voulais pas y aller, que tu n'en avais pas besoin, parce qu'on n'avait rien vraiment perdu." Abby a courbé les épaules et s'est frotté les bras comme si elle avait froid. "Je n'ai pas protesté. Je ne t'ai pas forcé. Je pensais qu'on en avait besoin, tous les deux, mais je savais aussi que tu voyais la mort différemment, à cause de ton père. Quand le mien est mort, j'étais plus âgée. On était déjà mariés, et on avait Caitlin. Mais je sais que la mort de ton père t'a laissé une profonde blessure, alors quand Caitlin a disparu… Je comprends à quel point ça comptait pour toi d'avoir un enfant, étant donné que tu étais fils unique. C'est compliqué avec Buster. C'est ton demi-frère. Et je sais que tu te sentais coupable… coupable d'avoir laissé Caitlin sortir ce jour-là, de l'avoir laissée traverser la rue avec Frosty pour aller au parc. Et dans la mesure où j'ai contribué à ce sentiment, je te demande pardon. Sincèrement.

— Tu ne veux pas t'asseoir ?"

J'ai tiré une chaise vers moi. Abby a fait de même, avant de s'interrompre et de lever les mains en l'air, comme si l'idée de s'asseoir lui répugnait.

"Non, Tom. Je ne peux pas." Les mains toujours en l'air, elle s'est mise à pleurer ; d'abord deux reniflements sonores, puis son menton s'est mis à trembler. "Je ne peux pas.

— Abby…"

Je ne me suis pas assis non plus. Je me suis approché d'elle et ai posé la main sur son bras. Les émotions que j'ai ressenties alors – amour, pitié – m'ont pris par surprise.

Elle a porté la main à son visage pour essuyer ses larmes.

"Allons, viens t'asseoir.

— Non, non. Je ne peux pas. Écoute-moi, Tom."

Elle s'est écartée pour s'essuyer à nouveau le visage, et a pris une longue inspiration heurtée qui a paru l'aider à reprendre un peu contenance. J'ai attendu, immobile. Je savais qu'elle avait autre chose à me dire, d'autres reproches à me faire.

"Tu as disparu aussi, Tom, a-t-elle commencé avant de s'éclaircir la voix. Tu voulais cet enfant plus que moi, tu te rappelles ?" Son menton s'est remis à trembler. "Et je suis tellement heureuse qu'on l'ait fait. Même aujourd'hui. Même après tout ça. Quand je pense à notre fille… notre adorable petite fille…

— On a essayé d'en avoir un autre. On pourrait encore essayer, il n'est pas trop tard."

Abby a secoué la tête et détourné le regard. Elle se décomposait à vue d'œil, encore plus bouleversée que tout à l'heure.

"Non. Je ne peux plus faire ça.

— Tu veux dire endurer…

— Ça avait marché, Tom.

— Quoi ?

— Je suis tombée enceinte à nouveau, après la disparition de Caitlin. Quand on essayait d'avoir un bébé. Je suis tombée enceinte, mais j'ai fait une fausse couche. Je ne t'en ai pas parlé, et j'en suis désolée."

L'espace d'un instant, je suis resté muet. La pièce semblait se refermer sur moi. Puis je me suis rendu compte que j'avais gardé la bouche ouverte.

"On a eu un autre bébé ?

— C'était une fausse couche.

— Et tu ne me l'as pas dit ?"

Je n'étais toujours pas sûr d'avoir bien compris.

"Je voulais te protéger. Dans ton état d'esprit, avec la disparition de Caitlin, je ne pensais pas que tu aurais pu le supporter." Elle s'est essuyé le nez.

"Pourquoi me le dire maintenant ?

— Parce que… parce que je ne veux pas partir en te laissant penser que je n'ai pas tout essayé pour sauver notre mariage.

— Avec un mensonge ?

— Il faut que j'y aille, Tom. Vraiment."

Elle s'est penchée pour agripper le sac de toile, puis, sans s'arrêter ni ralentir, a gagné la porte de la cuisine.

"Pense à ce que je t'ai dit, au sujet du psy. Va voir un professionnel. Ou demande à Ryan, il connaît peut-être quelqu'un avec qui tu pourrais parler de ta famille, de ton beau-père, de ton sentiment de rejet. Je pense que tu en as besoin."

Et sur ces paroles, elle est partie.

# DEUXIÈME PARTIE

# 17

Mon père est mort quand j'avais quatre ans, d'un cancer du pancréas. De lui, il ne me reste pratiquement plus que des fragments de souvenirs, des petits morceaux épars que je porte en moi et qui ressurgissent à l'improviste. Je me souviens de l'odeur musquée de son eau de Cologne, ou de la sensation râpeuse de sa barbe naissante contre ma joue. Parfois, quand je me rase, je me demande si on se ressemblerait beaucoup aujourd'hui.

Je me rappelle qu'il avait de grandes mains aux doigts épais ; et quand il m'attrapait sous les bras pour me soulever, il me serrait si fort que c'en devenait presque douloureux – mais c'était une bonne douleur qui ne me gênait pas. Je me rappelle sa voix de stentor, et la façon dont elle semblait résonner dans toute la maison lorsqu'il nous appelait, ma mère et moi.

Le souvenir le plus cohérent qui me reste de lui concerne un jour de printemps, un an environ avant sa mort. C'est le seul événement complet dont je me souvienne.

Ma mère n'était pas à la maison. Je ne me rappelle pas où elle était partie ni ce qu'elle faisait, mais puisqu'elle n'était pas là, mon père devait s'occuper de moi. J'ignore s'il savait déjà qu'il était malade à ce moment-là. S'il le savait, il venait tout juste de l'apprendre. Plus vraisemblablement, on n'avait pas encore diagnostiqué son cancer, mais celui-ci grandissait déjà en lui, s'introduisant peu à peu dans les cellules et les tissus sains, détruisant son corps de l'intérieur.

Nous avions un jardin en pente qui descendait jusqu'à d'autres maisons où vivaient des enfants un peu plus âgés que moi. Nos mères se connaissaient, et elles nous laissaient parfois nous amuser ensemble dans les parages tout en nous surveillant du coin de l'œil. Ce jour-là, je jouais dehors avec ces enfants, un garçon et une fille appelés Kevin et Amy. Le temps commençait tout juste à se réchauffer, les arbres à bourgeonner et fleurir, et nos parents étaient sûrement ravis de nous laisser dépenser notre énergie hors de la maison.

Mais à un moment de la journée, le ciel s'est couvert.

D'énormes nuages violacés et menaçants se sont rassemblés au-dessus de nos têtes. Le vent s'est levé, faisant tomber des feuilles et des branches autour de nous, et s'est mis à ballotter nos petits corps jusqu'à ce qu'il devienne difficile de rester debout.

Ensuite, j'ai un trou de mémoire. Il est possible que les parents des autres enfants les aient rappelés, ou que mes amis aient décidé de rentrer chez eux, fuyant la tempête. Tout ce que je sais, c'est que je me suis retrouvé seul dans le jardin, alors que le vent continuait de se déchaîner. On aurait dit que le monde entier s'animait. Les arbres se pliaient et se tordaient, la clôture du jardin tremblait, et tout ce qui n'était pas arrimé au sol – chaque feuille, chaque bout de papier, chaque brin d'herbe coupée – s'envolait et venait tourbillonner autour de moi, jusqu'à ce que j'aie l'impression de me retrouver dans une de ces boules à neige qui produisent un blizzard miniature lorsqu'on les secoue.

Je me suis dirigé vers la maison, déplaçant mes petites jambes de quelques centimètres à chaque pas. Le vent me repoussait sans cesse, comme s'il me maintenait debout à l'aide de câbles invisibles. Quelque chose est entré dans mon œil et j'ai ressenti une vive douleur. J'ai pressé ma main contre ma paupière et continué à avancer tant bien que mal.

Le temps que j'atteigne le côté de la maison, la pluie s'était mise à tomber. De grosses gouttes cinglantes s'abattaient sur mon visage et mes cheveux. J'avais le souffle court, heurté. Ma vision se brouillait à cause des larmes qui me brûlaient l'œil. Et il y a finalement eu un moment où, debout près de la maison, j'ai décidé que je n'en pouvais plus. J'ai laissé le vent s'emparer de mon corps soudain devenu mou et me suis assis dans l'herbe, la main toujours plaquée sur l'œil. Je me rappelle très clairement avoir pensé que j'allais mourir à cet endroit, que j'allais perdre la vie dans cette tempête, à côté de notre maison.

Je ne sais pas combien de temps je suis resté assis là. Sûrement pas longtemps, car je ne me souviens pas de m'être fait tremper par la pluie. Mais à un moment, j'ai levé les yeux, et mon père était là, debout devant moi, le visage rongé d'inquiétude. J'ai cru qu'il était fâché parce que j'étais resté sous la pluie, mais aucun de ses gestes ne reflétait la colère. Au lieu de ça, il s'est penché pour me prendre dans ses bras et m'a serré fort contre sa poitrine. Je me suis abandonné à son étreinte, nichant ma tête au creux de son cou. J'ai respiré son odeur familière, et à cet instant, j'ai su ce que c'était d'être chez soi. À l'abri. En sécurité. Et longtemps après la mort de mon père, alors que cet événement était devenu le seul souvenir tangible qui me restait de lui, je m'en suis servi comme d'un modèle, une sorte de guide pour me rappeler ce qu'un père devait être.

# 18

La carte de visite de Susan Goff gisait sur la table de la cuisine, entre les miettes du petit-déjeuner et le journal du matin. J'avais décroché et reposé le téléphone deux fois avant de me décider à l'appeler.

J'étais seul chez moi. Pour de bon. Abby était partie depuis trois semaines. Chaque fois que j'appelais Ryan pour lui demander des nouvelles, il ne m'apprenait rien de neuf et m'exhortait à la patience. Liann m'avait envoyé quelques mails, "pour savoir comment j'allais", mais le manque de progression dans l'affaire ne nous fournissait pas beaucoup de sujets de conversation. Quant à mes rares visites sur le campus, elles ne servaient qu'à me rappeler le peu d'intérêt que je portais à mon projet de livre sur Nathaniel Hawthorne.

Susan Goff a répondu au téléphone d'une voix joyeuse et énergique qui rendait l'estimation de son âge difficile. Elle aurait pu avoir vingt comme soixante ans. Mais son accueil enthousiaste a eu le mérite de me désarmer, et je me suis senti plus à l'aise que je ne m'y attendais.

"C'est une amie qui m'a donné votre numéro, ai-je commencé.

— Formidable. En quoi puis-je vous aider ?

— Je ne sais pas. Est-ce qu'il faut prendre rendez-vous ?

— Oui, bien sûr. Mais ce sera juste pour parler tranquillement. Je déteste le mot « rendez-vous »... Ça fait tellement guindé, vous ne trouvez pas ?

— Si, peut-être. Bon. Juste pour que vous soyez au courant, je m'appelle Tom Stuart, et je vous appelle à cause de ma fille."

J'ai commencé à lui parler de la disparition de Caitlin, imaginant qu'elle préférerait connaître l'histoire au préalable, mais elle m'a interrompu d'une voix douce.

"Oh. Oui, je sais qui vous êtes.

— Vous avez dû en entendre parler aux informations.

— Oui… aux informations. Et Tracy m'a dit qu'elle allait vous donner ma carte. Tout cela est tellement triste. Je suis vraiment désolée pour vous.

— Merci. C'est en effet Tracy qui m'a donné votre numéro.

— Est-ce que vous voyez déjà quelqu'un d'autre ? Un professionnel ?

— Non.

— Vous devez comprendre que je ne suis pas une thérapeute ni une conseillère de métier. Si c'est ce que vous cherchez, je ne pourrai pas vous aider." Avec un petit rire d'autodérision, elle a continué : "J'ai été recrutée par la police en tant que bénévole, mais je ne travaille pas vraiment pour eux. Je ne suis pas un agent, je ne mène pas d'enquête. D'ailleurs, je ne travaille pas qu'avec des victimes de crimes : je peux tout aussi bien rencontrer des personnes dont un proche s'est suicidé, par exemple, ou des familles qui ont perdu quelqu'un dans un accident, ce genre de chose."

À sa façon de s'exprimer, on aurait dit que c'était aussi naturel que de conseiller quelqu'un sur le choix d'un papier peint.

"Alors vous aidez les gens, c'est tout ? Dans ce cas, autant aller parler à n'importe qui dans la rue, non ?

— J'ai reçu une formation. On ne se contente pas de nous lâcher dans la nature pour qu'on se jette sur les gens au moment où ils sont le plus vulnérables. Ça ne serait pas très malin, n'est-ce pas ?

— Est-ce que vous avez un certificat d'aptitude, ou un diplôme ?

— Chaque intervenant du Service bénévole d'aide aux victimes suit une formation de huit semaines, et on retourne se former au moins une fois par an. Nos casiers judiciaires ont bien sûr été vérifiés – tenez : tous les mois, je dois aller faire pipi dans un gobelet, juste pour que l'État de l'Ohio s'assure que je ne consomme pas de substances illicites. Bref, on nous donne toutes les bases pour aider les gens qui en ont besoin.

— Et qu'est-ce que vous faites pour eux ? Qu'est-ce que vous pouvez...

— Qu'est-ce que je peux faire pour vous ? Je suis surtout là pour vous soutenir, monsieur Stuart. Pour vous écouter parler de vos problèmes. Vous savez, les policiers sont très absorbés par les autres aspects de l'affaire : l'enquête, les dépositions, les procédures judiciaires... Ce n'est pas mon rôle. Moi, j'écoute. J'essaie de ne pas porter de jugement ni d'imposer mon opinion, mais si vous me la demandez, je vous la donnerai. C'est à vous de décider. Ça vous paraît intéressant ?"

Je ne me sentais pas capable de dire non, même si j'en avais envie. Elle était tellement *présente*, tellement à l'écoute, disponible. Et le fait qu'il ne s'agisse ni d'un agent de police, ni d'un prêtre, ni même d'une militante des droits des victimes, me réconfortait. Elle semblait réellement avoir envie de m'aider.

"C'est d'accord. Vous voulez qu'on prenne rendez-vous... qu'on se retrouve la semaine prochaine ?

— Disons demain à quatre heures. Vous connaissez le café *Courthouse*, au centre-ville ?

— Oui.

— Retrouvons-nous là-bas. Je ne vous plairai peut-être pas, mais au moins le café sera bon."


Environ un an après la disparition de Caitlin, à l'époque où Abby devait avoir fait sa fausse couche, nous avions discuté de ce qu'allait devenir la chambre de notre fille. Jusque-là, nous l'avions gardée exactement en l'état : les habits à leur place dans le placard, les objets sur les étagères. Mais Abby avait commencé à plaider pour un peu de changement. Elle avait pris grand soin de m'expliquer qu'on ne jetterait rien : elle voulait simplement ranger certaines affaires dans des cartons pour les emporter au grenier, repeindre les murs et disposer les meubles autrement.

"Cette chambre est un obstacle, Tom", avait-elle affirmé, réutilisant sans doute une expression employée par le pasteur

Chris lors d'une de ses séances "d'aide". "Elle nous empêche d'aller de l'avant."

J'avais refusé tout net, sans lui laisser l'occasion de discuter.

Et la chambre était restée intacte.

Juste avant de quitter la maison pour ma première entrevue avec Susan Goff, je me suis arrêté devant cette pièce. J'y faisais un tour plusieurs fois par mois : j'aimais m'asseoir sur le lit, passer la main sur le bureau ou sur les draps, soulever les peluches puis les reposer à l'endroit exact où Caitlin les avait laissées. Dans les premières heures suivant sa disparition, j'avais passé sa chambre au peigne fin, exploré les tiroirs, ouvert ses cahiers d'école, en quête d'un indice. Puis la police avait pris le relais et découvert les recherches sur Seattle et Amtrak qui soulevaient la possibilité d'une fugue.

Quand je me suis arrêté devant la chambre avant d'aller voir Susan, quelque chose m'a paru différent. Il me semblait que cet endroit m'était devenu étranger, presque interdit, comme si je m'apprêtais à pénétrer dans la chambre d'un inconnu qui ne voulait pas que j'empiète sur sa vie privée.

Je suis resté immobile, à me perdre en hypothèses : et si Abby et moi avions eu un autre enfant, et si elle l'avait porté jusqu'à terme ? Aurait-il occupé cette chambre à son tour ? Le souvenir de Caitlin aurait-il été effacé de nos vies ?

J'ai poussé la porte.

Les stores tirés ne laissaient passer qu'un filet de lumière qui donnait à la pièce une teinte grise, hivernale. Comme je m'y attendais, elle sentait le renfermé. J'ai passé le bout des doigts sur la commode à ma gauche, récoltant une épaisse couche de poussière. Le parquet grinçait sous mon poids tandis que j'avançais sur le tapis. Une collection de livres pour adolescents occupait une étagère ; un groupe de peluches gisait au pied du lit. Sur une planche au-dessus du bureau se trouvaient deux trophées, témoins des deux années où Caitlin avait joué au foot dans une équipe locale. Elle ne voulait pas y aller au début, et jusqu'au jour de son premier entraînement elle affirmait encore qu'elle ne se laisserait pas faire et qu'elle ne jouerait pas. Mais elle s'était bel et bien prise au jeu, et avait fini par adorer ça, au point d'évoquer la possibilité de continuer au lycée – ce qui, de sa part, constituait un rare témoignage d'enthousiasme pour une activité collective.

Le lit était toujours défait. En m'asseyant dessus, j'ai senti les ressorts plier sous mon poids et me suis rappelé l'époque où Caitlin avait peur d'aller se coucher toute seule, quand elle était petite. Chacun notre tour, Abby et moi allions nous étendre à côté d'elle jusqu'à ce que sa respiration paisible nous indique qu'elle dormait ; en partant, nous prenions toujours soin de laisser la porte entrouverte pour qu'elle distingue la lumière du couloir.

Je me suis relevé et me suis approché du placard. Cette fois, je n'ai pas hésité avant d'ouvrir la porte. J'ai tiré sur le cordon de la lampe à l'intérieur, puis reculé d'un pas. Le placard était plein à craquer, les habits tellement serrés qu'on arrivait à peine à les déplacer. Certains de ces vêtements m'évoquaient des souvenirs : un pull rose offert à Noël ; un maillot de foot de l'université de Fields, taille fillette, arborant un double zéro. Au fond du placard se trouvait son manteau d'hiver, une doudoune rouge. J'ai attrapé une manche, pressé le doux tissu entre mes doigts, et ce geste m'a ramené avec une douleur poignante à un jour d'hiver, six ans auparavant, où Caitlin et moi avions façonné un bonhomme de neige dans le jardin.

La douleur que je ressentais était bien réelle ; elle me transperçait de la poitrine jusqu'au dos. J'ai fermé les yeux aussi fort que possible, et j'ai entendu le rire de Caitlin dans le jardin, comme un trille d'oiseau. J'ai senti la morsure du vent sur mes joues et la brûlure glacée de la neige qu'elle m'avait fourrée dans le col. L'espace d'un instant, un instant douloureux et merveilleux, j'ai retrouvé Caitlin ; et puis tout a disparu. La douleur s'est atténuée tandis que le souvenir s'estompait. J'ai ouvert les yeux, et il n'y avait plus que moi, un homme d'âge mûr debout devant un placard, agrippé à un manteau d'enfant.

*Et l'enfant n'était plus là.*

Cette pensée a surgi dans mon esprit avec la même vivacité que le souvenir de cette journée d'hiver. Je ne l'avais jamais exprimée aussi clairement et de façon aussi catégorique. *Elle n'est plus là. Caitlin n'est plus là.* Et je savais que les souvenirs s'effaceraient au fil du temps, que ces instants obsédants et douloureux se produiraient de moins en moins, jusqu'à ce qu'un jour ils disparaissent complètement, emportant avec eux tout ce qui me restait de ma fille.

J'ai tiré le manteau vers moi, pressé mon visage contre les plis du tissu et inspiré profondément. Il exhalait la même odeur de renfermé que le placard, mais je m'en moquais. J'ai inspiré encore et encore, laissant l'odeur de poussière m'envahir.

Puis j'ai replacé le manteau sur son cintre pour le raccrocher à la tringle au milieu des autres vêtements. Je m'apprêtais à reculer, une main sur la porte du placard, quand j'ai aperçu une tache rouge. J'ai d'abord pensé qu'il s'agissait d'un bonnet ou d'un gant. Il avait fait froid les jours précédant la disparition de Caitlin, mais le temps s'était ensuite brièvement réchauffé, et elle avait quitté la maison vêtue d'une veste plus légère. J'ai remarqué alors que l'objet rouge avait l'aspect fragile du papier et qu'il s'émiettait sur le sol.

Quand j'ai tendu la main pour le toucher, il s'est effrité davantage. C'était une fleur, un œillet rouge. Elle ne pesait rien dans ma main, pas plus qu'une poignée de poussière. Une simple fleur, sans mot d'accompagnement ni ornement, sans ruban ni dentelle. Je ne savais pas d'où elle venait, mais Caitlin devait l'avoir récupérée dans les jours précédant sa disparition. Quant à l'endroit où elle avait trouvé cet œillet rouge, je n'en avais aucune idée.

## 19

Je les ai vus ensemble au parking du supermarché. Je m'y étais arrêté en quête de nourriture saine : avec mon régime de célibataire, j'avais l'impression de devenir mou et léthargique, un gros tas affalé sur son canapé. J'avais donc décidé de m'aventurer dans le monde réel, où les êtres humains se nourrissaient de choses vertes, jaunes ou rouges qui ne sortaient pas d'une brique en carton ni d'une boîte de conserve.

J'émergeais du magasin quand j'ai vu le pasteur Chris et Abby descendre de la même voiture. Il l'a attendue, poussant l'audace jusqu'à poser la main en bas de son dos quand elle l'a rejoint. Je me suis immobilisé, mon sac plastique dans une main, les clés de ma voiture dans l'autre. Il leur a fallu un moment pour me voir. Ils marchaient côte à côte, penchés l'un vers l'autre d'un air conspirateur.

Chris m'a aperçu le premier. Son visage a brièvement changé d'expression – un sentiment de culpabilité passager ? – mais il a aussitôt retrouvé son masque jovial habituel. Son sourire s'est élargi plus que nécessaire et il m'a hélé comme un vieil ami.

"Tom !"

Ses bras sont retombés le long de son corps, aussi raides et droits que des piquets.

J'ai observé Abby en silence. Elle a évité mon regard, fixant d'abord le sol, puis le ciel ; enfin, comme elle n'avait plus le choix, elle s'est tournée vers moi.

"Bonjour, Tom.

— Bonjour."

Ils se sont arrêtés à ma hauteur et nous sommes restés là tous les trois un long moment, à nous dévisager comme des cow-boys de western tandis que les gens passaient à côté de nous avec leurs caddies et que des camionnettes pleines d'enfants et de nourriture circulaient dans les allées.

J'ai essayé de garder mon calme. "Vous formez un beau petit couple, dites-moi."

Chris a continué de sourire. "On fait juste quelques courses. Il y a une réunion pour les jeunes ce soir à…

— La ferme."

Il a cligné des yeux à plusieurs reprises, l'air d'un chiot malheureux.

"Allons-y, Chris, a dit Abby.

— Oui, allez-y. Partez donc avec la femme d'un autre. Il n'y a pas un commandement qui interdit ça ? Ou est-ce que votre église ne s'embarrasse plus de commandements ? Ça explique-rait son succès.

— Voyons, Tom, a commencé le pasteur en retrouvant son sourire. Je ne crois pas que ce soit nécessaire.

— La ferme, j'ai dit."

Abby s'est emparée du bras de Chris pour l'entraîner vers le magasin.

"Rentre chez toi, Tom. Pense à ce que je t'ai dit au sujet du psy."

J'ai réussi à passer mes clés dans la main qui tenait le sac pour fouiller dans ma poche. J'en ai sorti un sachet de congélation fermé par un zip, qui contenait les restes de la fleur trouvée dans le placard de Caitlin.

"Tu sais ce que c'est, Abby ?"

Elle s'est arrêtée et a regardé le sac d'un air perplexe.

"J'ai trouvé ça dans le placard de Caitlin. C'était dans la poche de son manteau."

Abby a secoué la tête en silence.

"Ce n'est pas fini. Je sais que tu aimerais le croire, que tu voudrais passer à autre chose… et apparemment, c'est déjà fait. Mais il n'est pas encore temps."

Abby m'a observé. J'ai cru qu'elle allait enfin répondre, mais elle s'est détournée et a commencé à marcher en direction du magasin, abandonnant Chris.

"Elle avait fait une fausse couche, ai-je annoncé au pasteur. Elle a perdu notre bébé, un an après la disparition de Caitlin, et elle ne m'a rien dit.

— Ça a été une décision difficile pour elle. On en a parlé tous les deux, on a prié, et elle a décidé qu'il valait mieux ne pas vous en parler.

— Vous étiez au courant ?"

Mais Chris était déjà parti. Après m'avoir adressé un bref salut, il s'est empressé de rejoindre Abby, me laissant seul au milieu du parking.


Le café *Courthouse* se trouvait en face du commissariat, mais accueillait une clientèle bien différente. Pendant la journée, des avocats et des hommes d'affaires s'y arrêtaient pour boire un cappuccino ou un *latte*, et des étudiants s'y rassemblaient le soir avec leurs livres et leurs ordinateurs portables. On y organisait des lectures de poésie une fois par mois, et des artistes locaux exposaient leurs œuvres aux murs. Je préférais d'habitude éviter ce repaire d'étudiants, et ma gêne en pénétrant dans le café était accentuée par le fait que je n'avais aucune idée de comment reconnaître Susan Goff. J'avais raccroché sans lui avoir posé la question. Mais à peine avais-je franchi le seuil que j'ai entendu quelqu'un m'appeler.

"Monsieur Stuart ? Tom Stuart ?"

J'ai jeté un œil aux alentours. La plupart des tables étaient occupées, mais il n'y en avait qu'une seule où une femme à demi levée de sa chaise me faisait signe. Elle a répété mon nom en agitant la main, et j'ai eu l'impression que toute la salle me dévisageait.

"Oui, c'est moi."

Je me suis approché de sa table. La femme avait des cheveux gris coupés à la garçonne et des lunettes en demi-lune perchées au bout du nez, qu'elle a enlevées avant de me serrer la main. Elle portait un pantalon en coton beige, des baskets blanches et un large tee-shirt. Sa poignée de main était ferme, et son apparence toute simple contrastait avec son ton guilleret.

"Je vous ai vu à la télé, a-t-elle déclaré assez fort pour que tout le monde l'entende.

— Quelle chance.

— Vous voulez un café ? Il est très bon.

— Ça ira."

Nous nous sommes assis l'un en face de l'autre. Elle affichait un sourire franc et doux à la fois, et ses yeux gris m'étudiaient comme si j'étais la personne la plus extraordinaire qu'elle ait jamais vue. Je lui donnais environ cinquante-cinq ans.

"Eh bien, a-t-elle commencé. Vous traversez une période particulièrement difficile.

— Comme je vous l'ai dit, c'est Tracy Fairlawn qui m'a donné votre numéro.

— Elle aussi a vécu des choses difficiles.

— Et vous avez pu l'aider ?

— Je l'écoute beaucoup. Je pense que c'est ce dont elle a besoin.

— Vous croyez que ça marche ?

— Laissez-moi vous expliquer ce que je fais, pour que vous compreniez un peu mieux. Je vous le disais au téléphone : ce n'est pas mon métier, je suis bénévole. Il y a une dizaine d'années, l'État s'est aperçu qu'il laissait certaines personnes en plan ; par exemple, des gens qui avaient vécu un drame, mais qui ne se sentaient pas prêts à demander l'aide de thérapeutes ou de conseillers professionnels. Le Service bénévole d'aide aux victimes a été créé pour combler ce vide. Il s'agit uniquement de gens comme moi, qui aident des gens comme vous. La police et les autres services sociaux nous envoient à votre rencontre s'ils pensent que vous en avez besoin. Nous savons repérer les problèmes graves s'ils existent, et nous savons à qui adresser les gens lorsque ces problèmes dépassent nos compétences. Croyez-moi, nous connaissons parfaitement nos limites, et nous sommes supervisés par des travailleurs sociaux qui les connaissent aussi. En résumé, nous sommes là pour écouter les gens et les aider à affronter les bouleversements dans leur vie. Jusque-là, ça vous paraît clair ?

— Pourquoi avez-vous intégré ce service ?

— Mes enfants sont déjà grands, et je suis séparée de mon mari depuis cinq ans. J'ai quitté le système éducatif peu après mon divorce.

— Vous étiez enseignante ?

— Non, secrétaire. Pardon : assistante administrative. Je travaillais pour la direction. Quand j'ai pris ma retraite, je cherchais quelque chose à faire, une façon de me rendre utile. Je n'avais pas envie de passer ma vie à jardiner en empochant tranquillement ma pension. Mon Dieu, ça fait vraiment pontifiant, ce que je raconte…"

J'ai éclaté de rire. "Je dois dire que oui.

— *Mea culpa.* Vous êtes sûr que vous ne voulez rien boire ? J'allais justement demander une autre tasse.

— Un café, alors."

Pendant que Susan se rendait au comptoir, j'ai observé les autres clients. Des gens normaux, en train de passer une journée normale. J'ai reconnu une ancienne élève, qui ne regardait pas dans ma direction, et un collègue d'un autre département qui m'a adressé un petit signe avant de retourner à son ordinateur. Et moi, j'étais venu discuter avec une parfaite inconnue de la chose la plus importante de ma vie.

Susan est revenue poser une tasse devant moi. "Alors, comment ça se passe depuis qu'on vous a vu à la télé ?

— Pas comme je l'espérais."

Elle m'a fixé en silence, de ce regard calme et attentif qui me faisait comprendre qu'elle était prête à écouter tout ce que je jugerais bon de lui dire. Sans même m'en rendre compte, j'avais recommencé à parler :

"Le portrait-robot et la conférence de presse nous ont valu beaucoup d'appels idiots et d'informations inutiles : des gens qui affirmaient avoir vu le fantôme de Caitlin, ou des pervers qui racontaient qu'elle se trouvait avec eux. Ce genre de chose arrive souvent.

— C'est vrai. Les gens se sentent importants quand ils appellent, même les petits plaisantins.

— Est-ce que quelqu'un dans votre famille a été victime de violences ?

— Non, on a eu de la chance de ce côté-là." Susan a pris une gorgée de café avant de poursuivre : "On n'est pas obligés de parler de votre fille. On peut discuter d'autre chose. De votre travail, par exemple. J'ai lu dans le journal que vous étiez professeur à l'université. Comment ça se passe ?

— Oh, mon Dieu. Personne n'a envie d'entendre parler de ça. J'écris un livre sur Nathaniel Hawthorne, ça vous donne une idée du tableau.

— J'adore lire. J'ai un peu étudié la littérature à l'université…

— Je ne veux pas vous faire perdre votre temps", ai-je coupé.

Malgré la franchise de Susan, je me sentais mal à l'aise, rongé de l'intérieur par une sensation dont je n'arrivais pas à me débarrasser. Le fait de rester là à lui parler ne me semblait pas normal.

"Peut-être que ce n'est pas ce qu'il me faut. Je n'ai pas l'habitude…"

Laissant ma phrase en suspens, j'ai détourné le regard pour observer d'un œil vague les voitures qui tournaient sur la place. Tout se brouillait dans ma tête.

"Je ne vous connais pas, et je suis quelqu'un d'assez réservé.

— Je comprends que ce soit difficile. On peut parler de la pluie et du beau temps, si vous préférez.

— Je ne sais pas. C'est juste… ce dessin, le portrait de cet homme… c'est la meilleure piste qu'on ait jamais eue, vous savez ? Mais d'une certaine manière, ça rend les choses encore plus dures.

— Pourquoi ?

— Je ne sais pas."

Susan a gardé le silence, attendant patiemment avec sa tasse de café.

"J'ai peur, ai-je fini par avouer.

— De quoi ?"

J'ai mis un moment à répondre. "Si j'admets que j'ai des doutes, j'ai peur qu'ils deviennent réalité.

— De quoi avez-vous peur ?" a-t-elle répété.

Je n'ai pas répondu. Je ne pouvais pas. Je refusais de le dire.

"Vous avez peur qu'elle soit morte ?

— Bon sang ! Vous ne pouvez pas lancer ça comme ça, l'air de rien !"

Susan s'est redressée un peu sur sa chaise. "Vous avez raison. Excusez-moi.

— Bon sang…

— Peut-être que je m'avance trop vite.

— Peut-être.

— Mais j'essayais juste d'exprimer ce que vous pensez déjà." Elle s'est éclairci la voix. "Vous êtes venu me voir parce que vous vous posez des questions sur vous-même, et que vous vous sentez coupable. Vous voulez savoir si le fait d'envisager le pire fait de vous un mauvais père. Ce n'est pas une réaction inhabituelle. Il y a quelques années, j'ai travaillé avec une femme dont le fils de seize ans avait été tué dans un accident de voiture. Seize ans. Un an après l'accident, elle a décidé de donner ses vêtements à une œuvre de charité, et elle s'est sentie tellement coupable après ça qu'elle a fait une dépression. Elle est restée au lit pendant une semaine. J'ai dû aller lui parler chez elle pour la faire sortir de sa chambre. Vous voyez jusqu'à quel point ça peut affecter les gens ?

— Vous avez sûrement raison, ai-je répondu d'une voix qui paraissait ténue et lointaine, même à mes propres oreilles.

— Pourquoi penseriez-vous qu'elle est morte ?"

Je me sentais tout petit sur ma chaise, comme un enfant.

"Ça fait quatre ans qu'elle a disparu, et l'enquête n'a jamais vraiment progressé. Mêmes les événements récents, avec cet homme…

— L'homme du club de strip-tease ? Celui du portrait-robot publié dans le journal ?

— Oui.

— L'homme que Tracy a vu.

— Elle vous en a parlé ? Est-ce qu'elle a dit quelque chose sur lui ?"

Susan n'a pas répondu.

"Vous ne pouvez pas me le dire, ou vous ne voulez pas ?

— Si l'un de vos étudiants venait vous demander la note d'un autre, que lui diriez-vous ?

— J'ai compris.

— Laissez-moi vous poser une question : pourquoi serait-ce si grave d'admettre que votre fille est probablement morte ?

— Il ne faut pas. Je dois rester persuadé qu'elle est encore en vie.

— Pourquoi ?

— Parce que je suis son père."

C'était la réponse la plus simple, et la meilleure que j'avais pu trouver.

"Mais vous ne croyez pas vraiment ce que vous dites, je le vois bien. Vous doutez. Et c'est pour ça que vous êtes venu, n'est-ce pas ? C'est pour ça qu'après tout ce temps vous avez décidé de parler à une inconnue, alors que vous avez sûrement eu de nombreuses occasions de vous entretenir avec des psychologues ou des travailleurs sociaux. Vous êtes ici parce que vous avez dû jouer l'homme fort et inébranlable toutes ces années, et qu'aujourd'hui les doutes commencent à l'emporter. Je me trompe ?

— Je croyais que vous ne donniez pas votre opinion sans y être invitée.

— Vous m'avez l'air de pouvoir la digérer. Alors ?"

J'avais la gorge serrée. "Quand je regarde autour de moi, je vois que tout le monde est en train de tourner la page, ou l'a déjà fait, et je me dis que je devrais peut-être les imiter.

— Peut-être ?

— Je dois les imiter.

— Mais pourquoi ? Pourquoi aujourd'hui ? Qu'est-ce qui a changé ?"

J'ai sorti le sac de congélation de la poche de mon manteau et l'ai tendu à Susan. Elle s'en est emparée, l'a observé, puis m'a regardé.

"Une fleur fanée ?

— Avant de venir, je suis allé dans la chambre de Caitlin. Ça m'arrive de temps en temps.

— C'est toujours sa chambre ? Vous y avez changé quelque chose ?

— Non, elle est exactement comme avant.

— Ah", a-t-elle dit, comme si ma réponse lui en apprenait beaucoup. Mais elle n'a pas développé.

"Elle était allée au parc avec ce manteau. Mais le jour où elle a disparu, elle en portait un autre. Je crois que l'homme qui l'a enlevée, l'homme du portrait, lui a donné cette fleur. C'était juste avant la Saint-Valentin.

— Hmm."

Susan a soulevé le sac et l'a tourné d'un côté puis de l'autre pour l'examiner sous tous les angles. Elle avait des ongles courts, sans vernis. Elle semblait s'intéresser très sérieusement à la fleur.

"Elle a pu la ramasser par terre. Ou la trouver au cimetière, sur une tombe. Ou bien c'est une amie qui la lui a donnée. Il y a de nombreuses possibilités.

— Pourquoi l'aurait-elle gardée dans son manteau, alors ? On dirait qu'elle voulait la cacher."

Susan a haussé les épaules. "Je pense que vous devriez la montrer à la police. Ça dépasse mon domaine de compétence, pour être honnête. Mais si cette fleur peut servir de preuve, si elle est importante, ils devraient la voir."

Elle m'a rendu le sac, que j'ai gardé en main un long moment. Je ne me voyais pas en train de donner la fleur à la police. Même si je savais que c'était idiot, j'avais l'impression qu'elle constituait un lien avec Caitlin, et je ne pouvais pas l'abandonner.

"C'est comme un talisman, n'est-ce pas ?

— Vous lisez dans mes pensées.

— Ça ne fait pas partie de mes talents. Mais je peux vous dire que quand mon mari a quitté la maison, il a laissé quelques affaires, des vieux vêtements, des livres, et que je n'ai pas réussi à m'en débarrasser.

— Quand l'avez-vous fait ?

— Jamais. Ils sont encore chez moi, et ils y resteront sûrement. C'est pour ça que je comprends les sentiments de cette femme dont je vous ai parlé. Et que je comprends les vôtres.

— Je ne sais pas si je dois trouver ça encourageant ou inquiétant.

— Moi non plus."

J'ai remis le sachet dans ma poche. "Bon, puisqu'on en est aux petits secrets, je voulais vous demander autre chose.

— Allez-y.

— Si vous lisez le journal, vous avez entendu parler de la conférence de presse au cours de laquelle la police a dévoilé le portrait-robot, et vous savez que j'ai affirmé avoir vu quelque chose... quelqu'un... dans le parc où Caitlin a disparu.

— « Le fantôme », a-t-elle cité.

— Qu'en pensez-vous ? C'est possible ? Est-ce que j'ai bien vu ce que...

— Vous l'avez bien vu, oui. Je suis assez ouverte de nature, et j'ai tendance à penser qu'il y a des choses dans ce monde que nous ne comprendrons jamais, des gens que nous ne comprendrons jamais. Peut-être avez-vous vu ce que vous vouliez voir. On a tous nos fantômes, Tom, qui traînent derrière nous comme des étendards.

— Ou des boulets.

— Et qu'allez-vous faire de votre boulet ?"

Je n'en avais aucune idée.

Pourtant, je ne me suis pas levé pour partir. Je suis resté assis. "La police…

— Oui ?

— La police pense que Tracy connaît peut-être l'homme qu'elle a vu au club. Et quand elle est venue me voir à l'université, elle m'a laissé entendre la même chose.

— Je vous ai dit que je ne pouvais pas…

— Et elle m'a demandé de l'argent."

Susan a haussé les sourcils. "Vous lui en avez donné ?

— Est-ce que je me suis fait avoir ? Vous pensez qu'elle manigance quelque chose ?

— Tracy n'est pas complètement guérie. Gardez cette idée en tête lorsque vous avez affaire à elle. Et si elle vous redemande de l'argent, je vous suggère de ne pas lui en donner. J'ai déjà commis cette erreur.

— C'est dur de résister à l'envie de l'aider. C'est dur d'oublier qu'elle est aussi l'enfant de quelqu'un, quelque part.

— Comme nous tous, n'est-ce pas ? Comme nous tous."

# 20

C'est la sonnerie de mon portable qui m'a réveillé le lendemain matin. Mes yeux ne se sont pas posés tout de suite sur le téléphone en train de vibrer mais sur le manteau rouge de Caitlin, que j'avais jeté en travers d'une chaise. Le manteau dans lequel se trouvait la fleur rouge.

J'ai jeté un œil au réveil. 6 : 15. Il était tôt. Le jour ne s'était pas encore levé.

Le numéro affiché ne m'évoquait rien. Alors que j'envisageais de rejeter l'appel, j'ai regardé à nouveau le manteau. Quelque chose n'allait pas. Le téléphone n'aurait pas dû sonner si tôt...

"Allô ?

— Tom ? C'est Ryan.

— Qu'est-ce qu'il y a ?

— Il faut que vous veniez immédiatement."

J'ai gardé les yeux fixés sur le manteau. J'avais froid ; mon sang se glaçait dans mes veines.

"Qu'est-ce qu'il y a ? Qu'est-ce qui se passe ?

— On a peut-être retrouvé Caitlin, et il faut que vous veniez la voir."

J'ai essayé de remuer les lèvres, mais aucun son n'en est sorti. Ma mâchoire montait et descendait tel un ressort cassé.

"Tom ? Est-ce que vous pouvez venir, ou je vous envoie une voiture ?

— Vous l'avez trouvée, ai-je répété. Et vous avez besoin que je vienne identifier..."

Je n'arrivais pas à le dire. Je ne pouvais pas parler de ma fille comme d'un simple corps, un tas d'os ou de poussière éparpillé par le vent et les animaux sauvages.

"Non, elle est vivante. Cette jeune fille est vivante, et il faut que vous veniez au commissariat immédiatement. Est-ce que vous pouvez conduire, ou vous préférez que je vous envoie une voiture ?

— Vivante ? Caitlin ? Vous êtes sérieux ?

— Je ne plaisante pas, Tom. Elle est vivante."

J'ai parlé en même temps que je refermais le téléphone.

"J'arrive tout de suite."

Mes mains tremblaient. J'essayais de les maîtriser en serrant le volant de toutes mes forces, les doigts crispés au point que mes jointures semblaient prêtes à se rompre. J'avais démarré beaucoup trop vite et compensais en conduisant tellement lentement que les autres voitures me collaient au pare-chocs. Mon cœur battait deux fois plus vite que d'habitude, et je ne sentais plus les extrémités de mon corps, comme si on les avait détachées du reste.

Arrivé au commissariat, j'ai garé ma voiture n'importe comment. J'ai à peine pris le temps de refermer ma portière avant de me précipiter à l'intérieur.

*Elle est là. Elle est là. Ça y est. Elle est là.*

Je venais d'entrer dans le bâtiment quand Ryan m'a intercepté.

"Où est-elle ? Où ?

— Venez avec moi."

Il a refermé sa grande main sur mon bras et m'a guidé le long d'un couloir, jusqu'à la salle de conférences. Mes yeux ont fait le tour de la pièce. Elle était vide.

Ryan a refermé la porte derrière nous.

"Où est-elle ? Vous allez la faire venir ici ?

— Asseyez-vous.

— Je veux la voir.

— Bientôt. Mais d'abord, asseyez-vous.

— Je ne veux pas m'asseoir. Je veux voir ma fille."

J'ai bondi en avant, mon bras droit frôlant celui de Ryan. L'inspecteur m'a rattrapé, mais j'ai réussi à me libérer pour me précipiter vers la porte. Ryan m'a agrippé par-derrière en une prise de lutteur. Il a pressé sa bouche tout contre mon oreille, et j'ai senti la chaleur de son souffle.

"Pas tout de suite. Asseyez-vous", m'a-t-il ordonné d'une voix calme mais trempée dans l'acier.

Ses bras m'enserraient, s'enfonçant entre mes côtes. Impossible de me dégager. Il était trop grand et étonnamment fort. J'ai lutté encore un instant, mais nous savions tous les deux que c'était inutile.

"Vous allez vous asseoir ?" a-t-il demandé. Sa voix semblait résonner directement à l'intérieur de ma tête.

J'ai acquiescé, abandonnant le combat. "Oui, oui."

Sans me relâcher tout à fait, il m'a écarté doucement de la porte pour me ramener à la table de conférences.

"Asseyez-vous là."

Je me suis exécuté tout en rabattant le col de ma veste qui s'était dressé contre mon menton pendant notre échauffourée.

"Nous devons discuter d'un certain nombre de choses avant de passer à la suite, a déclaré l'inspecteur.

— C'est elle ? C'est vraiment elle ?

— Nous le pensons. Caitlin est tombée à vélo quand elle était petite et en a gardé une cicatrice circulaire bien visible, n'est-ce pas ?

— Oui, c'est ça. On lui avait fait huit points de suture.

— Cette jeune fille a accepté de remonter la jambe de son pantalon pour qu'une de mes collègues examine son genou. La cicatrice est bien là. Nous avons scanné ses empreintes digitales pour les comparer avec celles qui avaient été prises quand elle était petite. Nous aurons le résultat dans quelques heures, mais au vu de sa ressemblance avec les photos, ça ne fait aucun doute pour moi. C'est bien votre fille. C'est bien Caitlin."

J'ai ressenti la même douleur fulgurante que dans la chambre de Caitlin. Mon cœur s'est gonflé comme un ballon, a enflé au point d'atteindre ma gorge et de me bloquer la respiration. Je me suis pris la tête entre les mains et ai fermé les yeux jusqu'à apercevoir des feux d'artifice derrière mes paupières serrées, de grandes explosions de rouge et de vert. *Caitlin. Ici.*

*Vivante.*

Ryan a posé la main sur mon épaule. Alors j'ai tout oublié – la théorie de la fugue, les appels restés sans réponse, les soupçons – et me suis levé pour l'étreindre.

"Merci. Merci."

Je l'ai serré plus fort, répétition inversée de notre lutte de tout à l'heure. L'inspecteur sentait la mousse à raser. Il m'a tapoté le dos à son tour en un geste maladroit et viril.

"Ça va aller. Il faut qu'on discute, Tom. Asseyez-vous là, allez-y."

Je me suis retrouvé sur ma chaise, les yeux brouillés de larmes que j'ai essuyées du dos de la main. Ryan m'a tendu une boîte de mouchoirs. Je ne savais pas d'où il la sortait, mais j'en ai pris un pour me sécher les yeux.

"Vous voulez de l'eau ?

— Non, ça ira. Bon Dieu, comment vous avez fait ?"

Au moment où il allait répondre, quelqu'un a frappé à la porte. J'ai levé les yeux.

"C'est elle ?"

Ryan s'est dirigé vers la porte, mais elle s'est ouverte avant qu'il ne l'atteigne. Abby est entrée dans la pièce, les yeux brillants, la bouche crispée. Elle s'est avancée de quelques pas hésitants, sans redresser la tête ni regarder personne.

"Qui l'a invitée, elle ?

— C'est moi qui l'ai appelée, m'a dit Ryan. Abby est la mère de Caitlin.

— On ne dirait pas. Une vraie mère n'aurait jamais abandonné son enfant." Je me suis levé. "Tu avais tort, Abby. Et le pasteur Chris aussi. Elle est vivante. Elle est ici, elle est vivante, et tu t'es plantée sur toute la ligne."

Ryan a tendu la main vers moi. "S'il vous plaît, Tom. Pas maintenant."

Abby ne me regardait toujours pas. Elle s'est assise sur une chaise à l'autre bout de la pièce, a posé les mains sur ses cuisses puis s'est mise à les tordre nerveusement.

"Ça va, Abby ?" a demandé l'inspecteur.

Elle s'est finalement exprimée dans un murmure. "J'ai mis du temps à arriver. J'ai été tellement… surprise quand vous m'avez appelée."

Ryan a tiré une chaise à roulettes au milieu de la pièce et s'est assis entre nous, jambes écartées.

"J'aimerais vous expliquer à tous les deux ce qui se passe, et comment on en est arrivés là.

— Oui, s'il vous plaît. J'aimerais le savoir, moi, ai-je déclaré.

— Abby, vous êtes prête à m'écouter ?"

Pendant un bref instant, elle a donné l'impression de ne pas l'avoir entendu. Puis elle a acquiescé.

"Ce matin, à environ trois heures et demie, des policiers en patrouille ont aperçu une jeune fille qui marchait le long de Williamstown Road, près du centre commercial. Comme elle leur paraissait trop jeune pour se promener dehors à cette heure, les policiers l'ont interpellée. Elle semblait en bonne santé. Un peu sale, peut-être, mais apparemment pas blessée. Elle n'avait pas l'air soûle ni sous l'emprise de stupéfiants. Elle n'avait pas de papiers d'identité sur elle, et mes collègues s'apprêtaient à l'emmener au poste – c'est la procédure habituelle dans ce genre de cas – quand l'un d'eux, une femme, a cru la reconnaître. Elle s'est souvenue des articles sur l'enterrement de Caitlin et le portrait-robot du suspect, et lui a demandé comment elle s'appelait.

"La jeune fille a paru inquiète et a commencé à s'agiter. Elle a dit aux policiers : « Je sais que vous pensez que je suis cette Caitlin Stuart, mais c'est faux. » Ce qui a confirmé les soupçons de mes collègues, qui l'ont amenée ici pour poursuivre l'enquête. C'est à ce moment-là qu'on m'a appelé.

— Mon Dieu, ai-je fait. Vous croyez qu'elle a subi un lavage de cerveau ? Qu'est-ce qui s'est passé ?"

Ryan a levé un doigt pour m'indiquer qu'il n'avait pas fini.

"Quand je suis arrivé au commissariat, je lui ai demandé qui elle était, où elle vivait. Elle a refusé de me dire quoi que ce soit, à part cette phrase qu'elle répétait tout le temps : « Je sais que vous pensez que je suis Caitlin Stuart. » Je lui ai demandé pourquoi elle traînait dehors si tard, qui étaient ses parents, à quel lycée elle allait, mais on aurait dit qu'elle était sourde ou qu'elle ne comprenait pas ce que je disais. Je lui ai proposé de manger quelque chose, et elle a demandé un café.

— Caitlin ne boit pas de café, a dit Abby d'une voix à peine audible.

— Est-ce qu'elle a parlé de nous ?"

Ryan a secoué la tête. "Elle n'arrêtait pas de demander qu'on la laisse partir.

— Vous êtes sûrs que c'est elle ? Il y a peut-être une erreur, a suggéré Abby.

— Non, c'est bien elle. Elle fait un peu plus jeune et plus petite qu'une fille de seize ans, peut-être parce qu'elle ne se nourrissait pas correctement. Je n'en sais rien. Mais de fait, elle ressemble davantage aux photos prises avant sa disparition qu'on ne l'aurait cru. Comme je l'ai dit à Tom, elle a accepté qu'on prenne ses empreintes. Il va falloir attendre quelques heures pour savoir si elles correspondent avec celles que nous avons, mais cette jeune fille a bien une cicatrice sur le genou laissée par un accident de vélo.

— Elle avait huit ans. On avait dû lui faire des points de suture, a commenté Abby, qui a finalement levé la tête vers Ryan. Mais ça ne prouve rien. Beaucoup de gens ont des cicatrices. Tant que vous n'avez pas son ADN, ou ses empreintes, ou une radiographie…

— Nom de Dieu, Abby ! Tu ne veux vraiment pas qu'elle revienne, hein ?"

Elle s'est tournée vers moi. "Je ne veux pas risquer une désillusion. Ça me briserait, Tom, et toi aussi.

— Je vous comprends parfaitement, est intervenu Ryan. En temps ordinaire, j'attendrais qu'on dispose de preuves plus solides. Je ne veux pas vous donner de faux espoirs. Mais dans une petite ville comme la nôtre, les gens vont vite apprendre que cette jeune fille est ici, et j'aimerais que vous alliez la voir avant que les événements ne nous échappent. Je ne vous aurais pas fait venir tous les deux si je n'étais pas sûr de moi. Mon instinct me dit que c'est elle.

— Alors allons la voir."

Ryan m'a de nouveau interrompu. "Il faudra régler certaines choses une fois que vous l'aurez vue. Nous devons l'emmener à l'hôpital pour qu'un docteur l'examine. Vous ne disposerez pas de beaucoup de temps, mais le court moment que vous passerez avec elle ici, aujourd'hui, constituera peut-être le dernier instant de calme que vous aurez avant longtemps. Ça va vous demander une sacrée dose d'adaptation, et puisqu'on ne sait pas où elle était ni avec qui, il faut se préparer à toute éventualité.

— Vous savez bien avec qui elle était. L'homme du portrait. Vous l'avez interrogée à ce sujet ?"

Ryan a secoué la tête. "Dans un cas comme celui-là, il vaut mieux ne pas trop insister au début. Ne pas poser trop de questions trop vite, même si on en a envie.

— Un cas comme celui-là ? a répété Abby. Il y a d'autres cas comme ça ?

— Je veux dire, quand un enfant a été enlevé ou a fugué.

— Non, non, non, non, ai-je protesté. Il n'y a pas eu de fugue. Cet homme, ce portrait... ça prouve tout. Elle n'a pas fugué. On l'a enlevée. Quelqu'un nous l'a enlevée."

Ryan a acquiescé d'un air apaisant avant de déclarer : "Je sais que la route a été longue pour vous deux, mais je peux vous assurer qu'on ne distingue pour l'instant que la partie émergée de l'iceberg. Il nous reste encore beaucoup de choses à découvrir, et nous allons devoir enquêter là-dessus.

— Qu'est-ce qu'ils vont faire à l'hôpital ?" a demandé Abby.

Je le savais. *Je le savais je le savais je le savais.* Je ne voulais pas l'entendre, puisque je le savais déjà.

Ryan me l'a confirmé.

"Un examen complet, y compris des tests gynécologiques. Les médecins chercheront des traces d'agression sexuelle ou de grossesse."

Abby a émis un petit bruit du fond de la gorge.

"Quelqu'un à qui on a besoin de faire ce genre de test ne peut pas avoir fugué", ai-je affirmé.

Ryan s'est levé. "Attendez ici, je vais voir si tout est prêt. Je pensais vous laisser encore un moment tous les deux avant de vous emmener la voir. Vous avez peut-être des choses à régler.

— Ryan, l'ai-je rappelé. Tout va bien se passer ?"

Il m'a adressé un petit sourire. "Votre fille est de retour. C'est une bonne nouvelle, non ?"

Après son départ, je me suis tourné vers Abby, qui ne m'a pas regardé.

"Abby ?"

Elle demeurait aussi raide qu'un bloc de bois.

"Abby ? Ça va ?

— J'étais en train de travailler à l'église quand Ryan m'a appelée, a-t-elle dit, les yeux fixés sur le sol. J'ai tout de suite su que quelque chose n'allait pas, à propos de Caitlin. Je ne m'attendais pas à ça aujourd'hui. C'est arrivé tout d'un coup.

— Ce n'est pas une mauvaise chose, Abby.

— Pourquoi as-tu dit ces choses horribles sur moi ? a-t-elle demandé en levant la tête.

— Si tu crois que je vais m'excuser, tu te trompes.

— Tu penses vraiment que je n'ai pas le droit d'être là ?

— On n'est pas là pour parler de toi. Tes sentiments n'ont aucune importance aujourd'hui." Je me suis levé. "Je peux tolérer ta présence. Je suis prêt à l'accepter… pour Caitlin. Mais je ne vais pas t'attendre. Ils doivent être prêts maintenant, alors lève-toi et allons-y."

Abby a penché le buste en avant, puis s'est redressée et s'est mise debout avec peine. Elle s'est tenue là un instant, à vaciller comme un ivrogne qui se demande si le sol ne va pas soudain se dérober sous ses pieds.

"Tom ?

— Quoi ?

— Je ne peux pas.

— Qu'est-ce que…

— Je ne peux pas le faire. Je ne peux pas aller la voir.

— Oh, Abby. Arrête.

— Ne me force pas. N'essaye pas de me faire culpabiliser, de me faire croire que je suis une mauvaise mère parce que je ne veux pas… je ne peux pas… aller voir Caitlin tout de suite."

J'ai regardé la porte, de plus en plus impatient. *Elle était là. Caitlin.*

"Pourquoi ne veux-tu pas y aller ? Dis-le-moi.

— J'ai peur, Tom. D'accord ? J'ai peur.

— De quoi ?

— De ce que je risque de voir. De ce à quoi Caitlin ressemble aujourd'hui. De ce qui lui est arrivé. On a discuté de beaucoup de choses depuis qu'elle a disparu : est-ce qu'elle est encore en vie ? Qui l'a enlevée ? Mais on n'a jamais parlé de ce qu'on ferait, de ce qui se passerait si elle revenait. Je n'y ai jamais vraiment réfléchi. Pas en détail. Et maintenant…"

Je suis allé m'accroupir à côté d'elle pour que mon regard croise le sien.

"C'est ce qu'on voulait. C'est ce qu'on attend depuis le début. Tu devrais venir."

Elle n'a pas bougé.

"Abby ?

— J'ai juste besoin d'un peu plus de temps. Donne-moi du temps."

Ryan a passé la tête par la porte, telle une tortue géante émergeant de sa coquille.

"On est prêts", a-t-il déclaré.

Je me suis relevé.

"Abby va attendre encore une minute avant de me rejoindre."

L'inspecteur nous a observés tour à tour d'un air hésitant, puis a fini par acquiescer.

"Comme vous voulez. Allons-y, Tom", m'a-t-il dit en ouvrant la porte.

Je me suis retourné une dernière fois vers Abby, m'attendant à ce qu'elle change d'avis. Mais elle a gardé la tête baissée sans m'accorder un regard.

## 21

Malgré tout le temps que j'avais passé au commissariat, l'endroit me faisait toujours l'effet d'un labyrinthe de couloirs inextricable. Nous avons longé une série de petites salles fermées ; sur les poignées de porte, le laiton à moitié effacé laissait deviner le métal plus sombre en dessous. Deux policiers en uniforme étaient en train de rire dans un petit bureau envahi de paperasse. Ils ont baissé le ton en nous apercevant, puis se sont remis à échanger des plaisanteries après notre passage. Ryan ne disait rien. Il marchait devant moi, la tête dodelinant au rythme de ses pas ; ses larges épaules et son torse volumineux occupaient presque toute la largeur du couloir.

Je ressentais une sorte de montée d'adrénaline : chaque centimètre de ma peau fourmillait d'impatience. J'ai essayé de déglutir, mais j'avais la bouche trop sèche. Je luttais contre l'envie de bousculer Ryan pour me précipiter dans la pièce où l'on gardait Caitlin.

Enfin, l'inspecteur s'est arrêté devant une porte métallique.

"On y est. Prenez votre temps, mais souvenez-vous qu'elle devra partir à l'hôpital à un moment ou un autre."

J'ai acquiescé.

"Vous vous êtes mis d'accord avec Abby ? m'a-t-il demandé.

— Ne vous inquiétez pas, je la couvre."

Ryan a entrouvert la porte et fait signe à quelqu'un dans la pièce. Je n'arrivais pas à distinguer l'intérieur, même en me mettant sur la pointe des pieds et en me tordant le cou pour regarder par-dessus l'épaule massive de Ryan. Une policière est sortie de la salle et m'a adressé un petit salut de la tête.

Ryan a ouvert la porte en grand avant de se tourner vers moi. Le moment était venu.

"Vous pourrez fermer la porte si vous voulez."

Combien de fois en une vie notre destin peut-il basculer ? Pour ma part, deux fois en quatre ans. La première quand Caitlin a disparu, et la seconde à l'instant où elle est revenue.

J'ai franchi le seuil et me suis retrouvé dans une pièce exiguë, une sorte de salon ou de salle de repos pour les employés du commissariat. À ma gauche se trouvait une table ronde entourée de quatre chaises, où étaient étalés les journaux du matin ; au fond, une cafetière et un réfrigérateur couvert de petits mots et d'articles de journaux découpés ; et enfin, à droite, un long canapé bas sur lequel était assise une adolescente, une tasse de café à la main.

J'ai refermé la porte derrière moi.

J'avais imaginé cet instant bien des fois, sans jamais aboutir à un scénario complet. Je me représentais une petite fille de douze ans, celle qui avait disparu en promenant Frosty, qui poussait des cris de joie et me sautait dans les bras. À mesure que le temps passait, je n'avais pas réussi à mettre cette image à jour, à imaginer ce à quoi Caitlin pouvait ressembler ou comment elle agissait. J'avais donc laissé un blanc. Et voilà que je me retrouvais sous le regard scrutateur d'une adolescente censée être ma fille.

Était-ce vraiment elle ?

Ryan nous l'avait promis, mais beaucoup de gens possédaient des cicatrices, et l'analyse de ses empreintes n'était pas terminée…

"Caitlin ? Ma chérie ?"

Elle avait toujours eu des yeux immenses – les mêmes qu'Abby –, un trait aujourd'hui accentué par sa maigreur. Elle paraissait chétive, comme quelqu'un qui vient de se remettre d'une longue maladie, la peau trop pâle, les joues décolorées. Alors que Caitlin avait les cheveux longs, cette jeune fille les portait en une coupe courte et inégale ; on aurait dit qu'un amateur les lui avait taillés à grands coups de ciseaux. Elle était vêtue d'un large sweat-shirt aux manches remontées frappé du sigle NCPD, et portait des baskets sales et éraflées.

Elle a gardé le silence, se contentant de me fixer de ses grands yeux bleus à travers la pièce.

Je l'ai observée, moi aussi. J'ai étudié les traits de son visage, la forme de son nez, de sa mâchoire. J'y ai retrouvé Abby, comme toujours. Ma mère, aussi. Et, oui, un peu de moi.

C'était elle.

C'était Caitlin.

"Caitlin ?"

Elle n'a pas répondu.

"Tu te souviens de moi ?

— Évidemment."

Elle s'exprimait d'un ton morne, dénué d'émotion, comme si je n'étais qu'une vague connaissance. Et sa voix était plus rauque, plus grave qu'auparavant : ce n'était plus la voix d'une petite fille mais celle d'une jeune femme.

Je me suis approché du canapé pour m'asseoir à côté d'elle. Elle m'a observé d'un œil méfiant, mais ne s'est pas écartée ni relevée.

Je n'ai pas pu me retenir plus longtemps.

Je l'ai prise dans mes bras et l'ai serrée contre moi, l'écrasant contre ma poitrine, l'embrassant sur le front, sur les joues.

"Oh, Caitlin, ma Caitlin, ma petite fille. Tu m'as manqué. Tu m'as tellement manqué. Mon bébé…"

Elle s'est laissée faire, mais ne m'a pas rendu mon étreinte. Elle est restée raide entre mes bras, et je ne l'ai lâchée que quand mes doigts ont commencé à se crisper.

Je me suis reculé pour contempler son visage. Ses changements physiques ne faisaient qu'accentuer sa ressemblance avec Abby ; en fait, la Caitlin qui se trouvait en face de moi me rappelait beaucoup les photos d'Abby à l'époque du lycée : une jeune fille mince avec de grands yeux, pas vraiment assurée devant l'objectif.

"Tu vas bien ? ai-je demandé.

— Ça va.

— Vraiment ? Ça va ? Tu es sûre, chérie ? On va t'emmener chez le médecin tout à l'heure.

— Pourquoi ?

— Pour t'examiner, et s'assurer que tu n'as rien."

Elle a remué sur le canapé, l'air mal à l'aise. "Ils ne trouveront rien. Je vais bien."

J'ai posé la main sur sa joue, puis sur son menton, comme quand elle était petite. Elle avait quelques boutons, de l'acné juvénile. Je l'ai observée avidement jusqu'à ce que mes yeux se remplissent de larmes.

Caitlin ne s'en est pas rendu compte, ou bien elle a préféré se taire.

"Tu as disparu pendant si longtemps. On pensait que tu... Je commençais à me dire..."

J'ai remarqué qu'elle avait les cheveux gras, apparemment pas lavés depuis quelques jours. Caitlin était une enfant très soignée, presque maniaque, et pourtant elle dégageait une odeur désagréable, un mélange d'effluves corporels et de tabac froid. Je me suis rappelé qu'on m'avait conseillé de ne pas lui poser de questions, de ne pas la brusquer, mais mon esprit entrait en ébullition.

"Qui t'a fait ça ? Où étais-tu ?"

Elle a détourné le regard. "C'est fini, de toute façon.

— Qu'est-ce qui est fini ? Non... Où étais-tu ? Qui t'a enlevée ?

— Où est ma mère ? Elle est là ?

— Oui." J'ai eu un instant d'hésitation, me demandant si Caitlin n'essayait pas de changer de sujet. "Elle est dans une autre pièce.

— J'aimerais la voir. Je peux ?

— Bien sûr, chérie. Bien sûr, ai-je dit en lui prenant la main. Ta mère est vraiment bouleversée par tout ça. C'est difficile pour elle... Ça l'a été pour nous deux. Pour toi encore plus, évidemment, mais on s'est tellement inquiétés...

— Vous avez divorcé, ou une connerie comme ça ?"

*Une connerie ?*

"Non. Pourquoi tu me demandes ça ?"

Les yeux braqués devant elle, elle s'est mise à réciter d'une voix monocorde, presque machinale, comme si elle répétait un discours entendu ailleurs : "Je sais juste que les relations dans un couple peuvent devenir très tendues, subir une grande pression quand les choses changent. Parfois, le couple ne survit pas à ces changements. C'est la vie."

Elle a hoché la tête, mettant une sorte de point final à sa tirade. Pour la première fois, j'ai distingué une réelle émotion dans ses yeux. Elle avait l'air contrariée, comme si elle ne croyait pas vraiment à ce qu'elle venait de dire ou ne le comprenait pas. Je me suis demandé d'où lui venaient ces phrases, si quelqu'un les lui avait apprises.

"Qui t'a dit ça, Caitlin ? Où l'as-tu entendu ?

— J'aimerais voir maman maintenant, je crois."

Je n'avais pas envie de la quitter ne serait-ce qu'une minute, mais son petit discours m'avait perturbé, sans que je sache vraiment pourquoi. Je me suis levé pour aller annoncer à l'agent qui attendait derrière la porte que Caitlin voulait voir sa mère.

"Dites à ma femme, Abby, qu'il faut qu'elle vienne, s'il vous plaît."

Quand je suis retourné dans la pièce, Caitlin me regardait fixement.

"Qu'est-ce qu'il y a ?

— J'ai quelque chose à te demander, quelque chose de très important", a-t-elle dit.

J'ai regagné ma place sur le canapé. J'ai voulu lui prendre la main, mais voyant qu'elle les gardait serrées sur ses genoux, je lui ai touché l'épaule.

"Bien sûr. Qu'est-ce que tu veux ?

— J'ai un service à te demander, un grand service."

Sa voix s'était mise à trembler un peu, reflétant l'émotion que j'avais détectée – et qui transparaissait encore – dans ses yeux.

"Après quatre ans, je peux bien te rendre quelques services."

Elle a baissé les yeux vers ses mains et s'est mordu la lèvre. "Je ne veux plus jamais que tu me demandes où j'étais ni ce qui s'est passé pendant mon absence. S'il te plaît."

J'ai laissé retomber mon bras. "On n'est pas obligés d'en parler aujourd'hui. Je n'aurais pas dû te poser cette question.

— Pas seulement aujourd'hui. Je ne veux plus jamais que tu me le demandes, jamais. Tu dois me le promettre. S'il te plaît.

— Mais, chérie, ils... Les gens vont vouloir le savoir. Ils sont obligés de le demander. Si un enfant disparaît pendant quatre ans, on est obligés...

— Je suis pas une foutue gamine."

J'ai eu un mouvement de recul. "Qui t'a appris à parler comme ça ?

— Allez. Tu dois promettre.

— S'il t'est arrivé quelque chose, quelque chose qui te gêne ou te fait honte, ce serait peut-être mieux d'en parler.

— Je n'ai pas honte", a-t-elle déclaré en me regardant droit dans les yeux.

Si on m'avait proposé le même marché la veille – pouvoir récupérer ma fille, à condition de ne jamais lui demander où elle était – j'aurais accepté sur-le-champ.

"D'accord, c'est promis. Plus de questions."

Elle a hoché la tête et s'est remise à observer ses mains, sans vraiment manifester de satisfaction ni de soulagement.

La porte s'est ouverte et Abby est entrée. Elle se tenait bien droite et affichait un véritable sourire, les yeux pleins de larmes.

"Oh !" s'est-elle exclamée, une main sur la poitrine.

Elle n'a pas traversé la pièce tout de suite. Elle est restée près de la porte à nous observer, la main toujours levée comme un visiteur de musée frappé de stupeur par la beauté d'une œuvre d'art.

Puis elle a lâché son sac et s'est précipitée vers nous. Elle s'est laissée tomber sur le canapé à côté de Caitlin et l'a serrée dans ses bras. J'ai détourné les yeux, mais le bruit de ses pleurs et de ses reniflements m'est parvenu tout de même.

Caitlin s'est levée d'un coup. Sans prévenir, elle a quitté le canapé, échappant à l'étreinte d'Abby pour faire quelques pas dans la pièce. J'ai d'abord pensé qu'Abby l'avait déstabilisée en lui apportant trop d'affection et d'attention trop vite, mais Caitlin ne paraissait ni ébranlée ni bouleversée. Elle affichait toujours une expression imperturbable, le visage aussi lisse et égal que la surface d'un lac. Elle n'a rien dit. Elle s'est simplement éloignée, sa tasse de café à la main, et s'est tenue à l'écart en silence, laissant entendre par son attitude qu'elle en avait assez de ces retrouvailles et qu'elle voulait qu'on la laisse tranquille.

Abby et moi nous sommes entre-regardés, aussi déroutés qu'après la naissance de Caitlin, quand elle pleurait des heures et des heures sans aucune raison apparente. Mais à l'époque, on finissait toujours par deviner ce qui n'allait pas : elle souffrait de coliques ou de gaz, ou bien elle avait faim ou peur. Cherchant une explication à son attitude, j'en ai conclu que c'était trop pour elle, et trop tôt. Il ne fallait pas la brusquer.

J'essayais de trouver quelque chose à dire quand nous avons été sauvés par de nouveaux coups frappés à la porte. Abby et moi avons répondu : "Entrez" au même moment, et Ryan est apparu.

"Je suis désolé de vous déranger, mais il faut vraiment qu'on emmène Caitlin à l'hôpital.

— D'accord.

— Tu as entendu, chérie ? s'est enquise Abby. Il faut que tu ailles à l'hôpital pour quelques examens."

Caitlin n'a pas tourné la tête. Je me demandais si elle nous avait entendus, mais elle a fini par déclarer :

"Et si je n'ai pas envie d'y aller ?

— Ils veulent juste s'assurer que tu vas bien, ai-je expliqué.

— J'ai l'air d'aller mal ?

— Eh bien…" Abby ne savait plus quoi faire, je l'entendais à sa voix. Elle s'est tournée vers Ryan. "Peut-être qu'on pourrait attendre un peu.

— Je regrette, mais elle doit y aller. C'est la procédure. Ça ne sera pas long."

J'ai cherché le regard de Caitlin. "Ils trouveront peut-être des preuves, lui ai-je dit.

— Des preuves ?" a-t-elle répété d'un ton plat. Elle semblait réellement perplexe. "Quelles preuves ? a-t-elle demandé en nous dévisageant tous les trois. Je ne comprends pas de quoi vous parlez.

— Comme l'a dit ton père, on doit juste s'assurer que tu vas bien, a déclaré Ryan.

— Et après je pourrai partir ?"

Elle avait dit "partir". Pas "rentrer à la maison". *Partir.*

"Une chose à la fois", a dit Ryan en posant la main sur son bras.

Elle a regardé sa main comme s'il s'agissait d'un insecte géant, mais n'a pas protesté. Abby s'est levée pour lui prendre sa tasse de café, et nous sommes partis tous les quatre pour l'hôpital.

## 22

Abby et moi sommes restés dans une petite salle d'attente tandis qu'on emmenait Caitlin pour une série d'examens. Avant de l'accompagner, Ryan nous en avait détaillé la liste : un bilan physique et psychologique complet, des analyses de sang, et, bien sûr, des tests pour détecter d'éventuelles traces d'agression sexuelle ou de grossesse, l'ADN de l'agresseur et les MST.

Après dix minutes de silence, alors que je m'apprêtais à feuilleter un magazine pour me distraire, Abby m'a finalement adressé la parole.

"On aurait dû l'accompagner. Elle n'est encore jamais allée chez le gynécologue. L'un de nous devrait la rejoindre.

— Tu ne voulais pas aller la voir avant, au commissariat.

— Arrête un peu, Tom. C'est dur pour nous deux.

— D'ailleurs, on ne sait pas si elle a déjà été chez le gynécologue. On ne sait rien de ce qu'elle a fait.

— Je doute qu'elle soit allée chez un gynécologue, a rétorqué Abby avec un petit frisson. Qu'est-ce qu'elle t'a dit avant que j'arrive ?

— Pas grand-chose, en fait." J'ai observé les murs blancs, le carrelage froid. "Mais elle m'a demandé où tu étais.

— C'est vrai ? Et qu'est-ce que tu lui as répondu ?

— Ne t'inquiète pas, je t'ai trouvé une excuse. J'ai dit que tu étais avec la police.

— Tu lui as dit autre chose sur nous ? Sur notre situation ?

— Non. Elle jurait comme un charretier, par contre.

— Ah bon ?

— Et elle ne m'a pas appelé papa."

Après un long silence, Abby a repris : "Qu'est-ce qu'on va lui dire ? Ils nous laisseront sûrement la ramener à la maison aujourd'hui. Ma chambre à l'église est toute petite, mais Chris ne verrait pas d'inconvénient à ce qu'elle reste avec moi.

— Non. Non et non. Tu es partie. Moi, je suis resté à la maison. C'est la maison de Caitlin, c'est là que se trouve sa chambre. Il n'est pas question qu'elle aille vivre avec le pasteur Chris et sa troupe de cinglés.

— Qu'est-ce qu'on va faire alors, lui mentir ?

— Tu n'as qu'à lui dire que tu es partie. Tu l'as bien cherché, après tout. Bon sang, Abby, tu ne croyais même pas qu'elle était encore en vie. Tu l'as laissée tomber. Tu as baissé les bras. Pourquoi tu ne lui expliques pas ça, tant que tu y es ?"

Il y a eu un long silence. Des voix se sont élevées dans le couloir, suivies par un bruit de roulettes.

"Si tu veux que je lui dise la vérité, je le ferai, a déclaré Abby d'un ton calme, presque détaché. J'en prendrai la responsabilité.

— Pourquoi est-ce que tu ne voulais pas la voir tout à l'heure ? Ryan a pratiquement dû me retenir de force. Il a fallu qu'il m'attrape pour m'asseoir sur une chaise. Notre fille réapparaît après quatre ans d'absence, et tu n'as pas envie de la voir ?

— Pourquoi tiens-tu tellement à discuter de mes réactions ?

— Parce que j'essaye de te comprendre, depuis quelques années maintenant. Ton intérêt pour la religion. Ton absence d'espoir concernant Caitlin. Ta décision de partir. Et j'essaye encore de te comprendre aujourd'hui, même si je ne suis pas sûr d'y arriver. Je ne sais pas si tu es capable de me fournir une explication logique."

Abby a porté les mains à sa bouche comme si elle voulait souffler dessus pour se réchauffer ; mais je savais qu'elle était en train de réfléchir, de choisir soigneusement ses mots.

"J'avais peur, Tom. Peur de revoir Caitlin. Juste avant que tu ailles la retrouver, je me suis rappelé tout à coup qu'elle avait disparu depuis quatre ans. Elle a changé, et Dieu sait ce qui lui est arrivé. J'ai eu peur rien qu'à cette idée." Elle a balayé une mèche de cheveux de son visage. "Je pense aussi que je me sentais coupable d'avoir cru qu'elle ne reviendrait pas. Mais plus je restais assise là, à me dire que Caitlin se trouvait à quelques mètres de moi, et plus il me devenait difficile de ne pas aller la rejoindre. J'avais besoin de la voir. Je crois que ça faisait très longtemps que je n'avais plus l'impression d'être une mère, et cet instinct a fini par me revenir.

— Alors tu devrais le suivre. C'est un bon instinct.

— Elle paraît tellement froide, tellement loin de nous.

— On devrait rentrer ensemble, Abby. Tous les trois, chez nous. C'est comme ça que ça devrait se passer."

Abby s'était mise à secouer la tête avant la fin de ma phrase. "Oh, Tom… Elle n'a pas besoin de parents malheureux."


Lorsque Ryan est revenu, deux heures plus tard, Abby et moi lui avons aussitôt demandé comment allait Caitlin, sans même lui laisser le temps de s'asseoir.

"Ils ont terminé, elle se rhabille, nous a-t-il annoncé en s'installant sur une chaise. L'examen médical n'a révélé aucun problème sérieux. Elle a un bleu sur l'abdomen qui pourrait avoir été causé par un coup de poing, mais il ne s'agit pas d'une blessure grave. Elle a refusé de nous dire d'où il venait. Pas d'os cassé, ni de trace d'ancienne fracture. Ses dents sont en bon état, même si ça fait un moment qu'elle n'est pas allée chez le dentiste. Elle est un peu trop mince pour une fille de son âge et de sa taille, mais ses constantes vitales sont normales. Le laboratoire va analyser les prélèvements sanguins dans les jours qui viennent. Elle souffre peut-être d'anémie, mais à part ça, je ne crois pas qu'ils trouveront grand-chose. En bref : où qu'elle ait vécu et quoi qu'elle ait fait, on s'est plutôt bien occupé d'elle.

— C'est bon à entendre, ai-je dit.

— Et pour… les autres examens ? a demandé Abby.

— Le docteur a suivi la procédure habituelle en cas de viol, pour repérer d'éventuelles preuves d'agression sexuelle. On ne connaîtra pas les résultats tout de suite, mais le médecin estime qu'on ne trouvera rien. Il n'y a aucune trace de violence : pas de traumatisme vaginal ni de saignements, aucune blessure, aucune griffure sur les mains ; uniquement l'ecchymose dont je vous ai parlé. Et le test de grossesse est négatif.

— Dieu merci, ai-je dit.

— Ça ne signifie pas qu'aucune agression sexuelle n'a été commise, juste qu'il n'y en a pas eu récemment. Par contre, l'examen a révélé une chose dont je dois vous faire part, et qui risque d'être difficile à entendre, surtout au regard de ce que vous avez déjà vécu." Ryan a marqué une pause avant de continuer : "L'examen a montré que l'hymen de Caitlin n'était plus intact, ce qui indique en toute probabilité une activité sexuelle. Encore une fois, nous ne pouvons pas dire si ces rapports étaient consentis ou non, mais nous allons tous devoir prendre ce fait en compte."

Je me sentais mal. La pièce qui jusqu'alors me paraissait tout à fait confortable me semblait soudain exiguë et surchauffée. Mes habits me collaient à la peau comme s'ils étaient en train de rétrécir.

"Qu'est-ce qu'elle a dit à ce sujet ? a demandé Abby.

— Rien. Le docteur n'a pas insisté, étant donné la situation. En fait, Caitlin n'a répondu à aucune question sur sa santé. Elle a fait mine de ne pas les entendre. Depuis son arrivée au commissariat, elle a à peine décroché un mot. Je me demandais si elle avait parlé à l'un de vous tout à l'heure ?"

Abby a fait non de la tête. "Elle ne nous a rien dit de spécial, n'est-ce pas, Tom ?"

Je sentais la sueur perler sur ma lèvre supérieure. "Non, rien.

— Ça va ? m'a demandé Ryan.

— Oui. Je suis juste un peu dépassé par tout ça."

Je me suis adossé à ma chaise et ai fermé les yeux dans l'espoir de m'évader un instant ; mais j'ai entendu quelqu'un s'adresser à Ryan, et quand j'ai rouvert les yeux, un homme se tenait à ses côtés. Avec son polo, son pantalon kaki et ses mocassins, on aurait dit un parfait joueur de golf. Il avait des cheveux clairsemés coupés court et un visage rond aux joues lisses et roses qui le faisait ressembler à un énorme bébé. Je lui donnais la trentaine, mais il aurait pu passer pour beaucoup plus jeune.

"Tom, Abby, je vous présente le Dr Rosenbaum, a déclaré Ryan. C'est un psychiatre, spécialiste des cas d'adolescents comme Caitlin, qui a l'habitude de travailler avec la police. Il va vous aider à gérer la période de transition après le retour de Caitlin."

Le Dr Rosenbaum s'est assis à côté de l'inspecteur et nous a adressé un petit sourire, censé nous témoigner à la fois sa compassion et son soutien, mais qui m'a paru forcé et pas du tout rassurant.

"Monsieur et madame Stuart, a-t-il commencé, nous ne sommes aujourd'hui qu'à la première étape d'un long processus pour réacclimater votre fille à la vie normale. Je sais que son retour est source de joie et de beaucoup d'émotion – ce qui est tout à fait naturel –, mais le véritable travail commence maintenant, aussi bien pour vous que pour la police. Je suis là pour vous aider à gérer cette nouvelle situation.

— Combien de temps va-t-elle rester à l'hôpital ?" a demandé Abby.

Rosenbaum a consulté Ryan du regard, qui a acquiescé avant de répondre :

"Vous allez pouvoir récupérer Caitlin aujourd'hui. Nous ne voyons aucune raison de la garder en observation cette nuit. Sur le plan médical, il n'y a rien à signaler, et nous lui avons posé toutes les questions que nous voulions lui poser. Mais on ne s'arrêtera pas là, soyez-en sûrs. Notre enquête va continuer."

Rosenbaum s'est éclairci la gorge. "Je sais que vous allez vous poser beaucoup de questions, y compris sur les aspects les plus simples de la vie de Caitlin. Va-t-elle retourner à l'école ? Doit-elle reprendre le cours de sa vie comme une adolescente normale ?

— Exactement, a confirmé Abby. Je pensais justement à l'école : est-ce qu'elle y est allée ? Qu'est-ce qu'elle a fait pendant tout ce temps ?"

Rosenbaum lui a adressé le même sourire forcé que tout à l'heure. "Nous ne sommes pas obligés d'aborder toutes ces questions aujourd'hui. Je vous l'ai dit : la route va être longue.

— La presse a sûrement eu vent de l'histoire à l'heure qu'il est, et il va falloir prendre ce problème en compte, est intervenu Ryan. Attendez-vous à les voir débarquer très vite. Nous diffuserons un communiqué demandant qu'on respecte votre intimité, pour limiter un peu les dégâts.

— Qu'est-ce qu'on est censés faire avec Caitlin ? a demandé Abby. Je veux dire… qu'est-ce qu'on doit faire ?"

— Vous devez comprendre une chose : Caitlin ne va pas avoir l'impression de rentrer à la maison, en tout cas pas tout de suite, a expliqué Rosenbaum. Peu importe où elle a vécu, et avec qui… Pour elle, c'était ça, chez elle. Même si elle dormait dans la rue. Elle ne va peut-être pas se sentir tout de suite en sécurité dans son ancien environnement, contrairement à ce qu'on pourrait croire.

— Mais c'est sa maison, a dit Abby. La seule qu'elle ait jamais connue. Sa chambre est exactement telle qu'elle l'a laissée.

— La meilleure chose à faire, c'est de vous assurer qu'elle se sente en sécurité. C'est la préoccupation numéro un pour les victimes de crimes comme celui-là : leur procurer un sentiment de sécurité. Attendez-vous à ce qu'elle fasse des cauchemars. Et surtout, avancez à son rythme, ne la brusquez pas. Vous êtes toujours ses parents, même après tout ce temps ; ayez confiance en vous. Et Caitlin est toujours votre fille. Cependant, ce n'est plus la même petite fille que celle qui a disparu.

— Comment ça ? ai-je demandé.

— Quatre ans se sont écoulés, et Dieu sait quels traumatismes elle a subis. Le passage du temps et les événements l'ont transformée, exactement comme ils vous ont affectés de votre côté. Ce n'est plus la même personne."

Ryan s'est raclé la gorge. Il avait quelque chose à dire.

"Je voulais savoir où les choses en étaient entre vous, juste pour que nous puissions réfléchir à la meilleure situation d'accueil pour Caitlin.

— Elle va rentrer à la maison avec nous", a déclaré Abby.

Ryan a penché la tête d'un air déconcerté. "Pardon ?

— Nous allons rentrer à la maison tous ensemble. En famille."

Je n'avais rien dit, mais Abby a poursuivi à mon intention : "Caitlin a besoin de moi. Elle a besoin de nous deux. Je ne veux pas qu'elle pense que sa disparition a brisé le mariage de ses parents.

— Vous pouvez dire à votre fille tout ce que…, a commencé Ryan, mais Abby l'a interrompu.

— Non. On rentre ensemble. Tous les trois.

— Très bien. Bon… il me reste encore pas mal de choses à régler", a dit l'inspecteur en se levant.

Je me suis tourné vers Rosenbaum. "Docteur, quand on était au commissariat, Caitlin a dit qu'elle voulait partir. Elle n'avait pas l'air de vouloir rentrer à la maison avec nous.

— Je lui ai expliqué la situation, est intervenu Ryan. Elle sait qu'elle va rentrer avec vous.

— Comment a-t-elle réagi ?"

Je n'étais pas sûr d'avoir envie de le savoir, et j'ai eu du mal à regarder l'inspecteur en face en attendant sa réponse.

"Caitlin va devoir s'habituer à beaucoup de choses, et rentrer à la maison en fait partie, a déclaré Rosenbaum. Si vous voulez, je peux venir avec vous pour observer comment Caitlin réagit à son nouvel environnement et répondre aux questions que vous pourriez vous poser. Il m'est déjà arrivé de le faire dans ce genre de situation."

Abby s'est tournée vers moi. "Qu'est-ce que tu en penses, Tom ? Ça m'a l'air d'une bonne idée."

J'ai réfléchi un instant. Mais ce que je désirais plus que tout, c'était que Caitlin rentre. Avec nous, dans notre maison. Sans personne d'autre. Sans obstacles ni barrières entre ma fille et moi.

"Non, merci. Je crois qu'il vaut mieux qu'on reste seuls avec Caitlin."

Rosenbaum a eu l'air un peu déçu, mais il s'est relevé et a sorti une carte de visite de sa poche.

"Appelez-moi sur mon portable si vous avez besoin de quoi que ce soit. Dans tous les cas, nous aimerions que vous veniez à mon bureau demain matin, pour que nous puissions commencer notre travail.

— Je consulte déjà quelqu'un, ai-je dit.

— Quoi ?" a fait Abby.

Rosenbaum et Ryan m'observaient tous les deux, attendant ma réaction.

"J'ai suivi votre conseil, Ryan. J'ai contacté une bénévole du Service d'aide aux victimes. On s'est rencontrés une fois pour parler de Caitlin et de l'enquête.

— Qui avez-vous vu ?

— Susan Goff.

— Je crois qu'il serait préférable de parler à Caitlin dans un cadre plus formel et professionnel. L'expérience m'a prouvé que c'était plus efficace, est intervenu Rosenbaum, qui nous tendait toujours sa carte de visite. Est-ce que cela vous convient ?"

J'ai pris la carte et l'ai donnée à Abby.

"Ryan, vous disiez que Caitlin avait été victime d'un crime. Est-ce que ça signifie que tout le monde admet qu'elle n'a pas fugué ?

— Il est évident qu'un crime a été commis à un moment ou un autre. Maintenant, c'est à moi de découvrir de quoi il s'agit." Ryan a remué les pièces de monnaie dans ses poches. "Soit dit en passant, je connais Susan Goff. Elle fait de l'excellent travail. C'est quelqu'un de bien.

— Mais j'aimerais quand même voir Caitlin, a répété Rosenbaum.

— Bien sûr, bien sûr. Allez voir le Dr Rosenbaum à la première heure demain matin."

Sur quoi Ryan s'est éloigné, suivi de Rosenbaum, et nous sommes restés seuls à attendre le retour de Caitlin.

## 23

Le trajet du retour s'est effectué dans un silence pesant. Caitlin était assise à l'arrière, comme quand elle était petite, mais elle fixait désormais la vitre d'un air morne et indifférent. Elle n'a pas posé de questions ni fait de remarques sur le paysage, n'a pas essayé de nous convaincre de changer de station de radio ou de mettre un CD qu'elle aimait. Quand je lui ai demandé si elle voulait écouter quelque chose, elle a répondu : "Non, ça va."

Je ne savais plus quoi dire, et Abby non plus, visiblement. C'est finalement Caitlin qui a brisé le silence.

"Où est-ce que vous allez me déposer ?

— Te déposer ?

— Vous pouvez me laisser n'importe où."

Essayant de garder un œil sur la route et l'autre sur son profil dans le rétroviseur, j'ai déclaré : "Nous avons parlé de ça à l'hôpital, tu te rappelles ?"

Pas de réponse.

"On rentre à la maison, là où tu habitais avant."

Silence.

"Ta chambre est exactement comme tu l'as laissée", a ajouté Abby.

Mais il ne servait à rien d'insister. Caitlin n'a plus décroché un mot pendant le reste du trajet, même quand nous sommes arrivés dans notre rue et avons aperçu une camionnette de la chaîne de télévision locale garée devant chez nous. À l'hôpital, nous avions discuté avec un porte-parole de la police et donné notre approbation pour un communiqué standard disant que nous étions heureux de rentrer chez nous avec notre fille, et désireux qu'on respecte notre intimité. Quand j'ai mis le clignotant pour tourner dans l'allée, le caméraman s'est écarté du passage mais a gardé son objectif braqué sur la voiture. J'ai jeté un coup d'œil à Caitlin dans le rétroviseur. Elle n'a pas réagi.

Le caméraman et la journaliste qui l'accompagnait ne nous ont pas suivis plus loin et nous avons pu nous garer à l'arrière de la maison.

Alors qu'Abby et moi descendions de voiture, Caitlin est restée à l'intérieur. Abby m'a regardé en haussant les épaules, puis est allée ouvrir sa portière.

"Tu te sens prête à entrer ? lui a-t-elle demandé. Ou bien tu préfères attendre un peu ?"

Caitlin a levé les yeux avec une légère grimace. "C'est là que vous m'emmenez ?

— On est à la maison. Tu t'en souviens ? Là, c'est le jardin, et la porte de la cuisine. On a laissé la lumière de l'entrée allumée tous les soirs depuis que tu es partie. Tous les soirs. Et la clé était à sa place, pour que tu puisses rentrer si tu voulais.

— Vraiment ?

— Oui, vraiment. On t'attendait."

Caitlin a hoché la tête, puis est descendue de la voiture. Je me suis dépêché de sortir les clés pour ouvrir la porte, avant de m'effacer devant Abby et Caitlin.

"Rien n'a vraiment changé", ai-je commenté.

À l'intérieur, nous avons suivi notre fille de pièce en pièce tandis qu'elle explorait le rez-de-chaussée avec la passivité d'un agent immobilier blasé. Elle a jeté un regard à la fenêtre du salon, derrière laquelle attendait toujours la camionnette. Le caméraman semblait être en train de ranger son matériel, et la journaliste, une jeune femme blonde que j'avais déjà vue à la télé mais dont je n'arrivais plus à me rappeler le nom, parlait dans son téléphone portable en fumant une cigarette.

"Où est Frosty ? a demandé Caitlin.

— Oh, a fait Abby. Oh, chérie…

— Il est mort ?

— Chérie, quand tu… es partie, on a pensé… On l'a fait piquer. Il était vieux…

— Il n'aurait que neuf ans aujourd'hui.

— On ne l'a pas fait piquer", ai-je coupé.

Elles se sont toutes les deux tournées vers moi.

"Je l'ai emmené à la fourrière, et quelqu'un l'a adopté. Je suis allé vérifier. Si tu veux, je peux essayer de retrouver ses nouveaux maîtres pour le récupérer. Étant donné les circonstances, je pense que…" Caitlin s'était détournée, mais j'ai poursuivi : "On sait à quel point tu aimais Frosty. Et il t'adorait. Après ton départ, il a passé son temps à gémir, assis à côté de la porte. Pas vrai, Abby ?

— Si. Il était tellement triste de ne plus te voir.

— Tu n'aimais pas Frosty, hein ? a demandé Caitlin en s'adressant à Abby.

— Mais si.

— Tu n'aimais pas que je sorte le promener. Tu pensais que je m'éloignais de toi.

— Non, chérie. Mais je me faisais du souci, bien sûr, comme toutes les mères.

— On pourrait prendre un autre chien, ou bien essayer de retrouver Frosty, ai-je proposé.

— Je m'en fiche, a rétorqué Caitlin avec un haussement d'épaules. Mais n'essayez pas de me faire croire que rien n'a changé, parce que c'est juste des conneries."

Ces mots ont fait sursauter Abby, qui a malgré tout réussi à garder son calme.

"Ta chambre n'a pas changé, a-t-elle affirmé, campant sur ses positions. Il faudra peut-être la remettre au goût du jour. Et te trouver de nouveaux habits, aussi. Ceux d'ici ne doivent plus t'aller. Est-ce que tu as rapporté des vêtements de… là où tu vivais ?

— Non, rien.

— Quand tu te sentiras prête, on pourra aller faire les magasins."

Comme Caitlin ne répondait pas, Abby m'a adressé un regard désemparé.

"Est-ce que tu veux aller voir ta chambre ? Tu as peut-être besoin de te reposer."

Au bout d'un long moment, Caitlin a acquiescé.

Nous sommes montés à l'étage tous les trois. Lorsque Caitlin s'est assise sur son lit, je me suis revu debout devant son placard, traversé par la douleur fulgurante de l'avoir perdue.

"À mon avis, les draps ne sont pas propres, a dit Abby.

— Je me suis habituée aux draps sales."

Abby s'est assise à côté de Caitlin et s'est penchée vers elle.

"Où ça, chérie ? Où est-ce que tu dormais dans des draps sales ?"

Caitlin n'a pas répondu. Elle me regardait fixement.

"Si tu nous le dis, la police pourra nous aider à trouver le responsable, a insisté Abby. C'est un homme, n'est-ce pas ? C'est un adulte qui t'a fait ça ?"

Devant le regard éloquent que m'adressait Caitlin, j'ai déclaré : "On va la laisser se reposer, d'accord ?"

Abby a eu l'air peinée, comme si je venais de la trahir ; mais elle s'est vite reprise.

"Chérie, je sais que c'est difficile, mais tu peux nous parler de ce que tu veux, quand tu veux, à ton père et moi. Tu le sais, n'est-ce pas ?

— Qui dort dans la chambre d'amis ? s'est enquise Caitlin.

— Pourquoi ?

— La porte était ouverte quand on est passés devant, et j'ai vu que les draps étaient défaits. Vous avez eu de la visite ?

— Buster a passé quelques jours ici, ai-je dit.

— C'est vrai ? a demandé Caitlin, soudain plus vive.

— Est-ce que tu as vu ton oncle ? l'a questionnée Abby. Tu sais, depuis que tu es partie…

— Pourquoi tu me demandes ça ?

— Ne t'inquiète pas, ce n'est rien, ai-je coupé.

— Pour être tout à fait honnête, ton père et moi… Nous traversons une période difficile de notre mariage. Ce sont des choses qui arrivent quand on est ensemble depuis longtemps, mais on essaye d'arranger ça.

— Vous voulez dire avec un conseiller ou un truc du genre ?

— Oui, quelque chose comme ça. Mais on est là pour toi tous les deux. On va rester à tes côtés pour t'aider du mieux possible. Ensemble. N'est-ce pas, Tom ?

— Absolument.

— Vous m'emmenez voir un psy demain, c'est ça ?

— La police nous l'a conseillé. Ils aimeraient te parler de certaines choses."

Lorsque Caitlin a répondu, elle avait le regard vrillé au mien, rappel de la promesse que je lui avais faite au commissariat.

"Je ne veux pas répondre à leurs putains de questions. Ça ne m'intéresse pas.

— Caitlin…" Abby avait l'air choquée, blessée, même. "Quand la police nous demande quelque chose, on est obligés d'accepter. Et je pense que ça te fera du bien. Qu'est-ce que tu en dis, Tom ?"

Caitlin gardait les yeux braqués sur moi, attendant que je lui vienne en aide. Mais j'avais promis de ne rien lui demander, pas d'empêcher un professionnel de le faire.

"Je suis d'accord. Tu devrais y aller.

— Et je ne pense pas que tu devrais nous parler comme ça, a continué Abby. Je sais que ça fait longtemps…" Elle s'est levée et a repris contenance. "Tu as besoin de quelque chose pour dormir ? Des habits propres ?

— Pas la peine."

Caitlin a enlevé ses chaussures d'un coup de pied, découvrant des chaussettes grises et sales, puis a soulevé les draps du lit.

"Appelle-nous si tu as besoin de quoi que ce soit", a dit Abby avant de sortir de la pièce.

Je me suis attardé sur le seuil tandis que ma fille s'installait dans son lit.

"Ça doit te faire bizarre d'être à la maison."

Caitlin n'a pas répondu. Elle s'est tournée sur le côté, dos à moi, et, pour autant que je puisse en juger, a fermé les yeux et s'est endormie.


Une heure plus tard, je suis retourné discrètement à l'étage, progressant à pas de loup pour ne pas réveiller Caitlin. La porte de sa chambre était toujours entrebâillée, et j'ai approché mon oreille tout près du battant. Il m'a fallu un moment pour distinguer la respiration de ma fille des autres bruits de la maison : le bourdonnement du réfrigérateur, le doux ronronnement du chauffage, la circulation à l'extérieur, le bruit du

vent. Mais j'ai finalement réussi à déceler son souffle, et chacune de ses expirations et inspirations m'apaisait davantage.
Elle était là. Elle était là, vivante, sous notre toit.

Au moment où je m'apprêtais à partir, un autre bruit m'a
alerté, une rupture dans le rythme de sa respiration. J'ai d'abord
cru qu'elle toussait, mais en écoutant bien, je me suis rendu
compte que ces sons formaient des paroles. Caitlin murmurait quelque chose.

Je me suis penché pour coller l'oreille au niveau de la poignée
de porte. Caitlin répétait la même phrase, encore et encore,
comme une sorte de psalmodie ou de mantra ; mais je n'arrivais pas à distinguer ce qu'elle disait. Puis elle s'est arrêtée,
et je songeais de nouveau à redescendre quand les paroles ont
repris, un peu plus fortes cette fois, un peu plus claires. Enfin,
j'ai compris.

"Je veux rester, disait-elle. Je veux rester."

J'ai poussé légèrement la porte. Une étroite bande de lumière
venue du couloir s'est glissée dans la chambre, s'allongeant
sur le sol pour s'arrêter à quelques centimètres du lit. Caitlin reposait dans la position où je l'avais laissée : face au mur,
dos à moi. Elle était en train de rêver, et répétait sans cesse les
mêmes mots dans le noir :

"Je veux rester. Je veux rester. Je veux rester."

## 24

Abby fouillait dans le frigo. L'un de nos voisins nous avait apporté un plat de lasagnes, et le four préchauffait en émettant de petits bruits métalliques.

"Il n'y a pas un seul légume là-dedans, a-t-elle commenté.

— Non, en effet.

— Tu étais à l'étage ? m'a-t-elle demandé en refermant la porte du frigo. Tout va bien ?

— Elle dort encore.

— Tu crois qu'on devrait la réveiller pour dîner ?"

*Je veux rester…*

"Non, mieux vaut la laisser tranquille", ai-je répondu, l'esprit encore accaparé par les paroles que Caitlin avait prononcées dans son sommeil.

Abby a froncé les sourcils. "Si tu le dis…"

J'ai soulevé l'aluminium qui recouvrait les lasagnes. Beaucoup de fromage, tout à fait à mon goût. Pour une fois, j'avais vraiment faim.

"Tom… Où est-ce qu'elle était, à ton avis ?

— Avec cet homme, ai-je répondu en lâchant l'aluminium.

— Tu penses que je l'ai trop brusquée tout à l'heure."

Le four a sonné, signe qu'il avait atteint la bonne température. J'ai ouvert la porte pour y glisser le plat de lasagnes.

"On pourra manger d'ici une demi-heure."

Abby affichait une expression lointaine, les yeux fixés sur un point invisible près du plafond.

"Qu'est-ce qu'il y a ?

— Est-ce qu'il t'arrive de penser que tu préférerais ne pas savoir ce qui lui est arrivé ? Et si c'était trop dur à entendre ? Toutes ces choses qu'on nous a dites à l'hôpital, sur sa vie sexuelle… Et si elle avait été violée, ou maltraitée ? Quand je vois comment elle se comporte, j'ai l'impression qu'elle a vécu quelque chose de terrible, quelque chose qui l'a traumatisée. J'aurais bien aimé que le psychiatre vienne avec nous.

— On se débrouille très bien sans."

Les paroles que Caitlin avait murmurées dans son sommeil repassaient en boucle dans ma tête, comme pour me narguer. *Je veux rester. Je veux rester.*

"Les enquêteurs ne vont pas la lâcher. S'ils arrêtent quelqu'un, elle sera bien obligée de parler."

Il y a eu un coup de sonnette à la porte de la cuisine.

"Qui est là ? m'a demandé Abby. Ryan ?"

J'ai collé mon visage à la vitre.

"C'est Buster.

— Oh.

— Il est peut-être déjà au courant", ai-je avancé, une hypo-thèse que mon frère a confirmée dès que j'ai ouvert la porte.

"Alors, qu'est-ce qui se passe ? s'est-il exclamé d'une voix forte, presque fébrile. Putain ! C'est pas possible, si ? Bon Dieu ! C'est pas possible !"

Sous l'effet de l'excitation, il prenait des accents d'adolescent en train de muer.

"Je sais, c'est incroyable.

— Pourquoi vous ne m'avez pas appelé ? Pourquoi ?"

Je l'ai emmené au salon, l'éloignant d'Abby qui n'avait même pas levé les yeux pour le saluer.

"Franchement, on ne savait plus trop où donner de la tête. La journée a été longue.

— J'ai voulu venir tout de suite. Je veux la voir. Oh, nom de Dieu."

Il semblait au bord de l'hystérie, une réaction qui me parais-sait étrange.

"On essaye de prendre nos marques, pour l'instant.

— Oh, je vois. Vous avez besoin de passer du temps en famille et tout ça, pour recoller les morceaux." Debout au milieu du salon, il se frottait les mains et hochait la tête. "Ça me paraît logique. Moi aussi, je fais partie de la famille. Je me suis dit que je pourrais vous aider.

— Bien sûr. Dans quelques jours. D'ailleurs, quand j'ai parlé de toi à Caitlin, son visage s'est éclairé.

— C'est vrai ?

— Oui. Elle a sûrement envie de te voir." J'ai levé les yeux vers le plafond, l'oreille aux aguets. Je réfléchissais. "Mais pour le moment, elle dort. Elle était complètement lessivée… On a eu une sacrée journée.

— Nom d'un chien." Buster a levé les yeux à son tour d'un air curieux, puis s'est raclé la gorge. "Je l'adore, cette gamine.

— Oui… Tu sais, Abby a posé une question à Caitlin, tout à l'heure.

— Elle lui a parlé de ce type ? Ils l'ont arrêté ?

— Non, pas encore.

— Je vais te dire une chose, Tom. J'ai sacrément envie d'aller le chercher, m'a-t-il confié d'une voix sourde et véhémente en se penchant vers moi d'un air féroce. Je prendrais ma voiture et je me lancerais à ses trousses. Qu'est-ce qu'ils foutent, ces putains de flics ? Ils restent assis sur leur cul ?

— Je ne sais pas. Ils avancent prudemment.

— Quelle bande de connards.

— Et donc… Abby a posé une question à Caitlin tout à l'heure, à propos de toi.

— Ah oui ?

— Oui…" J'ai choisi mes mots lentement, avec soin. "Elle a demandé à Caitlin si elle t'avait vu au cours de ces quatre dernières années."

Buster s'est tu, et j'ai eu peur de m'être montré trop brusque. "Je ne comprends pas ce que tu veux dire…

— C'est juste que Caitlin n'a pas vraiment répondu à la question, ai-je expliqué, baissant encore d'un ton. Elle n'a pas dit non, c'est pour ça que je t'en parle.

— Tu es en train de me demander si j'ai vu Caitlin ces quatre dernières années, c'est ça ? C'est bien ça ? Je me trompe pas ?

— Buster, réponds à la question.

— T'es un vrai connard, Tom. Exactement comme ces putains de flics. Non, encore pire : tu es mon frère, et tu oses me poser une question comme ça…

— Est-ce que tu l'as vue, Buster ? ai-je répété, haussant le ton. Tu sais ce qui s'est passé ? Réponds-moi.

— Pourquoi est-ce que tu ne redemandes pas à Caitlin ? Oh, mais attends." Il s'est frappé le front d'un geste exagéré. "Elle n'a sûrement aucune envie de parler à ses dégénérés de parents, hein ?

— Buster…"

Il a gagné la porte d'entrée à grands pas furieux, et tiré sur le verrou jusqu'à ce qu'il se débloque.

"Va te faire foutre, Tom. Va te faire foutre."


Abby m'attendait dans la cuisine, les mains nouées devant elle.

"Pourquoi est-ce que vous vous disputiez ?

— On ne se disputait pas, ai-je répondu en piochant dans la salade qu'elle était en train de préparer.

— Je t'ai entendu élever la voix.

— Je lui ai demandé s'il avait vu Caitlin ces dernières années.

— Et ?

— À ton avis ? Il s'est énervé et m'a crié dessus. Il avait l'air blessé.

— Qu'est-ce qu'il t'a répondu ?

— Il ne m'a pas vraiment donné de réponse.

— Tu vois ? C'est ce que Caitlin a fait aussi. Même si c'est ton demi-frère…

— Mon frère.

— Je pense qu'on devrait en parler à la police, pas toi ?

— Ce n'est pas aussi simple, Abby. Comme tu viens de le dire, c'est mon frère. On a grandi ensemble, et il a toujours pris soin de moi quand on était gamins. Peu importe ce qui se passait à la maison, il était de mon côté. Il me soutenait."

J'ai ouvert la porte du four pour jeter un œil à l'intérieur. Le fromage commençait à faire des bulles.

"C'est prêt. Tu as entendu du bruit là-haut ?

— Elle dormait à poings fermés quand je suis montée, mais je crois avoir entendu des pas tout à l'heure."

J'ai refermé la porte du four et jeté un coup d'œil en direction du plafond. "Elle allait sûrement aux toilettes.

— Tom, je veux être sûre que tu prends cette histoire au sérieux. Buster m'a toujours inquiétée, avec son espèce de… fascination pour Caitlin. On aurait dit deux enfants qui en pinçaient l'un pour l'autre plutôt qu'un oncle et sa nièce.

— Abby…

— Tu l'as remarqué, toi aussi. Tu m'en as déjà parlé. Ne me mets pas tout sur le dos."

Elle avait raison : j'avais remarqué l'intérêt que Buster portait à Caitlin. J'avais toujours réussi à expliquer leur complicité par le fait qu'elle était sa seule nièce, et qu'il aimait la chouchouter dès qu'il en avait l'occasion. Mais tout de même… un adulte, une petite fille. Le passé trouble de Buster. Ses silences prolongés ces quatre dernières années.

Abby a relevé la tête.

"Tu as entendu ?

— Quoi ?

— Elle se déplace encore.

— Bon, je vais lui dire que le dîner est prêt."

J'avais atteint l'escalier quand Abby m'a rappelé.

"Il ne va pas disparaître par magie, ce problème avec Buster."

J'ai acquiescé. Je le savais aussi.


À l'étage, de la lumière filtrait sous la porte de la salle de bains. La chambre de Caitlin était ouverte. Je ne voulais pas rôder devant la salle de bains pendant qu'elle s'en servait, alors j'ai passé la tête dans sa chambre. Le lit était défait, la lumière éteinte. Une forte odeur de renfermé planait dans la petite pièce. L'image des cheveux gras et des vêtements sales de Caitlin m'est revenue à l'esprit. J'ai tendu l'oreille, mais l'eau ne coulait pas dans la salle de bains. Elle avait besoin de prendre une douche et de changer de vêtements. J'ai regardé le sol. Il n'y avait pas d'habits par terre, pas de chaussettes ni de chaussures.

Je suis retourné à la salle de bains pour frapper quelques petits coups légers à la porte.

"Caitlin ? Ma chérie ?"

Rien. Les battements de mon cœur se sont accélérés. J'ai frappé à nouveau, plus fort.

Alors que je m'apprêtais à tourner la poignée, j'ai suspendu mon geste. Je ne pouvais pas entrer comme ça, et risquer de la trouver dans une délicate posture.

"Caitlin ? Si tu ne réponds pas, j'ouvre la porte."

Toujours rien.

J'ai actionné la poignée, m'attendant à ce que la porte soit verrouillée, mais elle a cédé tout de suite. J'ai pénétré dans la pièce. Les lumières se reflétaient sur les surfaces vitrées de la coiffeuse et du miroir. Devant la fenêtre grande ouverte, les rideaux s'agitaient dans la brise glacée. Caitlin n'était pas là. Elle était passée par la fenêtre et avait disparu dans la nuit.


Abby m'attendait en bas de l'escalier.

"Tom ?

— Appelle la police. Elle est partie par la fenêtre."

Sans ralentir une seconde, je suis sorti dans le jardin et me suis mis à crier : "Caitlin ! Caitlin !"

Rien. Pas un signe. Nos deux voitures se trouvaient toujours à l'arrière de la maison. J'ai inspecté l'intérieur, les mains appuyées sur la vitre. Vides. Une pensée impromptue m'a traversé l'esprit : je ne savais même pas si Caitlin avait appris à conduire.

"Caitlin !" ai-je crié en m'éloignant des voitures.

J'ai observé la maison. Caitlin était sortie par la fenêtre de la salle de bains pour rejoindre l'auvent au-dessus de l'entrée. Les trois mètres qui le séparaient du sol n'avaient rien d'un obstacle infranchissable pour quelqu'un de jeune et en bonne santé.

Abby est apparue à la porte de la cuisine. "La police arrive.

— On devrait appeler Ryan.

— Ils m'ont dit qu'ils allaient le prévenir.

— Je prends la voiture. Elle ne peut pas être allée bien loin. Bon Dieu, Abby… J'aurais dû m'y attendre. Avec son attitude…

— J'aimerais mieux que tu restes ici.

— Je vais juste faire le tour du quartier.

— Tom, reste avec moi. S'il te plaît. Je ne veux pas me retrouver toute seule."

J'avais sorti mes clés et me dirigeais vers la voiture. Je me suis retourné vers Abby, debout dans l'embrasure éclairée de la porte. Elle m'adressait un regard implorant et effrayé.

La dernière fois, j'étais resté à la maison à attendre comme un parfait imbécile. Mais pas cette fois, me suis-je juré. Pas cette fois. Je ne pouvais pas laisser Caitlin disparaître à nouveau sans tenter quelque chose. Immédiatement.

"J'ai mon portable. Appelle-moi s'il y a du nouveau.

— Tom !"

Sans un regard en arrière, je suis monté dans la voiture et ai démarré en trombe.

## 25

Il l'avait emmenée.

Tandis que je sillonnais le quartier, descendant une rue pour en remonter une autre, examinant les jardins et les allées de garage, m'efforçant de distinguer quelque chose dans le noir, une pensée ne cessait de me hanter : *Il l'a emmenée. Buster l'a emmenée.*

La lumière bleutée des téléviseurs transparaissait derrière les rideaux tirés des maisons. Les gens étaient en train de laver la vaisselle ou de sortir leurs poubelles. Ils menaient leur petite vie, inconscients du drame qui m'affectait.

Caitlin n'était nulle part en vue.

Mon portable s'est mis à vibrer dans ma poche. Abby.

"Tom, la police est arrivée."

Mon cœur s'est mis à battre encore plus vite. "Ils l'ont retrouvée ?

— Non. Ils veulent te parler.

— Dis-leur que je suis en train de la chercher.

— Ils ne veulent pas que tu la cherches, ils veulent que tu rentres.

— C'est toi qui veux que je rentre. Les flics s'en moquent.

— Tom...

— Dis-leur d'appeler Buster.

— Tu crois vraiment...

— Dis-leur."

Une fois l'inspection du quartier terminée, j'ai continué en direction du campus. Les trottoirs étaient peuplés d'étudiants en partance pour les cours du soir. J'ai bientôt éprouvé la sensation d'être à la dérive, lancé sans aucun espoir dans une quête vide de sens. Même dans cette petite ville, quelles étaient mes chances de retrouver une personne isolée, surtout si cette personne ne souhaitait pas qu'on la retrouve ?

Mon téléphone s'est remis à vibrer.

"Merde."

Je m'attendais à voir le nom d'Abby à l'écran, mais à mon grand soulagement, c'était Ryan qui m'appelait.

"Allô ? Vous l'avez trouvée ?

— Vous feriez mieux de rentrer, Tom. Nos hommes sont en train de la chercher.

— Où ça ? Je suis près du campus et je ne les vois pas.

— Votre femme a besoin de vous. Et si Caitlin rentre, il vaudrait mieux que vous soyez là.

— Toujours des « si », Ryan… Je ne vais pas rester passif cette fois. J'aurais dû prévoir cette situation. J'aurais dû l'éviter. Je ne vais pas attendre tranquillement chez moi, alors que ma fille a disparu Dieu sait où.

— Écoutez-moi, Tom…"

J'ai raccroché. J'avais décidé de rejoindre le centre commercial de Williamstown Road, où on avait trouvé Caitlin ce matin. C'était la suite logique du parcours. Le chemin passait par notre quartier, mais j'ai préféré éviter notre rue : s'il y avait du nouveau, on me préviendrait ; et sinon, je risquais de me laisser distraire. Mon détour m'a amené près du cimetière. J'ai mis le clignotant pour y entrer et me suis dirigé vers le fond, en direction de la tombe de Caitlin. Je n'aurais pas dû me trouver là. Le cimetière fermait la nuit, mais il arrivait que les gardiens laissent la grille ouverte, comme ce soir.

Une route étroite bordée d'arbres serpentait entre les tombes. Les phares de ma voiture illuminaient les troncs noueux et ricochaient sur les pierres tombales, révélant des noms et des dates au passage. À une fourche du chemin, j'ai pris à gauche, vers la stèle de Caitlin.

C'est alors que j'ai vu la fille.

Au début, ce n'était qu'une silhouette blanche qui se détachait de l'obscurité à la lumière des phares. Ma voiture est passée sur une bosse et je l'ai perdue de vue lorsque les faisceaux lumineux ont tressauté ; puis je l'ai retrouvée. Elle se tenait devant la tombe de Caitlin, les mains posées sur la pierre comme pour y prendre appui. C'était la fille que j'avais vue au parc l'autre jour, celle qui s'était enfuie dans le bosquet à mon arrivée.

*Caitlin ?*

J'ai freiné brutalement et ouvert ma portière.

"Hé !"

La fille a pris la fuite, bondissant dans l'obscurité tel un animal effrayé. Je me suis lancé à sa poursuite à travers les pierres tombales, mais on n'y voyait presque rien. J'ai distingué encore un instant ses vêtements clairs devant moi, puis elle a disparu, avalée par la nuit.

"Hé !"

Je me suis arrêté de courir, hors d'haleine. Elle était partie. J'ai tendu l'oreille, mais n'ai décelé aucun bruit de pas sur l'herbe, aucun craquement de brindille. Si elle se trouvait encore dans les parages, elle se déplaçait avec la discrétion et la prudence d'un guérillero.

Des lotissements neufs, plutôt luxueux, bordaient le cimetière. La fille pouvait très bien habiter dans une de ces maisons, me suis-je dit, et s'être aventurée hors de son jardin pour s'amuser.

Mais alors, que me voulait-elle ? Et qu'avait-elle à voir avec Caitlin ?

Après avoir repris mon souffle, je suis reparti en direction de ma voiture. Les phares, tournés vers la tombe de Caitlin, l'encerclaient dans un cône de lumière qui transperçait les ténèbres.

Un bouquet de fleurs fraîches reposait au pied de la stèle, sous le nom de Caitlin – le genre de bouquet qu'on achetait au supermarché, avec un mauvais emballage en cellophane froissée.

Je n'étais pas retourné au cimetière depuis que j'y avais aperçu cette fille quelques semaines plus tôt. J'ignorais si Abby venait voir la tombe, même si je l'imaginais bien, agenouillée devant la pierre, tendant la main pour balayer une feuille morte ou une toile d'araignée puis baissant la tête pour prier ou méditer. Elle se faisait peut-être même accompagner du pasteur Chris, en tant que soutien spirituel dans son processus de deuil. J'ai secoué la tête et me suis permis un instant de triomphe personnel. J'avais raison. Caitlin était toujours en vie. Elle était revenue. Ce n'était plus la peine de tourner la page, de passer à autre chose.

Il y avait un bout de papier attaché au bouquet avec un trombone, un mot griffonné au stylo d'une écriture rapide – pas une écriture d'enfant, mais pas non plus celle d'une femme. Je pouvais le lire d'ici.

*Au revoir. Ne reviens pas.*

Mes genoux se sont mis à trembler, comme changés en coton. J'ai ramassé le bouquet et suis retourné à la voiture.

Je suis arrivé chez moi juste avant neuf heures. Ryan et Abby buvaient un café, assis à la table de la cuisine. Je leur ai montré le bouquet.

"J'ai trouvé ça au cimetière."

Ils n'ont rien dit, mais je voyais bien qu'ils ne comprenaient pas.

"C'était sur la tombe de Caitlin. Il y a un bout de papier dessus. Quelqu'un lui a laissé un mot."

Ryan s'est levé de sa chaise.

"Posez-le, posez-le."

J'ai posé le bouquet sur le comptoir.

"Vous avez touché au papier ?

— Non, il est encore là."

Il a chaussé ses lunettes pour le lire. "Vous reconnaissez l'écriture ?

— Non.

— Abby, pourriez-vous m'attraper un grand sac de congélation ?"

Avec précaution, Ryan a saisi un coin du papier, ses gros doigts boudinés paraissant presque délicats, et a laissé tomber le mot dans le sac qu'Abby tenait ouvert, avant de le refermer d'un geste rapide du pouce.

"Je ne pense pas qu'on trouvera des empreintes, mais on peut toujours essayer.

— Vous croyez que ce mot est adressé à Caitlin ? a demandé Abby.

— C'est peut-être un canular, l'œuvre d'un mauvais plaisantin.

— Je ne crois pas, ai-je rétorqué. Tout à l'heure, quand Caitlin dormait, je suis allé la voir. Elle murmurait quelque chose dans son sommeil : « Je veux rester, je veux rester. » Au début, j'ai cru que c'était à nous qu'elle parlait, comme si elle avait peur qu'on la renvoie d'où elle venait. Mais vu la façon dont elle le disait… je ne sais pas.

— Ne tirons pas de conclusions hâtives, a déclaré Ryan. Je vais emporter ça avec moi, et je vous appelle dès qu'il y a du nouveau. D'ici là, essayez de tenir bon.

— Je crois qu'on a l'habitude, a commenté Abby.

— Ryan… À propos de mon frère, Buster…

— Oui, Abby m'a…

— Il est passé à la maison juste avant. Je crois…"

Je ne savais pas ce que je croyais. Ou du moins, pas vraiment.

"Nous allons explorer toutes les pistes, mais je ne vous promets rien", a répondu l'inspecteur.

Sur quoi il nous a laissés seuls à attendre notre fille, une fois de plus.

## 26

Je m'étais endormi dans un fauteuil du salon. Quand on a frappé à la porte d'entrée, il a fallu un moment pour que mon esprit s'éclaircisse et que les événements de la journée me reviennent. Caitlin au commissariat, l'hôpital, le retour à la maison. Puis Caitlin qui disparaît par la fenêtre, le cimetière, le mot…

On a frappé à nouveau.

"Tom ? a appelé Abby depuis l'étage. C'est la police. Je m'habille."

Je suis allé ouvrir la porte. Ryan se tenait dans la lumière de l'entrée, l'air exténué, mal rasé. J'ai immédiatement pensé au pire. Ils l'avaient retrouvée, mais elle était morte, et l'inspecteur venait m'annoncer la mauvaise nouvelle.

"Est-ce qu'elle…

— Elle est dans la voiture. On l'a retrouvée."

Abby est apparue à mes côtés, et nous nous sommes écartés pour laisser place à l'inspecteur. Je l'ai invité à s'asseoir, mais il a secoué la tête.

"Il faut que je rentre chez moi. Ce ne sera pas long.

— Est-ce qu'elle va avoir des ennuis ? Elle a fait quelque chose ? a demandé Abby.

— Non. On l'a retrouvée au nord du centre-ville, pas loin du commissariat, en fait. Elle marchait, mais on ne sait pas trop où elle allait. Il n'y a pas grand-chose par là-bas.

— Merci de l'avoir ramenée.

— Il faut qu'on signe des papiers ? ai-je demandé. Un rapport, quelque chose comme ça ?

— Pas la peine." Ryan est resté immobile un instant, sans manifester l'intention de partir ni de s'asseoir. "Je sais à quel point tout ça est difficile, a-t-il finalement repris. Vous vous retrouvez jetés directement dans le grand bain, et c'est un grand bouleversement pour vous deux. Je ferai de mon mieux pour vous aider, mais…

— Qu'essayez-vous de nous dire ? a coupé Abby.

— C'est un peu délicat de mobiliser les forces de police pour ce genre de chose. Si les médias l'apprennent, cette histoire risquerait de tourner au spectacle, et ni vous ni Caitlin n'avez besoin de ça en ce moment. Mieux vaut utiliser les ressources dont nous disposons. Il s'agit d'une étape cruciale pour Caitlin, et nous devons tous rester vigilants. Surtout vous deux. Vous êtes en première ligne.

— Bien sûr.

— Avec qui était-elle ? ai-je demandé.

— Personne, a répondu Ryan, qui m'a regardé dans les yeux en ajoutant : On n'a jamais réussi à contacter votre frère."

Quelqu'un a frappé des petits coups à la porte, et nous nous sommes retournés. Caitlin se tenait dans la faible lueur de l'entrée, l'air calme et indifférent. Deux policiers la suivaient, mais ils n'ont pas eu besoin de la forcer à entrer dans la maison ; elle s'est avancée d'elle-même comme s'il était parfaitement naturel de revenir au petit matin, encadrée par deux agents de police.

J'ai jeté un œil dans la rue. Les voisins en avaient eu pour leur argent : les camions de télévision, la police, et maintenant ça.

Ni Abby ni moi n'avons essayé de toucher Caitlin quand elle est entrée. Elle s'est plantée au milieu du salon, les mains enfoncées dans les poches de son sweat à capuche. On aurait dit n'importe quelle adolescente un peu crasseuse en train d'attendre le bus.

Ryan nous a adressé un signe de tête. "J'aimerais que vous alliez à ce rendez-vous demain matin", a-t-il déclaré.

Le Dr Rosenbaum. Je comprenais ce qu'il voulait dire.

"On y sera.

— Vous pourriez même l'appeler maintenant. Il aura peut-être des idées…

— Merci, on va se débrouiller."

Après le départ de Ryan, Abby a brisé le silence.

"Tu veux manger quelque chose, chérie ?"

Avant que Caitlin puisse répondre, j'ai coupé : "Non, elle va d'abord s'asseoir. Il faut qu'on discute.

— Tom...

— Tout le monde s'assoit."

Caitlin n'a pas bougé. Elle est restée vissée sur place, le regard vide, les lèvres serrées.

"Caitlin ?

— Je n'ai pas envie de m'asseoir."

J'ai élevé la voix en désignant une chaise. "Obéis.

— Je veux aller me coucher.

— Pour t'enfuir à nouveau ?"

Elle est restée muette, les yeux fixés sur un point invisible derrière moi.

"Où est-ce que tu allais ce soir ?"

Voyant qu'elle ne bougeait pas, qu'elle ne disait rien, qu'elle n'avait même pas changé d'expression, j'ai senti la colère m'envahir. J'avais envie de l'attraper par les épaules et de la secouer.

"Et si on la laissait manger, Tom ?" a suggéré Abby.

J'ai gagné la cuisine d'un pas furieux. Je n'avais aucune intention de manger. Je me suis emparé d'une feuille posée sur le comptoir puis suis reparti vers le salon. Caitlin et Abby avaient commencé à me suivre, mais quand elles ont vu que je revenais, elles se sont arrêtées dans la salle à manger. Mon assiette sale s'y trouvait encore ; la sauce tomate durcissait comme du sang séché.

J'ai tendu le portrait-robot à Caitlin.

"Qui est cet homme ? C'est lui que tu allais voir ce soir ?"

Elle a battu des cils, puis s'est penchée pour examiner le portrait, aussi fascinée que s'il s'agissait d'un oiseau rare.

"C'est l'homme qui t'a enlevée ?

— Tom..."

J'ai approché la feuille de son visage. "C'est l'homme qui t'a emmenée dans des clubs de strip-tease et qui t'a forcée à le regarder ?"

Elle a cligné des yeux à nouveau, la surprise se peignant sur ses traits.

"Est-ce qu'il t'a donné des fleurs dans le parc, pour la Saint-Valentin ? Comment il s'appelle, Caitlin ?"

Son menton s'est mis à trembler. "Tu… avais dit… que tu ne me demanderais rien…"

Et elle s'est effondrée. Elle est tombée dans les bras d'Abby en sanglotant, le visage enfoui contre son cou, tremblant si fort que sa mère a dû la soutenir. Abby s'est mise à lui caresser le dos en la serrant contre elle. Le regard qu'elle m'a jeté par-dessus son épaule m'adressait un message parfaitement clair :

*J'espère que tu es content. Tu as eu ce que tu voulais.*

## 27

Abby m'a réveillé en toquant doucement à la porte de la chambre d'amis, puis est entrée sans attendre de réponse. La lumière du couloir a inondé la pièce.

"Où est-elle ? ai-je demandé.

— Sous la douche. Elle en avait bien besoin."

Je me suis redressé d'un bond. "Tu l'as laissée…

— Ça va, la porte est ouverte et on entend l'eau couler. Je l'ai aidée à se déshabiller. Elle n'a rien d'autre à se mettre.

— Où a-t-elle dormi ?

— Dans mon lit. Je pense qu'elle a réussi à se reposer quelques heures.

— Est-ce qu'elle a dit quelque chose ?

— Elle s'est excusée d'être partie et de nous avoir inquiétés.

— Elle a dit où elle était allée ?

— Je ne lui ai pas demandé.

— Est-ce qu'elle a parlé dans son sommeil ?

— Tom, j'ai quelque chose d'important à te dire.

— Elle n'a pas parlé, alors ? ai-je insisté.

— Je dormais, moi aussi."

Abby a jeté un œil derrière elle, en direction de la salle de bains. Quand elle s'est retournée vers moi, j'ai remarqué qu'elle paraissait plus calme, plus détendue que la veille. Malgré le manque de sommeil, elle avait l'air reposée.

"Je voulais te dire que j'étais contente de la façon dont se déroulent les choses.

— Ah bon ? Notre fille s'enfuit par la fenêtre, et tu es contente ?

— J'ai fait un rêve cette nuit, quand je dormais avec Caitlin. Dans mon rêve, il y avait une femme qui venait frapper à la porte de notre maison. Elle avait à peu près vingt-cinq ans, et elle était enceinte. Elle ne ressemblait pas à Caitlin, pas du tout. Même pas de loin. Mais quand j'ai ouvert la porte et que je l'ai trouvée là, j'ai tout de suite su que c'était elle. Elle venait nous annoncer qu'elle était enceinte. Tu comprends ?

— Pas vraiment.

— Ça signifie que tout va bien se passer pour elle. Un bel avenir l'attend. Il nous suffit d'accepter le chemin qu'on nous a tracé, et nous finirons par en voir le bout. Comme le Dr Rosenbaum nous l'a dit hier soir, la route va être longue."

Abby m'a adressé un sourire forcé que je connaissais bien : à mesure qu'elle s'impliquait dans les activités de l'église, je l'avais vu de plus en plus souvent. Sa congrégation croyait aux vertus de la pensée positive, et encourageait ses membres à afficher un visage joyeux en toute circonstance. Je ne savais pas si le pasteur allait jusqu'à enseigner à ses fidèles qu'on pouvait changer le monde en souriant, mais ça me semblait fort probable.

"Et c'est ce rêve qui t'a rassurée ?

— Ce rêve et ce qui s'est passé hier soir. Caitlin est revenue.

— Tu te rappelles que son test de grossesse était négatif ? Je n'ai pas vraiment envie de récolter un petit-fils au passage."

Le visage d'Abby s'est décomposé. "Pourquoi dis-tu ça, Tom ?

— J'essaye juste de t'aider à interpréter ton rêve.

— Pourquoi faut-il toujours que tu voies le mauvais côté des choses ? Je pensais que c'était une métaphore, un signe nous disant que Caitlin connaîtrait à nouveau le bonheur.

— Ça me semble juste idiot de placer autant d'espoirs dans un rêve, ai-je rétorqué en me calant sur les oreillers. Il ne fait que refléter tes désirs. Ça t'est déjà arrivé de rêver que Caitlin rentrait à la maison ?

— Parfois.

— Moi aussi. Et dans ces rêves, elle était toujours contente de nous retrouver, et réciproquement. Quand elle revenait, on découvrait où elle était passée et qui l'avait kidnappée. Et tout ça me paraissait parfaitement logique, tout comme ton rêve te paraît logique aujourd'hui."

Abby a baissé les yeux. Elle n'avait pas encore pris sa douche, et je me suis souvenu des premières nuits qu'on avait passées ensemble ; Abby ne me croyait pas quand je lui disais qu'elle était toujours aussi belle, même au réveil.

"On a failli avoir un autre bébé tous les deux.

— Oh, Tom…

— Où est-ce que j'étais quand c'est arrivé ? Comment as-tu fait pour me le cacher ?"

Abby a secoué la tête.

"Je veux le savoir. C'est mon droit.

— Tu étais à l'université. Tôt dans la matinée, j'ai été prise de crampes terribles, et puis les saignements ont commencé. Je savais ce qui m'arrivait. J'ai failli t'appeler, je t'assure.

— Mais ?

— Je n'ai pas réussi. Je n'ai pas pu t'en parler."

Dans la salle de bains, l'eau avait cessé de couler.

"Ça va, ma puce ? a crié Abby. Je suis juste à côté."

Caitlin a répondu quelque chose que je n'ai pas compris. Alors qu'Abby commençait à s'éloigner, j'ai repris :

"Tu as appelé le pasteur Chris. C'est lui qui t'a emmenée chez le médecin."

Abby a acquiescé lentement. "Quand tu es rentré à la maison ce soir-là, j'étais au lit. Je t'ai dit que j'avais des problèmes d'estomac, et tu es venu dormir ici pour ne pas attraper mes microbes."

Avant qu'elle puisse repartir, j'ai continué : "Je voulais juste te poser une autre question, à propos de ton rêve. Il y a une chose qui ne colle pas.

— Quoi ?

— Si Caitlin revient ici, dans le rêve et dans l'avenir… Pourquoi est-ce toi qui ouvres la porte ? Je croyais que tu voulais partir.

— Ce n'est qu'un rêve.

— Alors ça ne veut rien dire… si ?"

Abby m'a tourné le dos. "Je vais aider Caitlin à se préparer."

Le cabinet du Dr Rosenbaum se trouvait au centre-ville, dans un banal immeuble de brique et de verre. Le docteur est venu nous accueillir à la réception, et j'ai pensé qu'il allait nous parler de la tentative de fuite de Caitlin ; mais, peut-être parce qu'elle était avec nous, ou simplement parce qu'il était pressé, il ne l'a pas fait. Comme il voulait d'abord s'entretenir avec Caitlin, nous l'avons laissé la conduire à son bureau tandis que nous prenions place sur des chaises inconfortables pour remplir les formulaires d'assurance que la secrétaire nous avait donnés.

Nous n'avons vu aucun autre patient. Il n'y avait pas de télé, pas de musique d'ambiance, et très peu de magazines. J'ai regretté de ne pas avoir pensé à apporter un livre ou un autre moyen de distraction. Abby s'est emparée d'un magazine féminin dont la couverture promettait des "secrets de régime", et a commencé à le feuilleter. Elle tournait les pages d'un petit coup sec et rapide. Certains sujets planaient encore au-dessus de nous, aussi menaçants qu'une chape de plomb : son rêve, sa fausse couche, le pasteur Chris.

Nous n'en avons pas parlé.

Mon téléphone a sonné. C'était Liann.

Je suis allé répondre dans le couloir.

"J'ai failli vous appeler hier soir dès que j'ai entendu la nouvelle, s'est-elle exclamée. J'avais envie de hurler de joie et de me précipiter chez vous, mais je me suis dit que vous deviez être occupés. Alors, comment ça se passe ? Comment elle va ?

— On est chez le psy en ce moment.

— Qu'est-ce qu'il y a ? Tu n'as pas l'air bien."

Je lui ai expliqué ce qui s'était passé la veille, comment Caitlin avait essayé de s'enfuir aussitôt après son retour.

"Ne t'inquiète pas pour ça, ce n'est qu'une erreur de parcours. Et il va y en avoir d'autres, crois-moi. Cette enfant a vécu des choses terribles, elle est complètement perdue. Il faut que vous teniez bon.

— Tu as raison.

— Si seulement…

— Quoi ? ai-je demandé, m'attendant à un conseil avisé.

— Merde, si seulement on avait pu la suivre… Elle nous aurait menés tout droit à ce salaud qui l'a kidnappée. Ça aurait été du gâteau pour remonter sa piste. Les flics sont tellement stupides… Ils se sont précipités pour la rattraper, sans même prendre le temps de réfléchir."

Mon visage s'est empourpré. "Je crois qu'ils pensaient d'abord à nous la ramener saine et sauve.

— Est-ce qu'elle a parlé de cet homme, ne serait-ce qu'un peu ?

— Elle refuse de dire quoi que ce soit. Elle m'a fait promettre de ne pas lui demander où elle était.

— Tu n'as pas accepté, j'espère ?

— Bien sûr que si.

— Oh, Tom… Tu ne peux pas passer de marché avec elle. Ce n'est qu'une enfant. Elle doit nous parler."

*Nous ?*

"Comment s'appelle le psy ? a repris Liann.

— Rosenbaum."

Elle a émis un son dubitatif.

"Quoi ? ai-je demandé, et ma voix a résonné dans le couloir vide.

— Ça va, il n'est pas mal. Il travaille souvent avec la police. Il a beaucoup d'expérience.

— Et ce n'est pas bien ?

— Je peux passer voir Caitlin tout à l'heure ?"

J'allais répondre quand Abby a passé la tête par la porte du couloir et m'a adressé un geste impatient. Je lui ai fait signe d'attendre, et elle est repartie.

"Il faut que j'y aille, Liann. Je te rappelle. Avec Abby… et Caitlin… c'est assez bizarre.

— Bien sûr, bien sûr. Appelle-moi ce soir, on a des tas de choses à se raconter.

— D'accord.

— C'est une avancée majeure, Tom. On va le retrouver, ce type. C'est formidable.

— Et Caitlin…"

Mais elle avait déjà raccroché.


Lorsque Rosenbaum est revenu avec Caitlin, il nous a demandé de le rejoindre dans son cabinet tandis qu'elle patientait à la réception. Remarquant mon hésitation, il a déclaré :

"Je suis sûr que Caitlin peut rester toute seule, n'est-ce pas ?"

Elle s'est assise sur une chaise sans nous regarder.

"Mary ?" a repris le docteur avec un signe de tête à l'intention de sa secrétaire, qui a hoché la tête d'un air entendu. Puis, se tournant vers nous : "On y va ?"

Abby a fait un pas en avant, les yeux toujours fixés sur Caitlin.

Je me sentais déchiré.

Je ne voulais pas la quitter des yeux un seul instant, de peur que les événements de la veille ne se répètent.

Mais une pensée m'a soudain traversé l'esprit, une pensée fulgurante et imprévue :

*Ne vaudrait-il pas mieux la laisser partir ?*

*Tout le monde ne serait-il pas plus heureux si Caitlin n'était pas là ?*

Je me suis empressé de chasser cette idée, la reléguant au plus profond de mon esprit.

"C'est bon, ai-je dit à Abby. Ils vont garder un œil sur elle."

Nous sommes allés nous installer dans le cabinet, qui contenait un petit bureau bien rangé, plusieurs fauteuils confortables et même un divan où les patients pouvaient s'allonger. Il y avait une carafe d'eau et des verres sur une petite table, et une boîte de mouchoirs à côté de chaque fauteuil – sauf celui de Rosenbaum.

"J'ai eu l'inspecteur Ryan au téléphone ce matin, a commencé le docteur. Il m'a parlé de votre nuit mouvementée. Je tiens à vous rappeler que vous auriez pu me contacter en cas de besoin.

— Il était très tard, ai-je expliqué.

— Vous seriez étonnés du nombre d'appels que je reçois en pleine nuit. Gardez-le en tête pour la prochaine fois. Caitlin a quand même fini par se calmer et dormir un peu ?

— Oui, a répondu Abby.

— Bien. Sa tentative de fuite ne me surprend pas vraiment, même si sauter du premier étage me paraît assez audacieux. C'est une première. Comme je vous l'avais expliqué, Caitlin considère pour l'instant votre maison comme un environnement hostile.

— Et cet endroit ? ai-je demandé en indiquant la salle d'attente.

— Je ne crois pas que Caitlin tente de se sauver.

— Comment le savez-vous ? est intervenue Abby.

— Je ne le sais pas, mais je le pense, a-t-il répondu avec son sourire forcé habituel. Pour l'instant, nous ne pouvons être sûrs de rien." Il a croisé les jambes, posant la cheville sur son genou, et nous a observés d'un air affable. "Je voulais discuter un peu de Caitlin, et vous faire part de mes impressions concernant notre première séance.

— Que vous a-t-elle dit ?

— Rien. Elle n'a pas ouvert la bouche, ce qui n'est pas inhabituel pour quelqu'un qui a vécu ce genre d'expérience.

— Qu'est-ce qu'elle a vécu, justement ? ai-je demandé. On n'en sait absolument rien.

— Pour être franc, les rapports du médecin et de la police nous en apprennent déjà beaucoup. En me basant sur leurs constatations et sur d'autres cas similaires, je dirais qu'elle a subi des violences sexuelles, probablement du fait de la personne qui l'a kidnappée dans le parc, et que ces violences ont été répétées ces quatre dernières années."

Une douleur aiguë m'a de nouveau transpercé la poitrine ; mais cette fois, j'éprouvais la sensation qu'on m'avait perforé les poumons et que l'air s'échappait de mon corps. J'ai fixé le sol tandis que mon esprit cherchait frénétiquement une lueur d'espoir à laquelle se raccrocher.

"Alors vous ne pensez pas qu'elle a fugué ?

— Elle n'a pas le profil d'une fugueuse. Et même si elle était partie de son plein gré, une relation sexuelle entre un homme adulte et une petite fille de douze ans reste un viol."

Comme Abby ne disait rien, je me suis tourné vers elle. Elle affichait un air distrait, lointain.

"Pourquoi est-elle repartie ? a-t-elle demandé tandis que je l'observais. Elle ne se sentait pas en sécurité chez nous, comme vous nous l'aviez dit ?

— On ne sait pas vraiment où elle allait, mais il est possible qu'elle essayait de retrouver la personne avec qui elle vivait. Quant à savoir pourquoi elle souhaitait retourner chez elle, c'est également assez commun dans ce genre de cas. Il y a eu beaucoup de recherches sur ce phénomène, beaucoup d'études. Vous voyez, la victime s'identifie avec l'agresseur, en une sorte de mécanisme de défense. Elle s'attache à lui plus qu'à toute autre chose. Au bout de quatre ans, ces sentiments sont profondément enracinés en elle, bien plus que ceux qu'elle éprouve désormais à votre égard." Rosenbaum s'exprimait d'une voix calme, presque apaisante, et d'une certaine façon cela rendait ses paroles encore plus terribles. "Je ne vais pas vous mentir : le chemin de la guérison est ardu. Certaines des victimes n'acceptent jamais de témoigner contre leur agresseur, parce qu'elles n'estiment pas avoir été victimes d'un crime.

— Bon Dieu…" J'avais toujours l'impression de manquer d'air.

Rosenbaum nous a jaugés du regard, l'air de se demander si nous étions prêts à entendre la suite.

"Il est possible que Caitlin considère cet homme comme son mari. C'est peut-être ce qu'on lui a répété ces quatre dernières années. L'adolescence constitue une étape essentielle dans le développement d'un être humain, et le fait de subir un tel traumatisme à ce stade peut avoir des conséquences psychologiques désastreuses. Je me souviens d'un cas, durant mon internat à Columbus : la jeune femme avait continué à correspondre pendant des années avec l'homme qui l'avait enlevée, même pendant son temps de prison.

— Mon Dieu, a fait Abby.

— Caitlin aura besoin d'années de thérapie, pas seulement de quelques semaines ou quelques mois. Et on ne saura peut-être jamais vraiment ce qui s'est passé durant son absence."

Il a marqué une pause, mais ni Abby ni moi n'avons pris la parole.

"Ce n'est pas seulement traumatisant pour elle, vous savez. Ça l'est pour vous aussi. Comment vous adaptez-vous à la situation, jusque-là ?

— Ça ne fait qu'un jour, ai-je répondu, essayant de m'accrocher au côté positif des choses.

— Et un jour mouvementé, en plus", a renchéri Rosenbaum avec un sourire un peu plus naturel. Pourtant, je sentais que sa question cachait quelque chose.

"Je pense… a commencé Abby d'un air hésitant. Je pense que Tom entretient des attentes peu réalistes concernant Caitlin.

— Oui ?

— Il a envie d'accélérer le mouvement, mais comme vous l'avez dit, tout ça va prendre du temps. Beaucoup de temps.

— Tom ?

— J'ai crié sur Caitlin hier soir.

— Avant qu'elle essaye de s'enfuir ?

— Non, après." Je lui ai expliqué comment j'étais allé chercher le portrait-robot pour le brandir au visage de Caitlin, provoquant ses larmes. "En tant que père, il me semblait que je devais lui poser ces questions.

— Hier, au commissariat, Caitlin a fait promettre à Tom de ne plus jamais lui demander où elle était ni ce qu'elle avait fait pendant ces quatre ans, a dit Abby.

— Très intéressant. Et vous avez accédé à ce souhait ?

— Sur le moment, oui, ai-je répondu, essayant de me justifier, de leur faire comprendre mes raisons. J'étais tellement heureux de l'avoir retrouvée, j'aurais dit n'importe quoi."

Rosenbaum a hoché la tête d'un air avisé. "Je pense qu'il vaut mieux vous en tenir à cette promesse pour l'instant. Dans le cas contraire, vous ne feriez qu'augmenter la distance entre vous.

— Mais vous allez réussir à la faire parler, n'est-ce pas ?

— Je vais essayer. Mais c'est une adolescente, qui a pour l'instant beaucoup de mal à accorder sa confiance. Je ne peux pas forcer les gens à dire ou faire quoi que ce soit. Construire une relation de confiance avec elle sera primordial pour vous deux. C'est la meilleure manière de commencer à réparer les traumatismes de ces quatre dernières années. D'une certaine façon, c'est comme si vous repreniez tout de zéro.

— Ne pensez-vous pas qu'on devrait se concentrer sur les aspects positifs du retour de Caitlin, l'accueillir comme il se doit et la soutenir ? est intervenue Abby.

— Qu'en pensez-vous, Tom ?

— Abby et moi sommes séparés, ai-je répondu en me tournant vers celle-ci. Abby m'a quitté et a déménagé. C'est dur de faire front ensemble tant que je ne sais pas si on est vraiment unis.

— Je suis revenue à la maison pour le bien de Caitlin, a rétorqué Abby en m'adressant un regard furieux, avant de revenir à Rosenbaum. On a déjà parlé de notre séparation à Caitlin. Elle comprend qu'on vit un moment difficile, mais qu'on fait de notre mieux.

— Vous savez, le processus de guérison sera deux fois plus ardu s'il subsiste des sujets de discorde entre vous. Nous devons nous rappeler que nous sommes là pour Caitlin.

— C'est vrai, ai-je répondu. Tout le reste n'a pas vraiment d'importance.

— Abby ?

— Ce ne sera pas un problème pour moi. Je me concentre sur l'aspect positif des choses."

Rosenbaum ne paraissait pas tout à fait convaincu, mais il a gardé ses réflexions pour lui.

"Faisons comme ça, alors. Entre-temps…" Il s'est penché vers son bureau pour attraper un bloc d'ordonnances et un stylo. "Je vais prescrire un anxiolytique à Caitlin. Ça l'aidera à se sentir plus à l'aise à la maison, et peut-être aussi à dormir." Il a gribouillé quelque chose avant de nous tendre le papier, qu'Abby a rangé dans son sac. "Et rappelez-vous, je suis aussi là pour vous aider. Si l'un de vous éprouve des difficultés, qu'il n'hésite pas à me contacter. Je peux également vous adresser à l'un de mes collègues.

— Encore une chose, docteur, ai-je dit. Quand Caitlin est rentrée à la maison hier soir, elle est allée dormir dans son ancienne chambre, et je l'ai entendue parler dans son sommeil. Elle répétait : « Je veux rester », encore et encore. Qu'en pensez-vous ?

— Vous vous demandez à qui elle parlait ?"

J'ai acquiescé.

"Je regrette, mais l'expérience me dit qu'elle ne s'adressait pas à vous."

Rosenbaum nous a demandé si nous avions d'autres questions. Comme rien ne me venait à l'esprit, je l'ai laissé nous raccompagner à la porte.

# 28

Sur le chemin du retour, nous nous sommes arrêtés dans un grand magasin pour acheter des vêtements à Caitlin. Abby nous a emmenés au rayon jeunes filles, où elle a choisi plusieurs jeans, des tee-shirts et des sweat-shirts ainsi que des sous-vêtements et des chaussettes. Puis elles ont disparu dans une cabine d'essayage tandis que j'attendais à l'extérieur en compagnie de vieilles femmes aux sacs à main surdimensionnés qui farfouillaient dans les articles en solde.

Comment ma vie avait-elle pu tourner ainsi ?

Avais-je réellement perdu ma fille ?

Abby et Caitlin ont émergé des cabines avec une pile de vêtements qu'Abby a payés avec notre carte de crédit. Je n'ai pas regardé le prix. Nous sommes ensuite passés au rayon chaussures, où nous avons acheté deux paires pour Caitlin. J'observais ma fille, espérant glaner un aperçu de l'enfant que j'avais connue : un signe de plaisir ou de satisfaction, ou même de faiblesse. Mais il n'y avait rien – du moins, je ne le voyais pas. Je me suis rappelé la fois où je l'avais emmenée acheter sa première paire de chaussures à crampons. Son excitation quand on commandait un Happy Meal chez McDonald's. Ses cris de joie et son énergie. Il ne restait plus rien de tout ça en elle. Plus de vie, plus de gaieté.

Une fois de retour dans la voiture, Abby a essayé de faire la conversation.

"On a tout un tas de nourriture à la maison. Les voisins nous en ont apporté plein."

Il y a eu un long silence. Abby se retournait vers la route lorsque Caitlin a répondu :

"Comme quand quelqu'un meurt."

Depuis la banquette arrière, sa voix paraissait lointaine et fluette. J'ai jeté un œil dans le rétroviseur, mais elle regardait toujours par la fenêtre.

"Les gens apportent aussi de la nourriture pour les occasions joyeuses. Pour une naissance, par exemple", a dit Abby.

Dès que j'ai pu, j'ai jeté un nouveau coup d'œil au rétroviseur. Caitlin n'avait pas tourné la tête.

"C'est un peu comme si tu venais de renaître, en fait, a repris Abby. Tu ne trouves pas ?

— Ou comme le fils prodigue, hein ? Tu m'en parlais avant.

— Mais oui, s'est exclamée Abby, dont le visage s'est éclairé. Je te racontais cette histoire quand tu étais petite, tu te rappelles ?"

Caitlin n'a pas réagi, mais ça n'a pas découragé Abby.

"Est-ce que tu as été à l'école ? Ou à l'église ?"

Mes yeux allaient et venaient entre la route et le rétroviseur.

"Non. Et ça ne m'a pas manqué.

— Eh bien, on pourra s'occuper de ça un de ces jours", a répondu Abby sans parvenir tout à fait à conserver son ton guilleret. Elle s'est retournée vers la route et j'ai fait de même.

Une fois arrivés chez nous, j'ai demandé à Abby de me laisser un moment dans la voiture avec Caitlin.

"D'accord", a-t-elle répondu, mais elle n'est pas descendue tout de suite.

Elle nous a regardés l'un après l'autre d'un air pensif. Puis elle est sortie chercher les sacs dans le coffre et les a emportés à la maison, me laissant seul avec ma fille.

"Caitlin ? ai-je appelé, mais elle n'a pas bougé. Tu m'entends ?" Silence. "Bon, on va dire que oui." Prenant une inspiration, je me suis lancé. "Je suis désolé de t'avoir fait pleurer hier soir, quand je t'ai montré le portrait et que je t'ai posé toutes ces questions. Je veux juste m'assurer que tu vas bien, et si quelqu'un t'a fait du mal, je veux savoir… ou plutôt, je veux que tu saches que cette personne sera punie et devra répondre de ses actes. On t'a appris ça quand tu étais petite, et ça n'a pas changé. Les gens sont responsables de ce qu'ils font, et doivent en subir les conséquences." Ma position inconfortable commençait à me donner un torticolis. "Est-ce que tu m'entends ? Tu comprends ce que je te dis ?" J'avais commencé à élever la voix, mais j'ai repris mon calme. "Alors ?

— Ça veut dire que tu vas arrêter de me poser ces questions à la con ?" a-t-elle demandé d'une voix basse mais ferme.

J'ai respiré profondément.

"Oui, c'est promis."

Caitlin est sortie de la voiture, claquant la portière derrière elle.

## 29

Au moment où je passais la porte de la cuisine, j'ai entendu Abby pousser un petit cri. Je me suis précipité dans la maison, pour découvrir Abby et Caitlin sur le seuil de la salle à manger – et Buster assis à la table, une tasse de café fumante devant lui.

"Comment es-tu entré ?

— À votre place, je cacherais la clé ailleurs. J'aurais cru qu'une famille qui... Enfin, vous devriez être plus prudents. Mais bref, je voulais venir quand Caitlin était réveillée", a-t-il conclu en se levant de sa chaise.

Caitlin se tenait tout près de sa mère, l'air mal assuré. Abby a posé un bras sur ses épaules, mais ce geste protecteur n'a pas découragé Buster qui a écarté les bras en demandant :

"Tu te rappelles de moi, hein ?"

Et Caitlin a fait oui de la tête, comme prise de spasmes. "Buster !" s'est-elle exclamée en se précipitant à sa rencontre. Il l'a accueillie dans ses bras, et j'ai remarqué l'émotion réelle sur son visage tandis qu'il serrait ma fille contre lui. Puis il l'a relâchée et s'est reculé d'un pas pour contempler Caitlin.

"Merde alors, regarde-moi ça... Qu'est-ce que t'as grandi !"

Abby a eu un mouvement de recul en l'entendant jurer, mais Buster ne s'en est pas rendu compte.

"J'ai vraiment cru que j'allais jamais te revoir. J'ai l'impression que mon rêve est devenu réalité. C'est comme si on t'avait ressuscitée."

Les joues de Caitlin ont rosi, mais elle a gardé le silence.

"Il va falloir que tu me racontes tout en détail : où tu étais, ce que tu as fait... toutes tes aventures.

— Peut-être que Caitlin devrait aller se changer d'abord, a suggéré Abby. On vient de lui acheter des vêtements neufs.

— Ah oui ? a dit Buster, qui a examiné Caitlin de la tête aux pieds. C'est vrai, on dirait que tu portes les habits de ta mère… C'est pas vivable, pour une fille de seize ans ! Bon, d'accord, on discutera après", a-t-il concédé en la lâchant.

Avant de quitter la pièce avec Caitlin, Abby s'est tournée vers moi. "Profites-en donc pour mettre William au courant des événements."

Buster s'est remis à siroter son café.

"À quoi tu joues ? lui ai-je demandé.

— Comment ça ?

— À t'entendre, on aurait dit qu'elle revenait d'une croisière. Elle s'est enfuie hier soir, après ta visite. Mais peut-être que tu le savais déjà ?

— De quoi tu parles ? Qu'est-ce qui s'est passé ?

— Tu n'es pas au courant ?

— Nom de Dieu, Tom… Est-ce que pour une fois, pour cinq putains de minutes, tu pourrais oublier tes conneries, et celles d'Abby ? C'est possible ?

— Qu'est-ce que tu fais là ? ai-je répliqué.

— Je suis venu voir ma nièce. Je fais partie de la famille, tu te rappelles ? Je sais qu'il y a des fois où tu préférerais l'oublier, mais c'est comme ça, que tu le veuilles ou non."

Sans m'en rendre compte, j'avais agrippé son épaule. Je l'ai lâché.

"Ne lui pose plus de questions, d'accord ?

— D'accord, d'accord…" Il fixait sa tasse de café. "Elle a changé.

— Elle a grandi.

— Et maigri, aussi. Elle a l'air épuisée. On dirait qu'elle en a bavé. Et cette horrible coupe de cheveux, ça fait vraiment hommasse… Qu'est-ce qu'ils disent, à la police ?"

Je suis allé m'asseoir en face de lui.

"Je ne sais pas. On attend, pour changer.

— On saura jamais ce qui lui est arrivé. Les flics n'arriveront jamais à rien.

— Pourquoi ça ? ai-je demandé en l'observant avec attention.

— Ils pensent qu'elle a fugué ?

— Peut-être.

— Ou alors ils pensent que c'est moi le coupable, hein ? Ils continuent de tourner en rond.

— On a retrouvé Caitlin. C'est ça le plus important."

Mes paroles sonnaient creux, comme tirées d'un mauvais scénario.

J'ai entendu Caitlin et Abby descendre l'escalier puis gagner la cuisine. Avant qu'elles n'entrent dans la salle à manger, Buster s'est tourné vers moi.

"Continue donc à te dire ça, Tom. Continue."


Sachant que ça ennuierait Abby, j'ai proposé à Buster de rester manger avec nous. Nous nous sommes installés tous les quatre devant un plat de jambon, de pommes de terre gratinées et de haricots verts préparé par un coreligionnaire d'Abby. Entre l'église et les voisins, on avait assez de nourriture pour tenir plusieurs semaines. Nous nous apprêtions tous à manger, même Caitlin, quand Abby a baissé la tête et fermé les yeux. Elle a tendu la main vers Caitlin, qui, à ma grande satisfaction, n'a manifesté aucune intention de répondre à son geste. Elle a préféré attraper sa fourchette pour attaquer son plat tandis qu'Abby murmurait une prière, les paupières serrées à s'en faire mal. Quand elle a rouvert les yeux et constaté que Caitlin mangeait déjà, elle a pincé les lèvres sans rien dire.

L'attitude de Caitlin me dérangeait aussi, mais pour une autre raison. Elle mangeait à toute vitesse, enfournant la nourriture dans sa bouche comme un automate, sans prendre le temps de respirer ni de s'essuyer avec une serviette. Elle mâchait la bouche grande ouverte, exposant son contenu à la vue de tous, et produisait des bruits de mastication qui auraient fait honte à Frosty. Quand Caitlin était petite, Abby et moi lui avions mené la vie dure pour qu'elle apprenne à bien se tenir à table ; mais visiblement, tout était à recommencer. On aurait cru qu'elle avait passé ces quatre dernières années dans un zoo. Je n'avais pas besoin de regarder Abby pour savoir qu'elle pensait exactement la même chose que moi : tous ces efforts pour rien…

Finalement, c'est Buster qui est intervenu.

"Ralentis un peu, jeune fille… Tu manges comme si l'armée irakienne allait débarquer d'une minute à l'autre."

Caitlin ne lui a prêté aucune attention.

Elle avait meilleure allure dans ses nouveaux vêtements – un tee-shirt à manches longues, un jean et des baskets neuves. Elle n'a pas prononcé un mot de tout le repas, indifférente à nos échanges insipides, et quand son assiette a été vide, elle a posé sa fourchette et lâché un rot sonore. Puis elle s'est mise à tripoter son collier, une chaîne en or toute simple ornée d'une petite pierre ambrée – une topaze, peut-être ? – qu'elle tenait entre le pouce et l'index et promenait sur la chaîne.

"Joli collier", a commenté Abby, la mâchoire très légèrement crispée.

Caitlin a acquiescé.

Elle faisait toujours glisser la pierre le long de la chaîne, un tic nerveux. J'aurais voulu savoir pourquoi elle la triturait de cette manière, et à qui elle pensait à cet instant.

"C'est ta pierre de naissance", a relevé Abby. Elle continuait à manger, mais à voir sa grimace, on aurait dit qu'elle mâchait du verre pilé. "Très joli, très joli."


L'inspecteur Ryan a téléphoné au moment où nous finissions notre repas pour nous prévenir qu'il arrivait. J'ai transmis la nouvelle aux autres après avoir raccroché. Buster s'est versé une autre tasse de café, mais il s'agitait sur sa chaise et vérifiait régulièrement l'heure sur son téléphone portable. Finalement, il s'est levé et nous a annoncé qu'il devait y aller.

"Vraiment ? Tu ne veux pas entendre ce qu'il a à nous dire ? ai-je demandé.

— Je n'ai aucune envie de me faire harceler par les flics, et puis il faut que je reprenne la route.

— Je comprends", a dit Abby.

Buster s'est penché vers Caitlin pour la serrer dans ses bras. "On se parle bientôt."

Elle a hoché la tête, un semblant de sourire aux lèvres.

"Je suis content que tu sois revenue", a repris Buster.

Je l'ai accompagné jusqu'à la porte.

"On l'a emmenée voir un psychiatre aujourd'hui, et elle n'a pas lâché un mot, lui ai-je confié.

— Un psy, sérieusement ? Franchement, Tom, c'est encore pire que ce timbré de pasteur. Qu'est-ce qu'il va faire ?

— Il peut nous expliquer ce qui ne va pas, ou bien encourager Caitlin à raconter ce qui s'est passé.

— Vous avez besoin d'un psy pour ça ?"

La sonnette a retenti.

"Merde, a juré Buster. Il vaudrait mieux que je file par-derrière.

— Oui, ça ne ferait pas louche du tout."

J'ai ouvert la porte à Ryan. Après un instant de surprise, l'inspecteur a tendu la main à Buster, qui l'a serrée. Mon frère s'est raidi, redressant le menton et les épaules.

"Vous habitez ici, William ? À New Cambridge ?

— Non, à Columbus.

— Ah, bien. En fait, ça m'arrange que vous soyez là. Je voudrais parler à Tom et Abby, et si vous pouviez…

— Pas de problème. Je vais regarder la télé avec Caitlin pendant que les adultes discutent.

— Tu ne devais pas partir ? ai-je demandé, essayant d'accélérer les choses.

— Ça va. Je ferai bien attention à n'utiliser que des phrases affirmatives.

— Je vais chercher Abby, ai-je dit à Ryan. On n'a qu'à s'installer sur la terrasse."


Il faisait chaud en cette fin d'après-midi, plus chaud qu'il n'aurait dû, et une brise légère remuait les arbres. On se sentait bien, assis dehors, comme si la situation était tout à fait normale.

"Caitlin va mieux ? s'est enquis Ryan.

— On lui a acheté de nouveaux vêtements aujourd'hui, a répondu Abby. On s'adapte.

— Qu'est-ce que vous avez pensé du Dr Rosenbaum ?

— Ça s'est bien…

— Pourquoi êtes-vous là ? ai-je coupé. Vous avez arrêté quelqu'un ?

— Non, personne. Comment s'est passée la séance avec Rosenbaum ?

— On a appris que notre fille n'aimait pas parler aux psys, et qu'elle est moins heureuse avec nous que quand elle avait disparu.

— Tom…

— Il nous a dit beaucoup de choses, des choses qu'aucun parent n'a envie d'entendre. Qu'est-ce que vous avez appris, de votre côté ? Il doit bien y avoir du nouveau."

Ryan a sorti un petit carnet à spirale de sa poche, et mouillé son index pour le feuilleter.

"Le retour de Caitlin a pour avantage de remettre son histoire sur le devant de la scène, encore plus qu'après la diffusion du portrait-robot." L'inspecteur s'est de nouveau mouillé le doigt puis a tourné encore quelques pages avant de s'arrêter. "Au cours des dernières vingt-quatre heures, nous avons reçu beaucoup d'appels au sujet de Caitlin. On commence seulement à en venir à bout, mais ça nous donne déjà une bonne idée du tableau.

— Quel tableau ? a fait Abby.

— Un certain nombre de personnes affirment avoir vu Caitlin ces quatre dernières années.

— Vous voulez dire qu'ils croient l'avoir vue ? ai-je demandé.

— Non, ils l'ont vraiment vue. Pas tous, bien sûr : certains affabulent complètement, mais les autres témoignages se recoupent suffisamment pour nous paraître crédibles." Ryan a de nouveau examiné ses notes. J'ai senti sa réticence à nous faire part de la suite. "Ces gens ont vu Caitlin en public avec l'homme du portrait. Leurs témoignages se rapprochent de celui que vous a donné la jeune femme du *Fantasy Club* : Caitlin et le suspect ont été aperçus dans des lieux reculés, des clubs de strip-tease ou des *diners*, toujours dans un environnement rural. Jamais à New Cambridge. Jamais au centre-ville ni près du campus."

J'ai senti mes intestins se tordre lentement, comme si j'allais devoir courir aux toilettes d'une minute à l'autre.

"Je ne comprends pas, a déclaré Abby. Si Caitlin a été vue avec cet homme, qu'est-ce que ça veut dire? Elle a bien dû essayer de s'enfuir ou appeler à l'aide.

— Non, jamais. Ou en tout cas pas d'après nos témoins."

Je me suis replié sur ma chaise, espérant atténuer la douleur. J'étais incapable de prononcer un mot.

"Mais comment est-ce possible ? a repris Abby. Un étranger l'enlève, et elle n'essaye pas de s'enfuir ? Il a dû la menacer avec une arme, non ? Tom ? Qu'est-ce que tu fais ? Ça ne va pas ? Tu entends ce qu'on dit ?

— On ne sait pas encore s'il possédait une arme, a répondu Ryan. On est en train d'enquêter là-dessus. Mais dans ce genre de situation, il n'est pas inhabituel que la victime soit trop effrayée pour s'enfuir.

— Il y a bien ce bleu sur son ventre, a rappelé Abby.

— On ignore d'où il vient, mais il n'est pas impossible en effet que la personne qui a kidnappé Caitlin l'ait maltraitée.

— Pourquoi est-ce que vous nous racontez tout ça ? ai-je demandé, me redressant sur ma chaise.

— Je m'efforce juste de vous tenir au courant. Ces nouvelles données vont changer notre approche de l'enquête. Quand Caitlin a disparu, c'était une enfant, et elle le reste encore aux yeux de la loi. Nous allons bien sûr garder ça en tête, mais les informations que nous avons recueillies peuvent laisser entendre qu'elle entretenait avec son ravisseur une relation plus compliquée que nous ne le pensions.

— Je préfère qu'on ne parle pas de « relation », a rétorqué Abby.

— Désolé, ce n'était pas le bon mot. Mais il se peut très bien que Caitlin considère ça comme une relation amoureuse.

— Qui est cet homme, Ryan ? ai-je demandé. S'il s'est montré en public, il a forcément laissé des traces derrière lui. Des tickets de carte bancaire, des signatures. Il doit avoir parlé à des gens, indiqué son nom, ou autre chose.

— Nous allons faire tout ce qui est en notre pouvoir."

Ses paroles me faisaient l'effet de syllabes dénuées de sens, de marmonnements incompréhensibles qui ne m'atteignaient pas. J'ai senti que je me déconnectais peu à peu, que je me détachais de cette conversation qui aurait pourtant dû m'intéresser au plus haut point. Quand Abby a repris la parole, sa voix semblait venir de très loin, comme si elle parlait à travers un long tube.

"Est-ce que vous allez interroger Caitlin à ce sujet ?

— C'est aussi pour ça que je suis venu. Je voudrais voir si elle accepte de me parler. Nous l'avons ménagée hier, mais le plus tôt on obtiendra des réponses, le mieux ce sera pour l'enquête. J'espérais… J'espérais que vous m'autoriseriez à me montrer un peu plus agressif. Je voudrais la brusquer un peu et voir si ça nous mène à quelque chose. On saura assez vite si cette approche fonctionne ou pas."

Abby m'a regardé d'un air incertain. J'ai eu le sentiment qu'elle voulait que je refuse, que je dise à Ryan qu'il ne pouvait pas parler à Caitlin, que c'était trop tôt, qu'on avait besoin de temps. Mais je ne l'ai pas fait. Mon mal de ventre se réveillait, et l'idée que quelqu'un essaye de m'apporter des réponses me plaisait assez.

"Allez-y, ai-je déclaré. Allez lui parler."

## 30

Buster et Caitlin étaient assis sur le canapé du salon, devant une émission de télé. Le volume était monté à fond, et Buster se penchait vers Caitlin pour lui parler à l'oreille. Il s'est redressé quand nous sommes entrés dans la pièce.

"Qu'est-ce qui se passe ? ai-je demandé.

— Rien. Un petit moment de détente entre oncle et nièce.

— Qu'est-ce que tu lui disais ?

— Je lui racontais juste une blague idiote, Tom. Du calme.

— Caitlin, l'inspecteur Ryan voudrait te poser quelques questions."

Je percevais la présence écrasante de Ryan derrière moi, qui me dominait de toute sa hauteur.

Caitlin continuait de fixer la télévision.

"Ce n'est peut-être pas le meilleur moment, Sherlock. Elle a encore besoin de quelques jours d'adaptation", a déclaré Buster.

Le coin gauche de la bouche de Ryan s'est soulevé en un demi-sourire dénué d'humour. "Peut-être pourriez-vous nous laisser seuls un instant, William. Mais ne partez pas tout de suite. J'ai quelques questions à vous poser aussi."

Buster lui a adressé un rictus affecté, puis a pressé doucement le bras de Caitlin. "Je serai dans les parages si tu as besoin de moi, a-t-il dit à voix haute. Te laisse pas faire, surtout."

Ryan est allé s'asseoir à l'autre bout du canapé. Il a saisi la télécommande pour éteindre la télévision.

Abby s'est faufilée dans le salon au moment où Buster sortait sur la terrasse. Elle a refermé la double porte, coupant la pièce des bruits extérieurs.

"Est-ce qu'on peut rester avec elle ?

— Bien sûr. On va juste discuter gentiment tous les deux."

Ryan s'est installé plus confortablement sur le canapé, se calant contre les coussins à la manière d'un ours prêt à hiberner. Il lui a fallu de longues secondes pour trouver la position parfaite, après quoi il a poussé un grand soupir.

"Alors, Caitlin. Est-ce que tu as envie de me parler ? Tu te sens prête à me dire où tu étais ?"

Caitlin s'est raidie et a jeté un regard en coin à l'inspecteur, mais n'a pas répondu.

"Je sais que c'est difficile pour toi, mais il va bien falloir qu'on aille au fond de cette affaire, et le plus tôt sera le mieux. Un crime a été commis, et c'est mon travail de retrouver le coupable. Tu veux bien m'aider ?"

Enfonçant la main dans sa poche, Ryan en a sorti une feuille blanche qu'il a dépliée avant de la tendre à Caitlin.

"Est-ce que tu connais cet homme ? Tu sais qui c'est ?"

Pas de réponse.

"Tu sais comment il s'appelle, n'est-ce pas ? C'est lui qui t'a enlevée quand tu étais petite.

— Peut-être…" a commencé Abby.

Ryan l'a interrompue d'un geste, sans se retourner.

"Caitlin, est-ce que cet homme t'a fait du mal ? Tu vois le genre de mal dont je veux parler ?"

Abby a émis un hoquet, mais pour la première fois, Caitlin a regardé Ryan en face. Elle s'est adressée à lui en serrant les dents.

"Vous croyez tout savoir, mais c'est faux. Vous ne savez rien.

— Alors j'aimerais que tu m'expliques, a-t-il répondu d'une voix plus douce. Je voudrais que tu me dises ce que j'ai besoin de savoir pour retrouver cet homme et le faire condamner."

Le regard de Caitlin a vacillé un instant, et elle s'est passé la langue sur les lèvres.

"Est-ce que cet homme t'a menacée ? Est-ce qu'il a dit qu'il te ferait du mal si tu parlais à la police ? Est-ce qu'il a menacé ta famille ? Tes parents ? Tu n'as plus à t'inquiéter, maintenant. Tu es en sécurité ici, et tes parents aussi. On peut vous protéger.

— Il a raison, Caitlin. Écoute-le", ai-je dit.

Ryan s'est tu pour lui laisser le temps de méditer ses paroles. Il espérait sûrement que cette approche paternelle et protectrice allait la faire céder, mais, voyant que ça ne fonctionnait pas, il a continué :

"Tu sais, des gens t'ont vue avec cet homme. Ils vous ont croisés dans des lieux publics, où vous vous comportiez comme un couple. Voyons voir… tu as été au *Fantasy Club*, *Chez Pat* à Leesburg, au *Country Inn* à Russellville. Quand ces gens t'ont vue, tu ne portais pas de menottes, tu n'étais pas attachée, ni entravée. Certaines personnes t'ont même vue aller aux toilettes, ce qui signifie que tu aurais pu t'enfuir si tu l'avais voulu. Pourquoi ne l'as-tu pas fait, Caitlin ? Est-ce que tu avais peur ? Il t'a dit qu'il te ferait du mal si tu te sauvais ?"

Le mal de ventre que j'avais ressenti sur la terrasse m'a gagné de nouveau, plus violemment encore. Je me suis accroupi, dos appuyé au mur. Abby gardait les yeux fixés sur l'écran noir de la télévision, et sa main droite agrippait le devant de son chemisier.

Ryan s'est reculé un peu, puis a replié la feuille de papier et l'a rangée dans sa poche.

"Je crois que je sais ce qui se passe. Je pense que tu voulais retourner chez cet homme hier soir. C'est pour ça que tu t'es enfuie par la fenêtre. Est-ce que tu es amoureuse de lui, Caitlin ? Tu penses que tu l'aimes ?

— Oui, je l'aime. Et lui aussi. Il m'aime encore, j'en suis sûre."

Je me suis relevé, la bouche sèche, pris de panique. "Qui ça, Caitlin ? Qui est l'homme qui t'a dit ces choses ?"

Ryan a tendu le doigt pour me faire taire. Caitlin s'est détournée de lui, croisant les bras sur sa poitrine. Elle paraissait soudain bien plus jeune que son âge, une petite fille en train de piquer une colère ; pour compléter le tableau, quelques larmes ont coulé sur ses joues. Ce n'étaient pas les grandes eaux de la nuit dernière, mais cela suffisait à clore la conversation.

Ryan s'est relevé du canapé, et les ressorts ont gémi de soulagement.

"Très bien, Caitlin. Je vais m'arrêter là, mais j'espère qu'on en reparlera. Et je ne manquerai pas de rapporter notre conversation au Dr Rosenbaum. Tu préférerais peut-être t'adresser à lui, d'ailleurs. Qu'en penses-tu ? Est-ce que tu préférerais parler au Dr Rosenbaum ?"

Caitlin n'a pas répondu.

"D'accord, j'ai compris. En tout cas, je suis content que tu sois de retour chez tes parents et que tout aille bien."

En quittant la pièce, Ryan a posé la main sur mon bras et nous a fait signe de le suivre. Avant de m'exécuter, je me suis retourné vers Caitlin. Elle était toujours assise dans la même position, bras croisés, mâchoire serrée, l'air buté et résolu. Je me suis demandé quels secrets elle cachait, mais aussi ce qu'il nous faudrait accomplir pour les lui arracher. Alors que je m'apprêtais à partir, Caitlin a saisi son collier de topaze et l'a frotté entre ses doigts comme un talisman.

Nous nous sommes réunis dans la cuisine, *a priori* assez loin de Caitlin, même si je soupçonnais Ryan de faire en sorte qu'elle entende notre conversation.

"Gardez un œil sur elle cette nuit. Elle essayera peut-être encore de se sauver.

— Seigneur, a fait Abby. Toutes ces choses que vous lui avez dites… Pourquoi…

— Je suis désolé si ça vous a paru trop brutal, mais elle a des défenses solides, et une volonté de fer. Il fallait que j'essaye de passer en force. Une fois qu'on aura obtenu les réponses à ces questions, on pourra attraper le coupable. En attendant, il est dans la nature, et je dirais même dans les parages.

— Dans les parages ? a répété Abby.

— En ville. Ou du moins il l'était. Où est passé votre frère ?

— Je crois qu'il est dehors.

— Je lui parlerai en sortant.

— Pourquoi voulez-vous lui parler ? a demandé Abby. Honnêtement, vu son comportement dans le passé, je me disais que vous pourriez… l'examiner plus sérieusement.

— C'est la procédure habituelle. Surtout, gardez bien Caitlin à l'œil ce soir. Elle est encore très attachée à cet homme." Avec une petite tape sur l'épaule d'Abby, l'inspecteur a ajouté : "Soyez forts. On y est presque."

Abby et moi l'avons raccompagné jusqu'à la porte, en passant par la pièce où Caitlin était assise. Elle avait rallumé la télé. À travers la baie vitrée, j'ai vu Buster qui fumait une cigarette, assis sur la terrasse. Je croyais qu'il avait arrêté, et pourtant de longs filets de fumée partaient de sa bouche et de ses narines pour aller se disperser dans le vent.

"Je vais juste dire quelques mots à William et je m'en vais", a déclaré Ryan.


"Tom ?"

J'ai suivi le regard d'Abby. Elle fixait l'endroit où Ryan se tenait avec Buster. L'inspecteur affichait le même sourire sans joie que précédemment, tandis que mon frère secouait la tête.

"Tom ?" a-t-elle répété.

Je me suis tourné vers elle. D'un signe de tête, elle m'a désigné la cuisine, et je l'ai suivie. Nous nous sommes appuyés chacun d'un côté du comptoir.

"C'est vrai, n'est-ce pas ? Toutes ces choses que Ryan lui a dites… C'est vrai. Elle vivait avec un homme, et elle… enfin, elle vivait avec lui.

— Il l'a kidnappée.

— Tu en es sûr ? Et si elle avait fugué ? Et si elle ne voulait plus nous voir ? Elle a peut-être trouvé quelqu'un qui lui plaisait plus. Quelqu'un de mieux.

— Arrête.

— C'est possible, Tom. Admets-le. Tous les enfants veulent se débarrasser de leurs parents, non ? Même Caitlin…"

Je suis retourné me poster devant la fenêtre du salon. Buster affichait un large sourire narquois et, l'espace d'un instant, il m'a paru aussi immature et boudeur que Caitlin lors de l'interrogatoire de Ryan. Il a jeté son mégot de cigarette dans le jardin, son rictus figé aux lèvres.

## 31

Je me suis tourné vers Caitlin. L'après-midi touchait à sa fin, il commençait à faire noir. Je suis allé m'installer en face d'elle et n'ai pas attendu qu'elle détourne les yeux de l'écran pour prendre la parole, sachant très bien qu'elle ne le ferait pas.

"L'inspecteur a été un peu dur avec toi, mais il essayait seulement de faire son travail."

Silence.

"Il t'a laissé un mot.

— Rien à foutre.

— Je ne parle pas de Ryan."

Elle m'a adressé un regard scrutateur, puis son visage a changé d'expression lorsqu'elle a compris.

"Il l'a laissé au cimetière avec un bouquet de fleurs. Ryan l'a emporté, mais je suis sûr qu'il te le montrera tôt ou tard. Je crois que la police cherche des empreintes." J'ai observé un instant de silence le temps que mes paroles fassent leur effet. "Il te demande de ne pas revenir.

— Pourquoi laisser un mot au cimetière ?

— Peut-être parce que c'est là-bas qu'il t'a kidnappée."

Elle a commencé à se retourner vers la télé ; mais elle réfléchissait toujours, et son regard est revenu sur moi.

"Est-ce qu'il y avait mon nom dessus ? Sur le mot. Il y avait mon nom ?

— Non, ai-je répondu, ne voyant pas où elle voulait en venir.

— Alors comment tu sais qu'il était pour moi ?

— Il l'a laissé à un endroit spécial. Un endroit rien que pour toi."

Caitlin n'avait jamais été stupide. Même dans son enfance, elle avait toujours un temps d'avance sur nous.

"Un endroit rien que pour moi, dans un cimetière ?"

Je n'ai rien dit, mais Caitlin a écarquillé les yeux.

"Non… salauds !"

J'étais pris au piège.

"Ça faisait très longtemps que tu avais disparu, Caitlin. Pour nous, c'était une manière d'honorer ton existence."

Elle secouait la tête.

"Vous m'avez enterrée.

— Non."

Elle me fixait d'un air incrédule, bouche entrouverte.

"Il avait raison.

— Qui ?" ai-je demandé, alors que je le savais parfaitement. *L'homme.*

"Il disait que vous alliez m'oublier, que vous passeriez à autre chose.

— Il t'a menti. On ne t'a jamais oubliée, jamais.

— Conneries.

— Ce n'est qu'une stèle, Caitlin. Une sorte de mémorial, un hommage."

Elle s'est retournée vers la télévision, la mâchoire serrée comme un étau.

"Je te montrerai le mot dès que possible. Il ne veut plus de toi. Il faut que tu arrêtes de le protéger.

— Tu ne sauras jamais ce qui s'est passé. Jamais.

— Oh si, ai-je déclaré en la pointant du doigt pour appuyer mon propos. Je te le promets."

Elle a secoué la tête en répétant : "Jamais. Jamais."


J'ai jeté un œil dehors. Buster faisait les cent pas sur la terrasse, une nouvelle cigarette à la bouche. Comme Ryan semblait avoir quitté les lieux, je suis allé le rejoindre.

"Pourquoi voulait-il te parler ?

— Parce que ça l'amuse de me harceler, sûrement, a-t-il répliqué en continuant ses allées et venues.

— Qu'est-ce qu'il t'a demandé ?"

Buster s'est immobilisé, puis s'est tourné dans ma direction, plissant les yeux lorsque la fumée de sa cigarette lui est revenue au visage.

"Il m'a montré le portrait-robot de ce type pour savoir si je le connaissais. Et puis il m'a demandé si quelqu'un pouvait l'avoir croisé parmi mes « fréquentations ». Mes fréquentations… Tu te rends compte ?

— Qu'est-ce que tu as répondu ?"

Il a enlevé la cigarette de sa bouche, les yeux toujours plissés. "À ton avis ? Je lui ai dit que je ne connaissais pas ce type. Je lui ai dit exactement la même chose qu'il y a quatre ans. C'est toi qui lui as demandé de m'interroger ?

— J'ai besoin de réponses."

Buster a détourné les yeux et s'est éloigné de quelques pas, me tournant le dos. J'ai constaté avec surprise que ses cheveux se clairsemaient : on apercevait la peau pâle au sommet de son crâne. Pourtant, il était plus jeune que moi – bien plus jeune, comme je me le disais chaque fois. Il a tiré une dernière bouffée avant de lâcher sa cigarette et de l'écraser sous sa semelle.

"Et tu serais prêt à interroger ton propre frère ?

— Je ne sais pas, ai-je dit, me mettant à arpenter la terrasse à mon tour.

— Tu es tellement plein de rancœur, Tom… Envers moi, envers notre famille. On était proches, quand on était gamins. On s'entraidait. En tout cas, je m'occupais de toi. Je l'ai toujours fait.

— Je sais. Mais si tu avais entendu les choses que Ryan a dites tout à l'heure…

— Quel genre de choses ?"

Je me suis assis sur la chaise que j'avais occupée pendant la conversation avec Ryan, tandis que Buster prenait celle de l'inspecteur. Il s'est penché vers moi, attendant avec impatience que je continue. Je ne savais pas bien par où commencer.

"Ryan est venu nous dire que des témoins avaient vu Caitlin en public avec cet homme.

— Tu déconnes…"

J'ai secoué la tête. "Dans des restaurants, des clubs de strip-tease. Ils auraient même pu aller à l'église ensemble, pour ce qu'on en sait. Elle se trouvait avec cet homme, en public, et elle aurait pu s'enfuir – plusieurs fois – mais elle ne l'a pas fait. Elle est restée avec lui. Je ne sais pas ce que je dois en penser."

Buster s'est calé sur sa chaise et a joint les mains, l'air de méditer mon récit ; mais j'ai remarqué qu'il serrait les doigts si fort que ses articulations blanchissaient.

"Je suis désolé, a-t-il dit. C'est horrible.

— On l'a emmenée à l'hôpital pour une série d'examens, histoire de s'assurer que tout allait bien.

— Normal.

— Ils ont fait un examen gynécologique, ai-je expliqué, avant d'ajouter d'un ton découragé : Elle n'est plus vierge."

Buster a saisi les accoudoirs de son siège. On aurait dit qu'on venait de le gifler.

"Il l'a violée, a-t-il grondé d'une voix rauque. Ce sale porc… j'aurais dû m'en douter."

J'ai haussé les épaules, manifestant à la fois mon désespoir et mon découragement.

"Qu'est-ce qu'on va faire ? a demandé Buster.

— Il faut que je rentre.

— Tu n'as pas répondu à ma question. Qu'est-ce qu'on va faire ?"

Je n'arrivais pas à le regarder. "J'ai besoin de temps pour réfléchir.

— Évidemment, a fait Buster en se levant. Monsieur l'intellectuel va observer la situation sous tous les angles. Il faut bien se concentrer. On a tout notre temps, hein ?

— Qu'est-ce que tu veux faire, tabasser ce type ? Le retrouver et le tuer ?

— Ce serait un bon début."

Il n'avait pas l'air de plaisanter.

"Je croyais que tu ne le connaissais pas.

— Exactement, professeur. À toi de le trouver. Tu as le portrait-robot, et tu as tes deux jambes. Tu ne peux pas faire pire que les flics, de toute façon.

— Est-ce que Caitlin t'a dit quelque chose quand vous étiez seuls ? ai-je demandé en désignant la maison.

— Pas vraiment. On a parlé de télé. Elle m'a dit qu'elle avait regardé les dernières saisons d'*American Idol.* C'est son émission préférée.

— Donc elle avait la télé, là où elle était.

— Apparemment, a fait Buster, qui semblait réfléchir à autre chose. Dis…

— Quoi ?

— Est-ce qu'elle est… est-ce qu'elle a fait un test de grossesse à l'hôpital ?

— Oui. Sur le moment, j'ai trouvé ça ridicule."

Il a acquiescé. "Alors il n'y a pas de problème, hein ? Je veux dire, le sujet est clos ?

— Pour ça au moins, on n'a pas à s'inquiéter."

Je me suis levé, et Buster m'a ouvert la porte.

"Si ça ne te dérange pas, je pense qu'on a besoin de rester un peu seuls. Abby est toute retournée… et Caitlin…"

Buster m'a adressé le même rictus qu'il avait opposé à Ryan.

"Je voulais seulement t'ouvrir la porte, chef. Je me suis dit que tu avais besoin d'un coup de main."

Il a tenu le battant pendant que j'entrais, puis l'a claqué derrière moi.

# 32

Je ne savais pas ce qui m'avait réveillé.

Plusieurs jours avaient passé depuis la visite de Ryan. Abby et Caitlin dormaient dans notre chambre, et moi dans la chambre d'amis. J'étais profondément assoupi quand quelque chose m'a tiré de mon sommeil.

Je me suis demandé si Caitlin essayait de sortir de la maison. J'avais proposé à Abby de faire venir un serrurier pour renforcer la sécurité des portes et des fenêtres, mais elle avait refusé, arguant que nous devions essayer autant que possible de reprendre une vie normale, au lieu de transformer notre maison en prison.

Était-ce un bruit qui m'avait réveillé ?

La pluie, peut-être ?

J'ai posé les pieds sur le sol, l'oreille aux aguets.

Il régnait un silence de mort dans la maison. Le ciel était dégagé ; on apercevait des étoiles.

Mon imagination avait dû me jouer des tours. Ou bien j'avais été perturbé par un rêve, l'apparition d'un fantôme quelconque dans mon subconscient.

J'aurais dû retourner sous les couvertures et fermer les yeux, mais une partie de moi s'y refusait. J'avais envie – peut-être même besoin – de regarder ce qui se passait dehors.

Vêtu de mon jogging et d'un tee-shirt, je me suis levé pour ouvrir les rideaux.

Les lampadaires luisaient doucement dans la rue, et les arbres projetaient une ombre impénétrable. Rien ne bougeait. Pas une voiture à l'horizon.

Puis j'ai vu la fille.

Elle a pénétré dans le cercle lumineux d'un réverbère, comme une actrice de théâtre, et s'est arrêtée là, sans destination ni intentions apparentes. C'était la fille que j'avais vue au cimetière, celle qui ressemblait à Caitlin.

J'ai pressé mes mains contre la vitre, prêt à crier.

La fille m'a aperçu et s'est aussitôt enfuie dans le noir.

Je me suis précipité hors de la chambre, dévalant l'escalier à toute vitesse en priant pour que le destin m'épargne une chute fatale. Je savais que j'allais réveiller Abby et Caitlin, mais je m'en fichais.

Elle ressemblait tellement à ma fille.

J'ai trituré le verrou de la porte d'entrée d'une main fébrile.

*Elle est partie. C'est trop tard, elle est partie depuis longtemps.*

J'ai ouvert la porte et me suis mis à courir dans la direction qu'elle avait prise.

J'étais toujours pieds nus et j'ai failli tomber en dérapant sur l'herbe humide de rosée. Lorsque j'ai atteint la rue, des petits bouts de terre et des graviers se sont enfoncés dans mes plantes de pieds.

Il faisait nuit noire à l'écart des réverbères. Je courais au milieu de la route, vers le parc. Les maisons voisines étaient éteintes ; tout le monde dormait.

Pourquoi était-elle venue ?

J'ai fini par m'arrêter à mi-chemin. Elle était partie. Envolée.

J'étais à bout de souffle, et parfaitement ridicule.

Mais elle était venue à la maison. Elle voulait quelque chose.

Qui cherchait-elle ? Moi ou Caitlin ?

Hors d'haleine, j'ai fait demi-tour pour rentrer chez moi.

Il y avait de la lumière au rez-de-chaussée et à l'étage. Abby et Caitlin étaient réveillées.

J'ai remonté les marches en boitant, les pieds endoloris. Abby m'attendait sur le seuil.

"Mais qu'est-ce que tu fabriques ?" s'est-elle exclamée.

Je suis allé m'asseoir dans le salon. Je ruisselais de sueur et mon tee-shirt me collait au corps. Je me suis essuyé le front du dos de la main.

"La fille…

— Caitlin ?"

J'ai secoué la tête. "La fille que j'ai vue au cimetière. Elle était dehors, dans la rue. Elle regardait notre maison."

Abby m'a observé en silence.

Je savais ce qu'elle pensait :

*Pauvre homme. Pauvre homme, rendu fou par l'angoisse.*

Caitlin nous observait du haut de l'escalier, vêtue de la chemise de nuit de l'université de Fields qu'Abby lui avait achetée. Elle se tenait les pieds posés sur deux marches différentes, comme figée dans son élan.

"Tu connais cette fille, hein ? lui ai-je demandé.

— Tom...

— Tu sais qui elle est, et ce qu'elle veut."

Caitlin a tourné les talons pour regagner sa chambre.

"Je suis sûr qu'elle connaît cet homme. Elle te ressemble, Caitlin, on dirait toi quand tu étais petite. Je vais la retrouver."

Elle était partie. Abby a posé la main sur mon épaule.

"Du calme, Tom. Du calme."

Je ne m'étais pas rendu compte que je criais. J'ai essayé de me détendre, mais il m'a fallu très longtemps pour reprendre mon souffle.

Quelques jours plus tard, nous sommes retournés au cabinet du Dr Rosenbaum. Il a demandé à nous voir en premier, et nous avons de nouveau laissé Caitlin sous la surveillance de la secrétaire. Une fois dans son bureau, Rosenbaum n'a pas pris de bloc-notes ni de stylo mais s'est contenté de nous observer de son air attentif et tranquille, une tasse de café à la main.

"Quoi de neuf à la maison ?"

Abby et moi avons échangé un regard. Avant qu'elle puisse évoquer mon aventure de l'autre nuit, j'ai déclaré :

"Rien de spécial.

— Ça se passe un peu mieux, alors ?

— Pas vraiment, a répliqué Abby. Trouvez-vous juste que l'inspecteur Ryan commence à faire pression sur Caitlin dès maintenant ?

— Comment ça ?

— Il est venu à la maison l'autre jour, et il l'a harcelée pour qu'elle lui dise ce qui s'était passé. Il est presque devenu agressif. À mon avis, il était encore un peu tôt pour ça."

Rosenbaum a posé sa tasse de café avec une moue désapprobatrice. "Je vois. L'inspecteur Ryan m'a dit qu'il avait parlé à Caitlin. Parfois, les policiers se comportent de cette façon lorsqu'ils pensent que le temps joue contre eux. Mettons, par exemple, que le coupable envisage de quitter la région, ou bien de commettre un autre crime... L'inspecteur souhaiterait évidemment le retrouver avant.

— Alors vous pensez que Caitlin est prête à entendre ce genre de choses ?

— Ce n'est pas ce que j'ai dit. J'ai beaucoup travaillé avec la police, et il arrive que nos approches de l'affaire divergent. Nous n'avons pas toujours les mêmes priorités. Mais l'inspecteur Ryan est quelqu'un de bien. Laissez-lui sa chance."

Abby n'avait pas l'air convaincue, et moi non plus ; mais nous avons gardé le silence.

De son côté, Rosenbaum avait décidé de passer à autre chose. "J'aimerais me faire une idée de votre vie de famille avant la disparition de Caitlin. Juste quelques informations générales.

— On était une famille plutôt normale, je pense, a répondu Abby.

— Si tant est que ça existe", ai-je commenté.

Rosenbaum a eu un petit sourire. "Mais puisque vous êtes séparés aujourd'hui, j'en déduis que tout n'allait pas pour le mieux.

— Je pense que nos problèmes sont apparus à la suite de la disparition de Caitlin, ai-je expliqué. Aucun de nous n'a vraiment réussi à gérer la situation.

— Abby ?

— À mon avis, ça avait commencé avant. J'ai eu l'impression que Tom et moi nous éloignions l'un de l'autre au fil des années. Nos vies ne prenaient pas la même orientation. Je ne dirais pas qu'on ne s'aimait plus, mais qu'on devenait trop différents. Il poursuivait sa carrière universitaire, et je m'épanouissais d'une autre façon. Je voulais approfondir ma vie spirituelle. Caitlin l'avait peut-être remarqué... elle était très intelligente.

— Elle *est* très intelligente, ai-je corrigé.

— Tom, partagez-vous l'opinion d'Abby selon laquelle vos problèmes remonteraient à plus loin ?

— Abby sait certainement mieux que moi si elle était malheureuse. Peut-être que ces problèmes existaient déjà, en effet, et qu'ils sont passés au premier plan quand Caitlin a disparu. J'avais aussi l'impression qu'on menait des vies parallèles, parfois.

— Et Caitlin ? Est-ce qu'elle s'intéressait aux garçons à l'époque ?

— Pas vraiment, a répondu Abby. Mais je suis sûre que certains de ses camarades lui plaisaient. Leurs noms revenaient dans la conversation de temps en temps.

— Elle n'avait pas une foule d'amis. Elle est plutôt du genre solitaire. À vrai dire, ça ne me surprend pas tellement qu'elle reste bouche cousue aujourd'hui. Ça lui arrivait déjà à l'époque.

— Mais elle avait des amis, a précisé Abby. Tout le monde l'appréciait.

— Avait-elle déjà atteint la puberté ?"

Abby a acquiescé. "Depuis six mois à peu près."

Un an et demi avant sa disparition, Abby avait emmené Caitlin dîner. Elle lui avait expliqué les changements qui allaient bientôt se produire dans son corps et la façon dont les femmes se débrouillaient avec.

"Est-ce que le passage à la puberté a été accompagné de changements émotionnels ? Des sautes d'humeur, des accès de colère ?

— Elle ressemblait un peu plus à une adolescente, a confirmé Abby. Elle levait les yeux au ciel, répondait plus sèchement. Mais Caitlin a toujours assez bien su cacher son jeu.

— Est-ce que ça vous dérangeait, qu'elle « cache son jeu » ?

— C'était sa personnalité, ai-je répondu avant de me corriger : *C'est* sa personnalité.

— Cela vous forçait-il à vous montrer plus stricts avec elle ?

— Pas du tout. On n'avait pas beaucoup de règles.

— Qui tenait le rôle du gendarme ?

— Abby, plutôt.

— Étiez-vous souvent à la maison, Tom ?

— Je travaillais." J'ai baissé les yeux et enlevé une peluche de mon pantalon. "Mais mon poste à l'université me permettait un emploi du temps assez flexible. Je passais plus de temps à la maison que la plupart des pères.

— Étiez-vous un élément important dans la vie de Caitlin ?

— Un élément important ? Je suis son père.

— Il a joué un grand rôle dans sa vie ces douze premières années, a déclaré Abby.

— Pourquoi cette question ?

— Parfois, les jeunes femmes qui vivent dans des environnements répressifs ou qui ne reçoivent pas assez d'attention de la part de leur parent masculin se mettent à rechercher cette attention par d'autres moyens. Elles se mettent à boire excessivement, ont des comportements sexuels à risque, peuvent même prendre de la drogue. Ou bien elles cherchent l'attention dont elles pensent être privées auprès d'autres personnes, des figures d'autorité masculine de substitution.

— Où voulez-vous en venir ?

— Je parle en termes généraux, bien sûr. Comme Caitlin ne nous a pas offert beaucoup de pistes, j'explore certaines possibilités.

— Je ne pense pas qu'elle ait fugué, si c'est ce que vous voulez dire.

— Je ne sous-entendais rien de la sorte. En réalité, je suis content de voir que vous n'avez aucun doute sur la question. Abby, partagez-vous cette certitude ?

— Elle n'a pas fugué. Je connais ma fille, elle n'aurait pas fait ça.

— La connaissez-vous encore ?"

Abby s'est tapoté la poitrine. "Ici, oui. Ici, toujours."

À cet instant, j'ai admiré son assurance, sa foi inébranlable en la logique des choses. Je ne la partageais pas, et Rosenbaum non plus, me semblait-il.

"D'accord. Si vous voulez bien regagner la salle d'attente, je vais discuter avec Caitlin."

## 33

Quelques jours plus tard, un dimanche matin, Abby est entrée dans ma chambre. Je ne l'avais pas entendue frapper. Elle est apparue dans la pièce, en peignoir, les cheveux décoiffés et les yeux gonflés de sommeil, et s'est assise au bord du lit.

"Qu'est-ce qui se passe ? ai-je demandé.

— Chut, tout va bien.

— Quoi ?

— Caitlin va bien."

Je me suis redressé dans le lit en me frottant les yeux. Le réveil affichait 8 : 45 ; plus tard que je ne l'aurais cru.

Abby paraissait distraite. Je n'arrivais pas à deviner son humeur.

"C'est bizarre de dormir dans la même chambre que Caitlin. Ça me rappelle les fois où elle se faufilait dans notre lit quand elle était petite. Ou quand elle était malade et qu'elle venait dans notre chambre pour regarder la télé. Parfois, j'ai du mal à croire...

— Quoi ?

— Que c'est la même personne. Elle a tellement changé.

— Je suis d'accord. Mais quand je pense aux empreintes digitales et à la cicatrice sur son genou, ça me rassure un peu. Ça me rappelle qu'il s'agit bien de notre fille."

Et au fond de moi, je le savais. Elle possédait les mêmes qualités. Son obstination. Son entêtement. Une ténacité qui prenait parfois la dureté de la haine.

Sa réserve.

"Est-ce qu'on finira par la retrouver un jour, Tom ? Complètement ?"

J'ai entrepris de formuler une réponse à cette question, si douloureuse qu'elle me paraisse.

"Elle ne sera jamais la même que si elle avait passé ces quatre années ici, avec nous."

Abby a acquiescé. "Et nous non plus. Parfois, je me demande comment les choses auraient tourné si j'avais continué à travailler, si tu avais consacré moins de temps à ta carrière, si on avait eu un autre bébé…"

J'ai posé la main près de son épaule, et senti sa peau sous le tissu moelleux du peignoir – notre premier véritable contact depuis qu'on s'était tenu la main à l'église.

"C'est encore possible, ai-je dit.

— Tom…"

J'ai pressé doucement son bras pour l'attirer à moi. Cédant à mon geste, elle a approché son visage du mien, et mes lèvres ont effleuré sa joue, avant de chercher sa bouche.

Elle s'est écartée. "Non, Tom, a-t-elle dit d'une voix douce mais ferme.

— Pourquoi ?"

Elle s'est relevée et a resserré son peignoir. "On ne peut pas.

— On est mariés. On est ensemble. Notre enfant est avec nous.

— On doit consacrer toute notre énergie à l'aider, a répondu Abby en se triturant les cheveux. C'est pour ça que je suis venue te voir. Je voudrais aller à l'église aujourd'hui. Ça fait longtemps.

— Vas-y, alors, ai-je répondu en me calant dans le lit.

— Je voudrais que Caitlin m'accompagne.

— Non."

Elle s'est passé la langue sur les lèvres. "Je pourrais l'emmener avec moi. Ça lui ferait du bien de sortir un peu, de voir du monde.

— Non, ai-je répété. Pas là-bas.

— Tu peux refuser pour l'instant. Je me doutais bien que tu le ferais. Mais un jour ou l'autre, elle devra quitter la maison. Il faudra bien qu'elle retourne à l'école, qu'elle se fasse des amis, qu'elle commence une nouvelle vie. On ne peut pas la garder ici pour toujours.

— On devrait d'abord essayer de la faire parler à nouveau.

— Elle me parle, à moi.

— De quoi ?

— De toutes petites choses. Si le lit est confortable, si ses habits lui vont bien… C'est un début."

Sur ces paroles, Abby a quitté la pièce. Je suis sorti du lit pour aller jeter un œil à Caitlin. Les stores tirés plongeaient la chambre dans la pénombre, et il m'a fallu un moment pour remarquer qu'elle avait les yeux ouverts. Couchée sur le dos, les draps remontés jusqu'au menton, elle me fixait sans rien dire.

"Ta mère va à l'église. On va devoir se débrouiller tout seuls, jeune fille."

Elle m'a tourné le dos.

Après le départ d'Abby, j'ai préparé des toasts et du café dans la cuisine, puis avalé un bol de céréales. Je suis allé chercher le journal du dimanche, dans lequel un article sur le retour de Caitlin figurait au milieu des informations locales. Le journaliste nous avait appelés tous les jours pendant une semaine. Nous nous en étions tenus au script, refusant de nous exprimer et demandant qu'on respecte notre intimité ; mais quelqu'un à la police devait avoir vendu la mèche, puisque l'article citait la liste de tous les endroits où Caitlin avait été aperçue avec l'homme du portrait. Le papier se terminait par une déclaration de Ryan qui affirmait simplement que l'enquête était en cours et que la police la traitait toujours comme une affaire d'enlèvement.

J'ai entendu du mouvement à l'étage. Des bruits de pas dans le couloir, puis la chasse d'eau. La perspective de prendre une douche ne semblait guère séduire Caitlin. Alors que la plupart des parents d'adolescents voyaient leur consommation d'eau monter en flèche, Abby devait rappeler à Caitlin de se laver tous les jours. Mais ce matin-là, j'ai entendu la douche se mettre en marche, ce qui m'a paru bon signe.

L'envie d'aller vérifier que tout allait bien me démangeait. Je me suis versé une autre tasse de café avant d'entamer les mots croisés du journal, tout en prêtant une oreille attentive aux bruits de la salle de bains. J'ai attendu aussi longtemps que possible, et m'apprêtais à jeter mon crayon pour aller voir quand l'eau s'est arrêtée de couler. J'ai poussé un soupir de soulagement. De nouveaux bruits de pas ont résonné au-dessus de ma tête, et j'ai enfin réussi à boire mon café en paix – quelques minutes, le temps de vider ma tasse. Incapable de patienter plus longtemps, j'ai décidé de monter à l'étage.

Caitlin ne se trouvait pas dans la salle de bains ; la porte était grande ouverte, le miroir encore embué. Avec une inquiétude croissante, j'ai constaté qu'elle ne se trouvait pas non plus dans la chambre d'Abby. Toutes les fenêtres étaient fermées.

"Caitlin ?"

Appeler quelqu'un qui ne me parlait plus pouvait sembler ridicule, mais elle saurait au moins que je la cherchais. J'ai jeté un œil dans sa chambre. Rien.

"Caitlin ?" ai-je répété, passant la tête par la porte de la chambre d'amis.

Elle était là, assise sur le lit. Je n'ai pas compris tout de suite ce qu'elle faisait. Puis j'ai aperçu le téléphone – mon téléphone portable – dans sa main. Elle était en train de composer un numéro.

"Qu'est-ce que tu fais ?"

Elle a refermé le téléphone brusquement et l'a jeté sur le lit.

"Qui appelais-tu ?"

Je me suis emparé du téléphone, mais le numéro avait disparu. J'ai vérifié le journal d'appels. C'était moi qui avais composé le dernier numéro, ce qui signifiait qu'elle n'avait pas pu entrer le sien jusqu'au bout et qu'il n'en restait aucune trace.

*Si seulement j'avais attendu…*

"Tu appelais cet homme ?"

Comme elle faisait mine de se relever, j'ai tendu la main, lui ordonnant par ce geste de rester assise et de m'écouter. Ça ne lui a pas plu. Elle m'a dévisagé, les yeux plissés.

"Tu n'as pas le droit d'utiliser le téléphone ni de faire quoi que ce soit avant de nous en avoir parlé. Je suis très sérieux. Ça n'a rien d'une blague." J'ai braqué mon index sur elle, mais ma main tremblait. "Qui était-ce ?"

Son air furieux a peu à peu cédé la place à un sourire – un rictus de dédain qui m'a fait penser à Buster, et a décuplé ma colère.

"Arrête.

— J'espère qu'un jour tu découvriras où j'étais et tout ce qui m'est arrivé." Elle s'exprimait d'une voix plus grave, plus rauque qu'auparavant ; une voix de femme, proche de celle d'Abby. "Je suis sûre que la vérité te fera souffrir encore plus que de ne rien savoir."

Je l'ai giflée.

Caitlin a paru choquée plutôt que blessée. Elle a porté la main à sa joue, l'air stupéfait.

"Va te faire foutre, connard !"

Elle est sortie en trombe de la pièce. J'ai pensé à l'agripper au passage, ou à la suivre, mais la volonté m'a fait défaut. Je l'ai laissée partir.


Caitlin s'est enfermée dans la chambre d'Abby. Sans prendre la peine de frapper à la porte ou de m'excuser, je suis retourné en bas. J'ai essayé de lire le journal, mais je n'arrivais pas à me concentrer. Impossible de faire les mots croisés. Au lieu d'aider ma fille, je l'avais déçue, une fois de plus. Je semblais incapable de comprendre ce qu'elle attendait de moi en tant que père.

Je rejouais la scène dans ma tête. J'aurais voulu ne pas m'en souvenir. J'aurais voulu qu'elle ait disparu, effacée de mon esprit, mais elle repassait en boucle dans ma tête. Je revoyais chaque mot, chaque geste.

La gifle.

Au bout de la dixième fois, quelque chose m'a frappé. Une expression m'a happé l'esprit, une phrase que Caitlin avait prononcée.

*Tout ce qui m'est arrivé*, avait-elle dit.

Pas : *tout ce que j'ai fait* ni *tout ce que nous avons fait*.

*Tout ce qui m'est arrivé.*

La voiture d'Abby s'est engagée dans l'allée.

J'ai entendu des voix s'approcher de la porte : Abby et un homme.

Le pasteur Chris.

Il est entré dans la maison, son fameux sourire plaqué sur le visage, et m'a tendu la main.

"Tom ! On ne s'est pas vus depuis que Caitlin nous est revenue." *Nous ?* "Je tiens à préciser que je suis là uniquement en tant que pasteur. Je veux aider Caitlin.

— Comment va-t-elle ? m'a demandé Abby.

— Elle a pris une douche, ça m'a paru bon signe."

Abby a souri. Je la trouvais jolie.

"Est-ce qu'on peut…" ai-je commencé avec un signe de tête vers la salle à manger.

Abby a regardé Chris d'un air hésitant, avant de se retourner vers moi. "Je pense que si tu as quelque chose à dire, tu peux le faire devant Chris."

C'était à mon tour d'hésiter. "Je ne crois pas que ce soit une bonne idée.

— C'est à propos de Caitlin ? Tu viens de dire qu'elle allait bien.

— Je pourrais…, a commencé Chris, mais Abby l'a coupé.

— Non. Tom ? C'est Caitlin ?

— Elle va bien, ai-je répété.

— Qu'y a-t-il, alors ?"

J'ai secoué la tête. "Elle a dit… elle a essayé de me parler…"

Abby s'est rapprochée de moi. "C'est une bonne nouvelle, Tom. C'est très bien qu'elle ait essayé de te parler. Qu'est-ce qu'elle a dit ?"

Il y a eu un coup de sonnette.

J'ai dévisagé Abby et Chris. "Vous n'avez pas invité d'autres grenouilles de bénitier, quand même ?

— Tom…

— Je vais voir qui c'est, a déclaré le pasteur.

— Dites-leur d'aller au diable."

Abby est restée près de moi, à m'observer. "Qu'est-ce qu'elle a dit, Tom ? C'est important ?

— Elle a dit… que quelque chose lui était arrivé… pendant son absence…

— Quoi ? Qu'est-ce qui lui est arrivé ?

— On n'est pas allés plus loin. Je… on n'a pas…"

Chris était de retour, un sourire incertain sur le visage.

"C'est pour vous, Tom.

— Qui est-ce ?

— Une femme. Elle dit qu'elle vous connaît, et qu'elle a des informations au sujet de Caitlin. Elle s'appelle Susan, je crois."

J'ai trouvé Susan en train de fumer une cigarette sur la terrasse. Elle portait le même genre d'habits que lors de notre première rencontre, sauf que ses baskets avaient cédé la place à des chaussures de montagne boueuses. Elle s'est tournée vers moi au moment où je passais la porte.

"Ah, Tom.

— Vous faites aussi les visites à domicile ?

— Je vais là où on a besoin de moi." Susan m'a indiqué les deux chaises vides sur la terrasse, et nous nous sommes assis. "Je suis désolée d'empiéter sur votre vie de famille, mais j'ai beaucoup pensé à vous.

— Ah oui ?

— J'ai appris la bonne nouvelle dans le journal. Votre fille est de retour, vous devez être très heureux.

— C'est un grand bouleversement, pour bien des raisons.

— Oui." Elle a laissé tomber sa cigarette avant de l'écraser sous sa chaussure. "Je suis désolée. C'est une mauvaise habitude que j'avais prise à l'université, et qui m'est revenue il y a quelques années. Je fume quand je suis angoissée.

— Qu'est-ce qui vous angoisse aujourd'hui ?"

Elle s'est frotté les mains comme pour se réchauffer. Il faisait froid, et je regrettais de ne pas avoir pris de veste.

"Est-ce que votre fille vous a dit où elle était ?

— Non, ai-je répondu en baissant les yeux. Elle refuse d'en parler. Elle nous a demandé de ne pas lui poser de questions. Pourquoi voulez-vous le savoir ?

— Vous ne lui avez rien demandé, alors ?

— Le psychiatre nous a conseillé de ne pas le faire.

— Dans ce genre de situation, mieux vaut suivre l'avis des spécialistes. C'est ce que l'expérience me dit, en tout cas. Ils savent ce qu'il faut faire.

— Je suppose que vous n'êtes pas venue discuter des bienfaits de la thérapie, si ?

— Comme je le disais, j'ai beaucoup pensé à vous. À votre histoire. On en parle dans les journaux, alors elle me trotte dans la tête. Cette fleur… Vous l'avez encore, ou vous l'avez donnée à la police ?

— Je l'ai encore. Je sais que j'aurais dû la donner…

— Il faudrait sûrement…

— Écoutez, la situation est un peu compliquée en ce moment. Ça m'a fait du bien de vous parler l'autre jour, mais je ne pense pas avoir le temps pour ce que vous avez en tête. Venez-en au fait, ou rentrez chez vous.

— Vous avez raison, bien sûr." Elle a tiré un paquet de cigarettes de sa poche. Ses doigts tremblaient quand elle en a sorti une pour l'allumer avec son briquet. "Excusez-moi", a-t-elle dit en soufflant la fumée derrière elle.

Autour de nous, la vie continuait. À quelques maisons de là, mes voisins rassemblaient des feuilles mortes sur une grande bâche bleue. Le rire d'un enfant a jailli quelque part au loin, un trille éclatant.

"Cet homme… a finalement repris Susan. L'homme du portrait, vous pensez que c'est lui qui a kidnappé votre fille ?

— Oui.

— Je crois que vous avez raison, Tom.

— Pourquoi dites-vous ça ? À cause de la fleur ?

— Non.

— Pourquoi, alors ?

— À cause de Tracy. Tracy Fairlawn.

— Comment ça ? Vous lui avez parlé ?

— Pas depuis un moment, mais j'ai passé beaucoup de temps à discuter avec elle. C'est une jeune femme très perturbée. Quand nous nous sommes rencontrés l'autre jour, j'essayais de la protéger, de respecter son intimité, le caractère privé de ce qu'elle m'a confié ces dernières années.

— Des histoires de drogue ?

— Entre autres.

— Êtes-vous en train de me dire qu'elle n'est pas fiable ? Qu'on ne peut pas lui faire confiance ?

— Je pense que si, Tom. Surtout sur ce sujet." Elle a baissé les yeux vers le bout brûlant de sa cigarette, l'air de se demander d'où elle sortait. "Tracy connaît cet homme, celui qu'elle a vu dans le club. Elle sait qui c'est."

J'ai agrippé les accoudoirs de ma chaise. Mon voisin était en train de tirer la bâche pleine de feuilles jusqu'au trottoir.

"Comment s'appelle-t-il ?

— Je ne sais pas.

— Dites-le-moi.

— Je ne sais pas, a-t-elle répété d'une voix tendue. Je vous assure.

— C'est Tracy qui m'a conseillé de vous appeler." J'avais parlé d'un ton brusque, et ma voix a résonné dans l'air. Une image commençait à se former dans mon esprit. "Vous avez monté ce coup toutes les deux, hein ? Elle m'envoie vers vous, et vous me menez par le bout du nez...

— Je ne peux qu'essayer de deviner les intentions de Tracy, mais il m'est en effet venu à l'esprit qu'elle souhaitait que je vous transmette quelque chose à ce sujet. Elle avait raison. Je le savais déjà quand vous êtes venu me voir l'autre jour. Et quand j'ai vu la nouvelle dans le journal, j'ai décidé que je ne pouvais plus me taire. J'ai cherché votre adresse dans l'annuaire, et me voilà.

— Vous êtes une sainte, ai-je ironisé.

— J'ai réfléchi longuement et soigneusement avant de décider si je devais m'impliquer dans cette histoire, si je devais vous en parler. Mais mon intuition me dit que c'est ce que Tracy souhaitait. Je pense que c'est pour ça qu'elle vous a donné ma carte. Elle a du mal à parler de ce problème, et a sûrement voulu se servir de moi comme intermédiaire. Je n'ai que des informations incomplètes, et il me semble... ou plutôt je sais que c'est une rupture du pacte de confiance que Tracy et moi avons établi.

— Ne vous haussez pas trop du col. Vous n'êtes ni un prêtre ni un psy. Où est Tracy ?

— Je vous l'ai dit : je n'arrive pas à la contacter.

— Alors j'appelle la police, ai-je déclaré en m'apprêtant à me lever. Ils vont la retrouver, et ils ne vous laisseront pas filer non plus.

— Ce n'est pas la solution, Tom. Et vous mettre en colère ne servira à rien.

— Qu'est-ce que vous savez d'autre ? ai-je demandé, toujours au bord de mon siège. Il n'y a pas que ça, j'en suis sûr. Crachez le morceau."

Elle n'a pas répondu.

"Parlez, bon sang !

— Est-ce que vous avez revu cette fille fantôme récemment ?

— Ne changez pas de sujet.

— Vous l'avez vue ?"

Après un instant de silence, j'ai répondu : "Oui. Elle était devant notre maison l'autre nuit.

— Est-ce qu'elle vous a parlé ?"

Je me suis reculé sur ma chaise. "Je lui ai couru après, mais elle a disparu.

— Vous vous rappelez ce que je vous ai dit à ce sujet ?

— Que parfois on voit ce qu'on a envie de voir. Que j'imagine cette fille pour satisfaire mes désirs.

— C'est ça." Elle a jeté sa nouvelle cigarette par terre et l'a écrasée. "Et c'est la même chose pour Tracy.

— Pourquoi aurait-elle voulu voir ce qu'elle a vu dans le club ?

— La question est plutôt de savoir pourquoi elle a voulu en parler à quelqu'un. À vous. Pourquoi souhaitait-elle dénoncer cet homme ?

— C'était son devoir.

— Vous avez rencontré Tracy. Pensez-vous que ce soit une motivation réelle pour elle ?"

Je me suis levé pour sortir mon téléphone de ma poche. "Allez-vous-en, ai-je dit. Si vous n'avez pas l'intention de m'aider, si ça vous amuse de parler par énigmes, vous pouvez dégager. J'appelle la police.

— Tom ?

— Allez vous faire foutre."

Elle a posé la main sur le téléphone. "Êtes-vous sûr de vouloir connaître l'histoire de Tracy ?" Avec un signe de tête en direction de la maison, elle a continué : "Votre fille est revenue. Elle est en vie. Quand on s'est rencontrés, vous craigniez qu'elle ne soit morte. C'était votre plus grande peur. Vous avez votre réponse, maintenant.

— J'appelle la police."

Elle a laissé sa main sur la mienne. J'ai attendu.

"Posez ce téléphone", a-t-elle dit.

J'ai gardé le portable à la main, mais je me suis assis.

"Tracy Fairlawn… a été kidnappée.

— Comment ça ?

— Tracy m'en a parlé petit à petit. Il lui a fallu beaucoup de temps pour se confier à moi, et c'est la raison pour laquelle j'ai eu du mal à vous en parler.

— Allez-y. Je vous écoute.

— C'était il y a six ans environ. Elle avait quatorze ans. Un soir, elle rentrait chez elle, seule, quand un homme s'est arrêté à sa hauteur et lui a proposé de la raccompagner en voiture. Elle a accepté. L'homme l'a emmenée chez lui. Tracy ne sait pas où il vivait : il a tourné un long moment dans le noir, et comme elle ne conduisait pas encore elle ne connaissait pas très bien les rues. Une fois chez lui, il lui a offert à manger et à boire. Ils ont discuté en écoutant de la musique, et quand Tracy a voulu rentrer, il l'en a empêchée. Il l'a retenue contre son gré, dans son sous-sol. Il l'a enfermée et l'a violée à de nombreuses reprises."

Pendant longtemps, j'ai été incapable de dire quoi que ce soit. Je frissonnais encore, même si le vent était tombé et que les arbres ne bougeaient plus.

"Comment s'en est-elle sortie ? ai-je fini par demander.

— Il l'a laissée partir. Au bout de six mois environ – six mois de viols et de terreur dans une cave verrouillée –, il l'a ramenée dans sa voiture, les yeux bandés. Au bout d'un long trajet, il l'a abandonnée sur une route de campagne dans le comté de Simms, à trente kilomètres d'ici. Elle a fini par trouver une station-service, d'où elle a appelé sa mère.

— Qu'a fait la police ? ai-je demandé, craignant de connaître la réponse.

— À votre avis ?

— On avait kidnappé et violé une jeune fille…"

Susan a haussé les épaules. "Une jeune fille accro à la drogue, et qui avait déjà eu affaire à la police. Incapable de dire où se trouvait l'homme qui l'avait séquestrée. Incapable de décrire sa maison, sa voiture, ou même son quartier. Elle ne pouvait que répéter cette histoire invraisemblable selon laquelle on l'avait enlevée et retenue contre son gré dans une cave, puis miraculeusement relâchée." Avec un nouveau haussement d'épaules, Susan a conclu : "On ne lui a pas accordé beaucoup d'attention. Je n'ai entendu parler de cette histoire qu'en tant que bénévole.

— C'est la police qui vous l'a envoyée ?

— Pas directement. Les policiers ne la considéraient pas comme une victime. Mais nous avions une amie commune, une femme qui enseignait au lycée de Tracy et qui savait que je travaillais avec la police. C'est elle qui nous a mises en contact. J'ai essayé de me montrer disponible, de lui prêter une oreille attentive. Tracy aurait besoin d'une aide beaucoup plus sérieuse, mais c'était un début.

— Est-ce que vous connaissez Liann Stipes ?

— L'avocate de Tracy ? Celle dont la fille a été assassinée ? Tracy m'en a parlé. Elle s'en plaignait, en fait. J'ai l'impression que je l'écoutais mieux que Liann, ou qu'aucun autre de ses proches.

— Et cet homme…

— C'est celui qu'elle a vu au club avec votre fille.

— Mais alors, comment a-t-elle pu danser pour lui ? Pourquoi n'a-t-elle pas pris la fuite, ou appelé la police aussitôt ?

— Elle était terrorisée, Tom. Terrorisée. Elle se disait qu'il était revenu pour la narguer, la menacer. Comme s'il voulait lui rappeler qu'il la tenait toujours en son pouvoir. Et il avait raison. Pourquoi n'a-t-elle rien dit, rien fait ? C'est un miracle qu'elle ait fini par réagir. En parlant, elle risquait sa vie. Elle est allée voir Liann parce qu'elle ne supportait plus de rester les bras croisés.

— Et maintenant elle a disparu." Je me suis mis à mâchouiller la peau morte autour de mon ongle. "Cet homme l'a relâchée il y a cinq ans, environ un an avant la disparition de Caitlin. Et maintenant que Caitlin est de retour, Tracy a de nouveau disparu. Vous croyez…

— C'est effrayant, je sais."

Repensant à ma première rencontre avec Tracy, à notre conversation dans le club de strip-tease, j'ai effectué un rapide calcul.

"Tracy m'a dit que sa fille avait presque cinq ans."

Susan a acquiescé. "Un rappel constant de ce que cet homme lui a fait."

J'ai serré les poings, et mes mains ont tremblé. "Il l'a relâchée parce qu'elle était enceinte.

— Qui sait ? Je ne le vois pas agir par compassion.

— Qu'est-ce que je dois faire ?

— Je n'en ai aucune idée, Tom. Mais je voulais que vous ayez tous les éléments en main. Les enquêteurs poursuivent parfois leurs propres objectifs. Il y a des choses qu'ils préfèrent cacher aux victimes, ou bien ils attendent de les révéler au moment qui les arrange.

— Et Liann ? Pourquoi ne m'a-t-elle rien dit ?

— Je ne la connais pas, je ne peux pas parler à sa place. Mais vous couriez après des fantômes… Peut-être que les choses vont vous sembler un peu plus concrètes, maintenant.

— Et que se passera-t-il si j'arrive à les rattraper ?

— Il vous faudra beaucoup de chance pour les apaiser."

## 34

Ryan ne répondait pas. J'avais essayé de l'appeler deux fois après le départ de Susan, et laissé deux messages. Je m'apprêtais à retenter ma chance quand Abby est sortie sur la terrasse, claquant la porte derrière elle.

"Qui était-ce, Tom ?"

J'ai refermé le téléphone. "Quelqu'un qui m'aide. Tu as laissé Caitlin toute seule ?

— Chris est en train de lui parler.

— Merveilleux.

— Est-ce que cette femme est thérapeute ? a demandé Abby, qui m'a bloqué le passage lorsque j'ai voulu entrer dans la maison. Tom, je pense que tu as vraiment besoin de te faire aider. Par un professionnel."

Je l'ai contournée et suis monté à l'étage. Arrivé devant la porte entrebâillée de notre chambre, j'ai entendu la voix guillerette du pasteur Chris qui pépiait à l'intérieur. J'ai poussé le battant. Ils étaient assis par terre.

"Tom, m'a salué Chris. J'étais en train de discuter avec…

— Est-ce que le nom de Tracy Fairlawn te dit quelque chose ? ai-je demandé à Caitlin. Elle est strip-teaseuse dans le genre de club que tu fréquentais avec cet homme. Tu lui as parlé ?

— Si je réponds que je ne sais pas, tu vas encore me gifler ? a répliqué Caitlin en se rapprochant du pasteur.

— Tom, si vous voulez vous joindre à la conversation, ce serait…"

J'ai quitté la pièce, laissant Chris parler dans le vide.

Quand Liann est revenue de l'église avec sa famille, elle m'a trouvé devant sa porte. Elle a demandé aux autres de l'attendre à l'intérieur, mais une fois seule avec moi, elle a gardé le silence. Alors j'ai pris la parole.

"Pourquoi ne m'as-tu rien dit ?"

Ses épaules se sont légèrement affaissées. Elle savait de quoi je parlais.

Mon portable s'est mis à sonner, mais je l'ai ignoré. "Pendant tout ce temps, tu étais au courant pour Tracy, cet homme et le bébé… et tu ne m'as rien dit. Tu m'as raconté que tu l'avais défendue pour une histoire de drogue, sans jamais mentionner le fait qu'elle avait été victime d'un viol.

— Elle avait besoin d'aide juridique, je ne t'ai pas menti. C'est comme ça qu'on est entrées en contact. Et pendant que je travaillais avec elle sur cette affaire de drogue, j'ai découvert qu'elle avait été kidnappée et violée. La police l'a laissée tomber, Tom. Purement et simplement. Il fallait bien que quelqu'un aide cette fille. Elle m'a fait confiance, et je ne pouvais pas…

— Oh, épargne-moi ces conneries."

Mon téléphone sonnait de nouveau, et j'ai regardé qui m'appelait. Abby. J'ai coupé la sonnerie.

"Alors tu as simplement décidé de ne pas me dire tout ce que tu savais sur Tracy ? Réponds-moi.

— J'estimais que ça n'avait pas d'importance.

— Pas d'importance ?

— Ce qui comptait, c'était d'attraper ce type. Tracy était inquiète. Elle avait peur de la police. Mais elle a vu Caitlin dans ce club, et c'était plus facile de parler de ça que de ce que cet homme lui avait fait. C'est pour ça que je lui ai demandé de te raconter son histoire. Je t'ai aidé.

— Je te faisais confiance. Quand tu es venue nous voir après la disparition de Caitlin, tu jouais franc jeu, tu nous aidais vraiment. Je croyais que tu étais de notre côté, et pourtant tu nous as caché cette information. Tu me l'as cachée, à moi.

— Qu'est-ce que tu veux, Tom ?

— Toutes ces choses qui sont arrivées à Tracy… L'enlèvement, la séquestration. Le viol. C'est ce qui est arrivé à Caitlin, n'est-ce pas ?

— Le plus important maintenant, c'est de retrouver cet homme…, a-t-elle commencé, mais j'avais déjà tourné les talons.

— Appelle-moi si tes priorités changent, Liann. "

## 35

Je suis resté assis dans ma voiture, devant la maison de Liann. Je n'étais pas prêt à démarrer. Je ne savais pas où aller ni vers qui me tourner.

J'ai regardé mon téléphone. Deux autres appels d'Abby. Trois messages.

La gifle. Ma dispute avec Caitlin.

J'avais des orages à braver de tous les côtés. Que disait ce poème de Robert Frost, déjà ? "Quand vous rentrez chez vous, on est obligé de vous accueillir…"

Alors je suis rentré chez moi.

"Abby ?" ai-je appelé en passant la porte de la cuisine. Elle ne m'a pas répondu, mais je l'ai trouvée assise dans le salon, un coude posé sur le bras du canapé, le menton dans la main – on aurait dit que sa tête allait glisser à tout moment. "Abby ?"

Elle n'a pas levé les yeux, mais j'ai deviné qu'il y avait un autre problème, sans rapport avec la dispute ou la gifle. Il régnait dans la pièce l'atmosphère pesante d'une veillée funèbre.

"Qu'est-ce qu'il y a, Abby ?"

Elle a eu un petit sursaut, puis sa tête a pivoté lentement vers moi, comme si ce geste lui demandait un effort considérable.

"Oh, Tom. C'est toi."

Le téléphone était posé à côté d'elle sur le canapé.

"Qu'est-ce qui se passe ? Tu m'as appelé plusieurs fois.

— Ryan a téléphoné. Ils ont trouvé cet homme… celui du portrait-robot. Ils l'ont arrêté."

Abby m'a appris le peu qu'elle savait. Juste après mon départ, Ryan avait appelé pour nous annoncer qu'on avait placé quelqu'un en garde à vue, quelqu'un qui correspondait à la description donnée par Tracy. La police pensait qu'il s'agissait de l'homme avec qui Caitlin avait été aperçue en ville. Abby ne savait pas où ni comment ils l'avaient trouvé, ni ce qui les avait mis sur sa piste, mais Ryan allait arriver d'une minute à l'autre pour tout nous expliquer. Et parler à Caitlin.

Les événements de la matinée me trottaient dans la tête.

Si cet homme se trouvait en prison, où était Tracy ? Ça faisait des semaines qu'elle avait disparu.

"Caitlin m'a parlé de votre dispute, a dit Abby. Ou plutôt, elle en a parlé à Chris."

La dispute et la gifle me paraissaient si lointaines à présent qu'elles auraient pu avoir eu lieu dans une autre vie.

"J'ai perdu mon calme, et je le regrette. Ça a dû lui faire grand plaisir de pouvoir en parler à Chris et me faire passer pour un sale type.

— Tu te trompes, Tom.

— Je sais. Bizarrement, je suis content qu'il ait réussi à la faire parler. Peu importe le sujet. Je m'étais dit que cette gifle la réveillerait peut-être."

Abby n'a pas réagi. Elle affichait toujours l'air un peu sonné, un peu ailleurs, que je lui avais trouvé en entrant dans la pièce.

"Est-ce que Caitlin est au courant ?"

Elle a fait non de la tête. "J'ai peur, Tom.

— De cet homme ?

— Je croyais qu'on avait tourné la page. J'étais prête à passer à autre chose. Quand elle a parlé à Chris aujourd'hui, me suis dit qu'on progressait enfin.

— Je vais la prévenir.

— Je n'ai pas réussi à le faire. En lui annonçant la nouvelle, j'allais la rendre encore plus réelle. Je t'ai appelé. J'ai été soulagée que tu ne répondes pas." Ses mains se sont nouées, un bloc de chair et de doigts. "Chris était parti, il n'y avait plus que moi."

Entendant un bruit, j'ai tourné la tête et fait signe à Abby de se taire. Un bruissement en haut de l'escalier, à peine perceptible. Puis plus rien.

"Je vais l'avertir. Il faut qu'elle soit prête à affronter Ryan.

— Je n'ai pas aimé la façon dont il lui a parlé la dernière fois. C'était trop violent.

— Je sais, mais il essayait juste de l'ébranler un peu.

— On aurait dit qu'il la jugeait. Est-ce que tu crois qu'ils laisseraient Chris assister à l'entretien, ou parler à Caitlin ? Elle s'est confiée à lui.

— Elle ne s'est pas confiée à lui, ai-je répliqué. Elle s'est vengée de moi."

Au milieu de l'escalier, je me suis immobilisé. Ils détenaient cet homme. Il était en garde à vue. Il allait devoir tout expliquer, rendre des comptes. Pour avoir réduit notre vie en miettes. Pour Caitlin. Pour Tracy. Pour Dieu savait combien d'autres victimes.

J'ai resserré ma prise sur la rampe. Quelque chose obscurcissait mon champ de vision : des taches rouges et blanches. Mon cœur cognait dans ma poitrine. Quand les taches se sont estompées, je me suis rendu compte que je tirais de toutes mes forces sur la rampe pour l'arracher du mur. Elle n'a pas cédé, mais ma main a glissé. Je suis allé percuter l'autre mur avec un bruit sourd. Je m'étais fait mal au dos, mais cette douleur me soulageait. Elle me ramenait à la réalité. À mon foyer. Ma fille.

L'homme du portrait.

J'ai pris plusieurs inspirations, le souffle court. Abby est apparue en bas de l'escalier.

"Tom ?

— Ce n'est rien, je suis tombé."

Elle a posé le pied sur la première marche. "Ça n'a pas l'air d'aller.

— C'est bon, ai-je dit en la repoussant d'un geste. Je vais parler à Caitlin."

La porte de notre chambre était fermée. J'ai toqué, puis, n'obtenant pas de réponse, j'ai frappé à nouveau.

"C'est ton père", ai-je annoncé en tournant la poignée.

Je n'avais pas dit "papa" mais "ton père", une appellation plus distante, plus formelle, comme si je parlais d'un étranger.

Caitlin était couchée sur le lit, en train de lire un livre. Je n'arrivais pas à déchiffrer le titre, mais on aurait dit le genre de roman qu'elle affectionnait avant sa disparition, de la littérature pour préadolescentes. Elle n'a pas levé les yeux à mon arrivée. Elle avait le front plissé et bougeait les lèvres au fil de sa lecture, me rappelant un certain type d'élèves qui fréquentaient mes cours, les étudiants issus d'écoles publiques de seconde zone ou les adultes qui n'étaient jamais allés à l'université.

"J'ai quelque chose à te dire, Caitlin."

Elle gardait les yeux fixés sur son livre.

"Est-ce que tu as entendu notre conversation ? Tu nous as écoutés depuis l'escalier ?

— Un peu. Je vous ai entendus parler de la police, et du pasteur Chris. Et puis tu as essayé d'arracher la rampe du mur.

— L'inspecteur Ryan va revenir."

Elle s'est raidie. "Pourquoi ? Pour me poser encore des questions dégoûtantes ?

— Ils l'ont retrouvé, Caitlin. Ils viennent de l'arrêter."

Elle a étudié cette information un long moment, sans me regarder.

"T'es qu'un sale menteur, a-t-elle fini par déclarer. Tu serais prêt à me raconter n'importe quoi.

— Non, ai-je répondu d'une voix ferme. Il est en prison, en ce moment même. L'inspecteur va venir te parler, et ça ne servira à rien de garder le silence cette fois-ci. Maintenant qu'ils l'ont attrapé, on va savoir tout ce qui s'est passé. Il a fait du mal à d'autres personnes, Caitlin. D'autres filles comme toi. Mais c'est fini.

— Il ne ferait de mal à personne.

— Il l'a déjà fait." J'ai avancé d'un pas dans la pièce. "Tu te rappelles, ce matin, tu m'as dit qu'il t'avait fait des choses. Qu'il t'avait fait du mal."

Elle s'est assise sur le lit, laissant tomber son livre par terre. Ses traits s'animaient enfin.

"Ils vont l'amener ici ?

— Non. Il est en prison. Tu ne m'as pas entendu ?"

Elle a baissé les yeux, le menton tremblant, puis a saisi son collier et commencé à triturer la pierre.

"Mais qu'est-ce qui t'arrive ?" me suis-je emporté. J'ai marqué une pause, le temps de me ressaisir. "Caitlin, je sais que tout ça te perturbe beaucoup. Je comprends qu'après ce qui s'est passé, tu aies du mal à y voir clair dans tes sentiments, surtout à propos de cet homme. C'est le résultat de ce que tu as vécu. Mais il faut que tu te reprennes en main. Cet homme... il doit aller en prison.

— Ils ne vont pas lui faire de mal, si ? Dis-moi que tu les en empêcheras."

Elle s'est effondrée sur le lit, enfouissant son visage dans les draps pour m'empêcher de la regarder. On aurait dit qu'elle pleurait.

## 36

Quand Ryan s'est présenté à notre porte, je lui ai trouvé l'air plus fatigué que d'habitude. Il portait un polo et un pantalon beige, mais pas de veste, malgré le froid. Au lieu d'entrer, il nous a fait signe de le rejoindre sur la terrasse.

L'inspecteur a pris la parole une fois tout le monde installé.

"Vous voulez sûrement que je vous résume la situation tout de suite, a-t-il commencé en ouvrant son petit carnet. Cette nuit, juste avant cinq heures, quelqu'un a appelé les pompiers pour leur signaler un incendie sur Smith Springs Road. À leur arrivée, la maison brûlait déjà et il n'y avait plus rien à sauver. C'était un voisin qui avait aperçu les flammes, et personne ne savait s'il y avait du monde à l'intérieur. La chaleur ne permet pas encore d'effectuer une fouille complète de la maison, mais les premières recherches n'ont pas révélé de restes humains. La maison appartient à un certain John Colter. Est-ce que ce nom vous dit quelque chose ?

— C'est lui ? ai-je demandé. C'est comme ça qu'il s'appelle ?

— Est-ce que ce nom vous dit quelque chose ? a répété Ryan.

— Non, je ne pense pas, a répondu Abby.

— Tom ?"

J'ai passé en revue dans ma tête tous les noms d'étudiants dont je me souvenais, tous les collègues, tous les agents d'entretien que j'avais pu croiser à l'université ou à la maison.

"Ça ne me dit rien.

— Nos premières recherches ont démontré que l'incendie était d'origine criminelle, a continué Ryan. Un vrai travail d'amateur. Celui qui a allumé le feu n'a pas fait beaucoup d'efforts pour effacer ses traces. Il s'est contenté d'arroser le tout d'essence, et les enquêteurs ont même retrouvé les bidons fondus dans les débris. Nous avons d'abord pensé qu'il s'agissait d'un genre de fraude à l'assurance.

— Mon Dieu, ai-je fait.

— Puis on a trouvé quelque chose dans le sous-sol de la maison.

— Est-ce qu'on veut vraiment le savoir ? a demandé Abby, s'adressant surtout à elle-même.

— On a découvert une salle. À première vue, les enquêteurs ont pensé qu'il s'agissait d'une chambre rajoutée après la construction de la maison. Elle ne semblait pas faire partie de la structure originelle. La porte de cette pièce avait été soigneusement sécurisée, avec plusieurs types de cadenas différents, et un genre de revêtement en acier renforcé."

J'ai levé les yeux vers le ciel, aussi bleu qu'un œuf de rouge-gorge. J'étais abasourdi.

"Cette pièce servait apparemment à retenir quelqu'un prisonnier.

— Vous croyez… a commencé Abby, sans aller jusqu'au bout de sa pensée.

— Je vous l'ai dit, il va falloir attendre un moment avant de pouvoir effectuer des recherches plus poussées dans la maison, en particulier dans le sous-sol. Étant donné la nature des dégâts, il semble peu probable qu'on retrouve des preuves concrètes du passage d'un individu dans cette pièce, qu'il s'agisse de Caitlin ou d'une autre personne. Il est possible que l'incendie ait été déclenché dans le but même de détruire ces preuves.

— Peut-être qu'il ne voulait pas que la police découvre qu'il avait aussi enfermé Tracy Fairlawn, ai-je commenté.

— Pardon ? a fait Ryan.

— Tracy. La fille du club de strip-tease, ai-je précisé à l'intention d'Abby.

— Qu'est-ce qu'elle vient faire là-dedans ? m'a-t-elle demandé.

— Peut-être que l'inspecteur a envie de nous le dire.

— Je ne crois pas que ce soit nécessaire, Tom."

Je me suis retourné vers Abby. "Il y a cinq ans, Tracy a été séquestrée par un homme pendant six mois. Il l'a ramassée dans la rue et l'a emmenée dans une maison. Elle ne sait pas où. Il l'a enfermée et violée à plusieurs reprises. Elle a réussi à s'en sortir, et puis elle a eu un bébé."

Abby paraissait horrifiée. "Est-ce que tu veux dire qu'il y a un lien entre les deux ?

— On ne sait pas…, a commencé Ryan.

— Elle affirme que c'est le même homme, ai-je répondu, les yeux rivés à ceux d'Abby. L'homme qu'elle a vu dans le club avec Caitlin est celui qui l'a enlevée, séquestrée et violée. Le même homme. Et monsieur l'inspecteur ici présent vient de refuser de partager cette information avec nous."

Ryan s'est raidi. "D'où tenez-vous tout ça, Tom ?

— J'ai mes sources, moi aussi.

— Bon. Je suis venu parce que j'aimerais parler à Caitlin. Seul, si possible.

— Ne vaudrait-il pas mieux qu'on reste avec elle, pour vérifier que tout se passe bien ? est intervenue Abby.

— Ou notre avocat ?

— Pourquoi aurait-elle besoin d'un avocat ? m'a demandé Abby.

— Nous ne sommes pas obligés de mener l'interrogatoire de Caitlin en présence d'un avocat, a contré Ryan. Mais à titre exceptionnel, nous pourrions lui permettre de se faire accompagner d'un représentant légal. Je déciderai…

— Elle a donc moins de droits que ce type en prison ? ai-je protesté.

— Attends, Tom, une minute, a dit Abby en levant les mains pour réclamer le silence.

— Abby, il se moque de Caitlin…"

Comme elle gardait les mains en l'air, je me suis tu, cédant devant son calme et sa détermination.

"Qui est cet homme ? a-t-elle demandé à Ryan. Est-ce que Tom dit la vérité ? Il a séquestré Tracy ?"

Ryan nous a regardés tour à tour. "Tard dans la nuit, la police de Union County a arrêté M. Colter pour excès de vitesse. Vous savez où se situe Union County ?"

Abby a acquiescé. "À une centaine de kilomètres d'ici.

— En interrogeant la base de données, les policiers ont découvert le mandat d'arrêt lancé à la suite de l'incendie et ont placé M. Colter en garde à vue, avant de nous appeler. Nous sommes allés le chercher ce matin et l'avons ramené ici pour discuter de l'incendie. Disons que la chance a joué en notre faveur : comme on parle régulièrement de Caitlin aux informations, nos agents avaient vu le portrait-robot du suspect presque tous les jours. Sur la suggestion de l'un d'eux, nous avons examiné la question et fait le rapprochement avec la chambre au sous-sol."

Il a tendu les mains, l'air de dire : "Et voilà."

Au bout de quatre ans, une amende pour excès de vitesse réglait l'affaire.

"Qu'est-ce qu'il a dit ? a demandé Abby.

— Rien, pour l'instant. Quand on a mentionné le nom de Caitlin, il a déclaré en avoir entendu parler dans le journal. C'est tout.

— Et les témoins ? La fille du club, Tracy ? Est-ce vrai qu'il l'a enlevée aussi ?

— Elle n'est plus là", suis-je intervenu.

Abby a pivoté la tête vers moi.

"Elle a disparu, ai-je expliqué d'une voix plus calme, qui sonnait lointaine même à mes propres oreilles. Personne n'arrive à la contacter. Ni sa mère, ni Liann. Ça fait deux semaines qu'on n'a plus aucun signe d'elle.

— Elle finira par réapparaître, a déclaré Ryan. C'est ce qui arrive en général. Rappelons-nous que cette jeune femme a des problèmes. Des problèmes de drogue. Elle n'est pas fiable.

— Qui est cet homme ? ai-je demandé. De quoi vit-il ?

— D'une pension d'invalidité. Blessure au genou. Il travaillait à l'usine Hearn, mais ça fait dix ans qu'il a arrêté. Il n'est pas vraiment connu de nos services. Il a été arrêté une fois pour agression, il y a quinze ans. À part ça, rien.

— Quel âge a-t-il ?

— Cinquante-trois ans."

Sa réponse m'a fait l'effet d'un coup de poignard. Cinquante-trois ans. Plus vieux que moi.

Ryan s'est reculé dans sa chaise et a enfoncé la main dans la poche de son pantalon pour en sortir un Polaroïd.

"J'aimerais que vous regardiez cette photo, et que vous me disiez si vous reconnaissez cet homme."

Il nous a tendu le Polaroïd, mais ni Abby ni moi n'avons bougé. Finalement, c'est elle qui l'a pris. Une grimace de dégoût s'est peinte sur son visage.

"Je ne le connais pas", a-t-elle déclaré avant de me passer la photo, que j'ai saisie d'une main tremblante.

J'ai découvert un visage étonné, celui d'un homme qui ne s'attendait pas à ce qu'on le prenne en photo. Ses yeux d'un bleu surprenant étaient grands ouverts, ses lèvres un peu écartées. Il ressemblait fortement à la description qu'en avait donnée Tracy et au portrait-robot créé par la police : mêmes cheveux gras et longs, même nez épaté. Il avait la peau rougeaude, "grêlée comme trente kilomètres de mauvaise route", selon l'expression de mon beau-père. Je ne l'avais jamais vu de ma vie, mais j'ai continué à le fixer, en quête d'un signe : la marque du mal, une expression malveillante. Mais je n'ai pas réussi à déceler l'indice qui aurait pu m'avertir, l'élément qui clamait au monde entier que cet homme cherchait à détruire des vies humaines. Son visage était laid, mais pas méchant.

"Est-ce que vous le reconnaissez ? m'a demandé Ryan.

— Non.

— Vous en êtes sûr ?

— Oui."

Ryan m'a repris la photo. Il ne l'a pas rangée dans sa poche tout de suite, mais l'a tapotée plusieurs fois contre sa cuisse.

"Il faut que je parle à votre fille.

— Vous venez de nous dire que vous n'aviez pas besoin de notre permission. Vous allez la traîner dehors sous nos yeux ?

— Je n'en ai pas besoin, mais j'aimerais que vous me la donniez, a-t-il répondu en continuant de tapoter la photo sur sa cuisse. J'aimerais aussi parler à Caitlin ailleurs qu'ici. Puisque ça ne s'est pas très bien passé la dernière fois, je me suis dit qu'on pourrait essayer au commissariat. Elle prendra peut-être l'interrogatoire plus au sérieux.

— Est-ce qu'il faudra qu'elle le voie ?" a demandé Abby.

Nous savions tous de qui elle parlait. *L'homme.* John Colter. Ryan a secoué la tête. "Absolument pas.

— Mais dans le cadre d'un procès, elle devrait le faire ? ai-je demandé.

— C'est pour ça qu'on aimerait qu'elle nous parle maintenant. Peut-être que cet homme acceptera de plaider coupable, ce qui nous soulagerait tous. Si on peut mettre les choses au clair rapidement, ça épargnera peut-être des soucis à Caitlin."

Abby m'a regardé. "Tom ?"

Je savais ce qu'elle attendait de moi. "Ryan, je… on est un peu inquiets de la façon dont vous avez parlé à Caitlin la dernière fois. Vous la traitiez comme si elle avait fait quelque chose de mal. C'est elle la victime, vous vous rappelez ?

— Bien sûr, a répondu l'inspecteur avec un haussement d'épaules exagéré. Nous partageons tous le même objectif : comprendre ce qui s'est passé et fournir à Caitlin l'aide dont elle a besoin.

— Elle n'a que seize ans, a dit Abby. C'est si jeune…" Sa voix s'est évanouie, disparaissant comme le vent dans les arbres.

Ryan s'est levé et a remis la photo dans sa poche. "Il nous reste encore des détails à régler par rapport à ce matin, mais si vous pouviez l'amener au commissariat d'ici une heure, ce serait parfait.

— Est-ce que vous allez réussir à coincer ce type, Ryan ? ai-je demandé.

— C'est mon intention.

— Et on saura ce que Caitlin vous a dit pendant l'entretien ?" Ryan a hoché la tête. "Je vous tiendrai au courant.

— Tom, est intervenue Abby. Tu crois vraiment qu'elle peut y aller toute seule ? Je n'en suis pas certaine. Caitlin est si fragile en ce moment… Elle a tellement souffert."

*Ce qui m'est arrivé.*

"C'est justement pour ça qu'elle doit y aller, tu ne crois pas ?"

Comme Abby ne répondait pas, j'ai essayé de la convaincre : "C'est parce qu'elle a souffert qu'il faut qu'elle parle. Cet homme a violenté d'autres filles. Il doit finir derrière les barreaux, et Caitlin peut y contribuer.

— Alors tu es d'accord pour soumettre ta fille à un inter-rogatoire ?

— Un crime a été commis, Abby, est intervenu Ryan. Je dois l'élucider, et c'est Caitlin qui en détient la clé. Je ne cherche pas à la blesser, mais il faut qu'elle essaye de nous aider autant que possible.

— Cette affaire concerne beaucoup de gens, pas seulement nous, ai-je ajouté.

— C'est à ça que tu penses, Tom ? Aux autres gens ?

— Il le faut bien.

— C'est ça." Abby s'est levée et a croisé les bras. "Je crois qu'il vaut mieux que j'aille lui expliquer qu'on va la livrer à vos *hommes*, a-t-elle déclaré, crachant quasiment ce dernier mot, comme un caillou qu'elle aurait trouvé dans sa nourriture. Vous entretenez de si bons rapports avec elle ces derniers temps…"

Puis elle est partie en coup de vent, nous laissant seuls sur la terrasse. Nous n'avions plus rien à nous dire, et Ryan a tourné les talons après m'avoir rappelé d'emmener Caitlin au com-missariat une heure plus tard.

## 37

Abby contemplait les voitures qui passaient devant la fenêtre embuée de la salle d'accueil du commissariat, les yeux dans le vague. Quand je me suis assis à côté d'elle, elle a fait mine de ne pas me voir. J'ai attendu quelques instants, me demandant si ça valait la peine d'essayer de lui parler. Finalement, j'ai décidé que oui.

"Je ne cherche pas à blesser Caitlin, ai-je dit. Ni toi."

Elle ne m'a pas répondu, mais j'ai vu les muscles de sa mâchoire tressaillir.

"C'est notre dernière chance, et la meilleure qu'on ait, de la laisser parler à Ryan aujourd'hui."

Abby s'est tournée vers moi. "Tu parles de dernière chance… Mais le plus important, c'est Caitlin. C'est à elle qu'on devrait consacrer tous nos efforts. Il n'y a qu'elle qui compte, pour nous deux."

J'ai regardé le sol. Puis mon portable s'est mis à sonner, et je me suis levé pour répondre.

"Salut, a fait une voix au bout du fil, d'un ton morne qui la rendait presque méconnaissable.

— Buster ?

— Où êtes-vous ? m'a-t-il demandé.

— Qu'est-ce qui se passe ?

— Où êtes-vous ? Je viens de faire un saut à la maison.

— On est au commissariat. Ils ont arrêté quelqu'un.

— Écoute… je suis désolé.

— Pourquoi ?

— Pour tout ce que vous avez vécu, toi et Caitlin."

Quelque chose dans sa voix me perturbait.

"Où es-tu ? ai-je demandé à mon tour. Qu'est-ce que tu fais ?

— On se parlera bientôt, je pense. D'accord ?

— Buster…"

Il avait disparu. Je l'ai rappelé immédiatement, mais suis tombé sur sa messagerie. Trois fois de suite.


À son retour, l'inspecteur nous a fait signe de le suivre jusqu'à la salle de conférences. Aucun signe de Caitlin.

"Où est-elle ? ai-je demandé.

— Elle va bien, Tom, a-t-il répondu en nous invitant à nous asseoir. Je voulais m'entretenir avec vous.

— Elle a dû le voir ?

— Non. S'il vous plaît, asseyez-vous. Vous pourrez ramener Caitlin à la maison dans une minute."

Abby m'a indiqué son accord d'un signe de tête, et nous avons pris place sur les chaises.

"Nous n'avons pas beaucoup progressé aujourd'hui, en tout cas pas avec Caitlin.

— L'entretien privé n'a pas fonctionné ? s'est enquis Abby.

— Elle nous a parlé un peu."

Je me suis avancé au bord de ma chaise. "De quoi ?

— Elle n'a pas vraiment répondu à nos questions, mais elle nous en a posé une. Encore et encore. Elle nous a demandé de l'autoriser à voir John Colter. Elle a répété cette phrase à de nombreuses reprises, avec insistance. J'ai fini par lui dire que ça n'arriverait pas." Ryan a poussé un soupir et s'est calé sur son siège. "Alors elle m'a dit qu'elle répondrait à toutes mes questions si je la laissais voir Colter et passer quelques minutes avec lui. J'ai refusé, en lui expliquant que la victime n'avait pas le droit de parler au coupable présumé.

— Comment a-t-elle réagi ? a demandé Abby.

— Comme une adolescente renfrognée, a répondu Ryan en se frottant le menton. Vous m'avez demandé de vous rapporter tout ce qui a été dit pendant l'entretien. Si vous le souhaitez toujours, je peux entrer dans les détails.

— Allez-y", ai-je répondu.

Abby a remué sur son siège, mais n'a pas élevé d'objection.

"Caitlin m'a dit qu'elle était amoureuse de John Colter. Elle m'a dit qu'il n'avait rien fait de mal, que personne n'avait rien fait de mal, et qu'elle souhaitait que la police abandonne l'affaire et que vous la laissiez reprendre sa vie d'avant.

— C'est-à-dire…

— Qu'elle veut retourner vivre avec lui, pas avec vous."

Il nous a laissé digérer cette information, un fardeau qui pèserait désormais sur nos vies.

"Nous allons maintenir Colter en garde à vue pour son implication dans l'incendie. Il nous reste encore des témoins à interroger, et nous attendons le rapport d'enquête à ce sujet.

— Alors il va rester en prison, s'est assurée Abby.

— Nous avons besoin de la déposition de Caitlin. C'est notre seul témoin solide. Sans elle, et sans les preuves qui ont disparu dans l'incendie… Est-ce que vous avez réfléchi à la photo de John Colter que je vous ai montrée ? Jetez-y encore un œil."

Ryan a sorti le Polaroïd de sa poche et l'a posé sur la table.

"Il y a quelque chose que vous ne nous dites pas ? ai-je demandé, sans un regard pour la photo.

— Et vous ? Êtes-vous absolument certains de ne jamais avoir vu cet homme ?"

Abby a examiné le Polaroïd. "Comment pourrais-je répondre à cette question ? Je l'ai peut-être croisé au supermarché, ou bien il est venu réparer une fuite chez nous. Je ne me souviens pas de tous les gens que j'ai vus… Mais je ne le connais pas personnellement, si c'est ce que vous voulez savoir. J'en suis sûre. Et toi, Tom ? m'a-t-elle interrogé en me tendant la photo, que j'ai dédaignée.

— Est-ce que vous nous cachez quelque chose ?" ai-je demandé à Ryan.

L'inspecteur a soutenu mon regard sans ciller, et je n'ai pas détourné les yeux non plus. Il cherchait à nous sonder, à creuser une piste, mais je n'arrivais pas à deviner de quoi il s'agissait. Il a repris la photo.

"Rien. Je voulais juste être sûr.

— Rien ?" ai-je répété.

L'inspecteur s'est levé et a remonté son pantalon. "Je vous envoie Caitlin tout de suite."

## 38

Même si je n'éprouvais aucune envie de traîner toute la famille chez Rosenbaum, nous avons grimpé dans la voiture, vestes remontées jusqu'au col pour nous prémunir du froid automnal, et j'ai entrepris de reculer dans l'allée.

C'est alors qu'Abby m'a surpris. Tandis que j'effectuais ma marche arrière, elle s'est tournée vers moi pour me demander d'un air désinvolte :

"Ça te dérangerait si j'allais à l'église aujourd'hui ?

— Maintenant ?

— C'est juste que…"

Elle a laissé sa phrase en suspens, mais j'avais compris.

"Tu veux aller parler à Chris… au pasteur, je veux dire.

— Ce n'est pas aussi simple."

J'ai attendu avant de prendre la route, laissant la voiture patienter en plein milieu de la rue. Aucun autre véhicule ne passait, et Caitlin gardait le silence à l'arrière.

"Qu'est-ce qu'il y a, alors ?"

Abby a jeté un regard à Caitlin, puis a haussé les épaules, l'air de dire qu'elle pouvait bien écouter.

"On traverse une période difficile, et ça me réconforte d'aller à l'église. Il ne s'agit pas seulement de Chris.

— Pas seulement.

— Bon, allons chez Rosenbaum. Il vaut mieux que je vienne."

Arrivé au carrefour, je n'ai pas tourné à droite, en direction du cabinet de Rosenbaum, mais à gauche. Sans que personne ne commente mon geste, je me suis dirigé vers l'église. Nous avons longé une rue commerçante, puis un long bâtiment plat qui abritait une usine de pièces détachées, pour finalement rejoindre le parking de l'église.

"Continue vers le fond", m'a indiqué Abby. Les bâtiments se succédaient sur des dizaines de mètres, comme dans un petit complexe industriel. "Arrête-toi devant cette porte." Je me suis exécuté. Il s'agissait d'une entrée secondaire quelconque, flanquée de buissons persistants. Une dizaine de voitures, d'anciens modèles pour la plupart, attendaient sur le parking. Abby est restée assise, la main sur la poignée de la portière. "Tu es sûr que tu ne préfères pas que je vous accompagne ?

— Ça ira.

— On pourrait emmener Caitlin, a-t-elle proposé avec un signe de tête vers la porte de l'église. Elle pourrait discuter avec Chris. La dernière fois... Tu crois vraiment qu'elle lui a parlé uniquement pour se venger ?"

Je me suis retourné vers la banquette, et Caitlin m'a dévisagé. "Oui, je crois. Pas vrai, Caitlin ? Tu as parlé à Chris parce que tu m'en voulais, à cause de la gifle.

— Puisque tu as tout compris..." a-t-elle rétorqué.

Abby s'est retournée à son tour, lâchant la poignée. "Est-ce que l'homme qui est en prison t'a frappée ? Est-ce qu'il t'a fait du mal ? D'où vient cette ecchymose sur ton ventre ? Je ne te l'ai jamais demandé, mais j'ai peur qu'il t'ait maltraitée.

— Vous ne savez rien.

— Quoi ? Comment ça ?

— Vous ne savez rien, rien du tout. Tous autant que vous êtes. Deux parfaits crétins."

Le regard d'Abby s'est attardé un instant sur Caitlin ; puis elle s'est détournée. "Je ne sais rien, hein ? J'aimerais, pourtant. J'aimerais beaucoup. Mais j'essaye de me rappeler qu'il y a des choses dans la vie que je ne comprendrai jamais. Et ça ne me dérange pas tellement. J'ai appris à l'accepter." Regardant de nouveau Caitlin, elle a poursuivi : "Mais moins tu nous parles, et plus tu devras parler à la police. Et tu sais bien comment ça se passe, de ce côté-là. C'est ton choix, j'espère que tu l'as compris."

Sur ces paroles, Abby est descendue de la voiture. Nous l'avons regardée disparaître à l'intérieur du bâtiment, puis j'ai redémarré pour sortir du parking.

"Et si on séchait la séance de psy aujourd'hui ? ai-je proposé. Sérieusement. Ça te dirait d'aller ailleurs ?

— Où ça ?"

Je m'étais mêlé à la circulation et me dirigeais vers le centre-ville.

"Voir une amie à moi, ai-je répondu en essayant d'adopter un ton naturel, presque guilleret.

— Tu as une amie, toi ?

— Fais ton choix, ai-je répliqué, un peu plus tendu. Ou bien on va voir mon amie, ou bien c'est le psy.

— Aucun des deux.

— Alors c'est Rosenbaum." Après un silence, j'ai ajouté : "Mais elle va être déçue. Elle voulait te rencontrer.

— C'est ta petite amie ?

— Je croyais que ça ne t'intéressait pas."

Elle s'est murée dans le silence, et j'ai poursuivi ma route, la laissant cogiter. Au bout d'un moment, elle a déclaré :

"C'est vrai que j'ai parlé au pasteur parce que j'étais énervée contre toi."

Je me suis tu.

"Ça te fait pas bizarre que maman ait un copain ?

— Tu penses que c'est son copain ?

— C'est elle qui me l'a dit, a-t-elle répondu, avant de préciser une demi-seconde plus tard : Elle m'a dit qu'elle était amoureuse de lui.

— N'importe quoi.

— Si. Et je vois bien qu'elle l'aime.

— De la même façon que tu aimes John Colter ?"

Elle a regardé par la vitre. "Ça n'a rien à voir, a-t-elle déclaré d'un ton rêveur. Tu n'as jamais été séparé de quelqu'un que tu aimais.

— Si.

— De qui ?

— Toi."

J'ai attendu sa réaction ; comme elle ne venait pas, j'ai jeté un œil dans le rétroviseur. Cette fois-ci, il m'a semblé – ou du moins je l'espérais – avoir décelé quelque chose, un signe d'émotion : un mouvement de gorge, un battement de cils, une légère coloration des joues.

Mais Caitlin a gardé le silence, les yeux fixés sur la vitre.

J'ai appelé Susan depuis la voiture pour lui expliquer avec qui je me trouvais et ce que je voulais faire. Nous sommes convenus qu'il valait mieux ne pas nous retrouver en public, et elle m'a indiqué comment rejoindre sa maison. Elle vivait dans un petit pavillon non loin du campus, dans un quartier envahi par les logements étudiants décrépits. Sa maison était la plus jolie et la mieux entretenue de la rue.

Une fois garé devant la maison, j'ai coupé le moteur et annoncé à Caitlin : "On y est.

— Qui c'est ? Quelqu'un de ton boulot ?

— Non.

— Elle n'est pas psy ? Parce que j'en ai ma claque.

— Elle essaye d'aider les gens à résoudre leurs problèmes.

— Comme un psy, quoi. Et toi, tu as résolu tes problèmes ?

— Je ne sais pas. Je n'en suis qu'au début. Tu veux aller lui parler ?"

Susan avait dû nous voir arriver. Elle est sortie sur la grande terrasse qui bordait la maison, vêtue à son habitude d'un pantalon tout simple et d'une grande chemise de flanelle aux manches retroussées jusqu'aux coudes. Elle a levé la main pour nous adresser un salut timide.

"On dirait un peu un homme, a commenté Caitlin.

— C'est une femme. Et justement, je me disais que tu aimerais peut-être parler à une femme, pour changer. Je sais que c'est pénible de discuter de ce genre de choses, surtout avec des hommes. Peut-être qu'un point de vue féminin t'aiderait."

Caitlin a paru réfléchir à ma proposition, puis elle a acquiescé. "D'accord. Je vais voir ce qu'elle a à me dire. Ça vaudra toujours mieux que ce crétin de psy." Elle a tendu la main vers la poignée.

"Une minute."

Elle a poussé un long soupir d'exaspération. "Je ne vais pas m'enfuir, ne panique pas.

— Non, j'ai quelque chose à te dire."

Elle s'est réinstallée sur la banquette et m'a observé d'un air circonspect.

"Je n'aurais pas dû te frapper l'autre jour, ai-je commencé, choisissant mes mots avec soin. Mais j'étais en colère. Tu sais, en tant que parent, je me sens responsable de tout ce qui t'arrive. J'ai l'impression que j'aurais pu faire les choses différemment, et qu'alors nos vies auraient pris un autre chemin. Et toi aussi.

— Qu'est-ce qui ne va pas avec ce chemin-là ?

— Tu as disparu pendant quatre ans. Tu nous as manqué. On t'avait perdue.

— Donc le problème, c'est que vous ne l'avez pas choisi pour moi.

— Personne ne l'a choisi. Ça, je le sais."

Caitlin a laissé son regard dériver en direction des arbustes au-dehors, qui perdaient peu à peu leurs feuilles orange. Comme elle ne répondait pas, j'ai changé de stratégie.

"Ces derniers temps, j'ai beaucoup pensé à l'époque où tu étais petite. Je me souviens d'une fois, quand tu avais six ans, je pense, où tu as traversé la rue sans permission. Tu te rappelles ? Tu croyais que je ne t'avais pas vue, que je ne savais pas ce que tu étais en train de faire, mais si. J'étais sorti pour te dire de rentrer, et j'étais là quand une voiture a failli te renverser. Tu t'étais précipitée sous ses roues, et le conducteur a dû freiner brusquement pour ne pas t'écraser. Tu t'en souviens ?

— Oui, a-t-elle répondu, le regard toujours fixé sur la vitre. Je revois encore le pare-chocs et les phares de la voiture, juste devant moi. Je crois qu'ils ont klaxonné. En tout cas, c'est comme ça que je m'en souviens.

— Je ne savais pas quoi faire. Est-ce que j'aurais dû arrêter ces gens, leur hurler dessus ? Sortir le conducteur de la voiture et le bourrer de coups ?

— C'était ma faute. J'ai traversé sans regarder.

— Tu as eu peur ?

— Oui, au tout début. Mais j'avais aussi le sentiment que la voiture ne pouvait pas me toucher, qu'elle n'allait pas me renverser. D'une certaine manière, je me sentais protégée.

— Par quoi ? Dieu ?"

Elle a aussitôt secoué la tête. "Pas Dieu. Non.

— Quoi alors ?

— Je ne sais pas.

— Si je ne t'ai pas crié dessus ni giflée à ce moment-là, c'est parce que je pensais que ça ne servirait à rien. Les enfants ont tendance à faire ce genre de chose. Ils testent leurs limites, ils commettent des erreurs. Ça m'a perturbé, bien sûr. J'ai eu peur. Mais je n'en ai jamais parlé à ta mère, parce qu'elle n'aurait pas pu le supporter. Elle ne t'aurait plus jamais laissée jouer dehors.

— Elle a souvent des réactions extrêmes. Comme toi.

— Tu sais, quand j'y repense, ça m'étonne vraiment que tu aies pu me regarder droit dans les yeux, sûrement de la même manière que tu avais regardé le pare-chocs de cette voiture, et me mentir aussi facilement. Pourquoi pensais-tu en avoir le droit ? Où avais-tu appris à mentir comme ça ?

— Je me suis dit que ça ne te regardait pas, je crois.

— Tu étais une enfant. Tout ce que tu faisais me regardait.

— C'est ce que les parents croient.

— On nous a donné une deuxième chance, Caitlin. À nous tous. Et je ne vais pas la laisser filer. Sûrement pas.

— Tu vas encore me gifler ? Ça te soulagerait ? Certains hommes fonctionnent comme ça.

— Est-ce que cet homme t'a frappée ? Est-ce qu'il t'a fait du mal ? Tu m'as dit qu'il t'était arrivé quelque chose. Qu'est-ce qui t'est arrivé, Caitlin ? Dis-le-moi."

Elle s'est mise à frissonner, les épaules voûtées, le corps parcouru de tremblements, mais elle n'a pas baissé les armes.

"Il fait froid. Soit on y va, soit on rentre à la maison.

— Est-ce qu'il t'a enfermée dans cette pièce, au sous-sol ?"

Caitlin a attrapé la poignée pour tirer dessus, puis a essayé de peser sur la portière avec son épaule ; en vain. La sécurité enfant était enclenchée. Elle ne pouvait pas sortir.

"Des verrous. Vous utilisez tous des verrous.

— C'est pour te protéger, Caitlin. Ça n'a rien à voir."

Elle gardait les yeux braqués devant elle. "Si tu veux y aller, c'est maintenant. Je t'ai dit que j'avais froid."

## 39

Susan nous a accueillis sur la terrasse.

"Eh bien, je crois savoir qui est cette jeune fille", a-t-elle dit avant de nous céder le passage, avec un mouvement de bras en direction d'un grand salon encombré. Une odeur d'oignons frits planait dans la maison et on entendait les informations passer à la radio.

Remarquant l'air mal assuré de Caitlin, je lui ai signifié d'un hochement de tête qu'elle pouvait entrer. Susan lui a présenté un fauteuil rembourré où, après un bref instant d'hésitation, elle s'est assise.

"Est-ce que tu veux du thé, Caitlin ? J'en ai dans la cuisine.

— Non.

— Autre chose alors ? De l'eau ? Du Coca ?"

Les yeux de Caitlin ont fait le tour de la pièce avant de se poser sur moi. "Mon père veut que je vous parle au lieu d'aller chez le psy.

— Très bien, a répondu Susan. Et qu'est-ce que tu en penses ?"

Caitlin continuait de me fixer. "Ça ne me dérange pas. Mais s'il veut que je vous parle, il faudra qu'il parte.

— Non, ai-je répliqué. Ce n'est pas ce qu'on avait décidé.

— On avait décidé quelque chose ?

— Tom, a coupé Susan. Écoutez. J'ai l'habitude de discuter avec des jeunes filles comme Caitlin, et elles préfèrent parfois que la conversation se déroule dans l'intimité – au moins au début, le temps d'apprendre à me connaître.

— Je peux vous dire un mot ?"

Nous nous sommes éloignés jusqu'au seuil d'une cuisine impeccable, où j'ai pu m'entretenir à voix basse avec Susan tout en gardant un œil sur Caitlin.

"Ça ne me plaît pas. Si je l'ai amenée ici, c'est pour en apprendre plus. De mes propres oreilles.

— Elle ne me connaît pas, Tom. Elle ne me fait pas encore confiance.

— Raison de plus pour que je reste."

Susan a jeté un œil derrière elle avant de se retourner vers moi. "Nous avons aussi un problème de confiance à régler, non ? Vous êtes en colère parce que je n'ai pas été franche avec vous lors de notre première rencontre, et je le comprends. Peut-être qu'en parlant seule avec Caitlin, je pourrai réparer ça."

Elle m'a de nouveau fixé de son regard honnête ; et son pouvoir a opéré. Malgré ses cachotteries au sujet de Tracy, je croyais cette femme quand elle disait vouloir m'aider. Et même si je ne lui accordais pas toute ma confiance, je n'avais personne d'autre vers qui me tourner.

"Que dois-je faire ?

— Allez donc attendre sur la terrasse. C'est une belle journée."

J'ai regardé Caitlin, qui faisait mine de ne pas nous voir. "Elle a tendance à se sauver.

— J'ai l'habitude, Tom. Je la surveillerai."

Je me suis rapproché du fauteuil de Caitlin. "C'est bien ce que tu veux ? Que j'attende dehors ?"

Elle a acquiescé.

"D'accord. Je reste dans les parages, si jamais tu as besoin de moi."

Susan m'a raccompagné jusqu'à la porte, où je lui ai murmuré : "Cette histoire est bien plus complexe qu'elle n'y paraît, vous savez.

— Comme souvent.

— Et vous allez découvrir ce qui s'est passé ?"

Avec douceur mais fermeté, Susan a posé la main sur ma poitrine pour me pousser dehors. "Je vais faire ce que je peux, Tom."

Un quart d'heure plus tard, je recevais un appel du cabinet de Rosenbaum. C'était le docteur lui-même qui m'appelait, pas sa secrétaire.

"Tom, nous nous demandions où se trouvait Caitlin. Elle ne s'est pas présentée à son rendez-vous.

— Nous n'allons pas pouvoir venir aujourd'hui. En fait, j'ai décidé de l'emmener consulter un autre spécialiste, quelqu'un avec qui elle s'entendra mieux, je pense.

— Vous ne pouvez pas faire ça, a-t-il rétorqué en haussant le ton. Il est fortement déconseillé de promener un patient de spécialiste en spécialiste. Chez qui l'avez-vous emmenée ? Est-ce que votre femme est au courant ? Je sais bien que je n'ai pas encore obtenu de résultats, mais un cas comme celui-là peut prendre beaucoup de temps à traiter.

— Il faut que j'y aille.

— Chez qui l'avez-vous emmenée ? Comment s'appelle ce médecin ?

— Ce n'est pas un médecin.

— Comment ? Tom, je vais être obligé d'en parler à l'inspecteur Ryan. Nous arrivons à un point crucial de l'affaire, et si Caitlin ne reçoit pas les soins appropriés…"

J'ai raccroché.


Après ma conversation avec Rosenbaum, je me suis mis à arpenter la terrasse, écoutant le chant des oiseaux et observant le va-et-vient des étudiants dans le quartier. Je n'ai pas tardé à recevoir un appel d'Abby, que j'ai immédiatement rassurée.

"Tout va bien, elle est avec moi."

Il y a eu un soupir à l'autre bout du fil. "Tu l'as vraiment emmenée chez un autre docteur ?

— Non, pas vraiment.

— Chez qui alors ?" Un silence. "Oh, Tom." La voix d'Abby ne trahissait aucune colère, plutôt de l'inquiétude et une certaine réprobation. "La femme qui est venue chez nous ?

— Elle travaille avec la police. Elle conseille les victimes, leur sert de soutien.

— C'est un médecin ?

285

— Non, mais elle s'efforce d'aider les gens. Elle a été formée pour travailler avec des personnes qui traversent une période difficile. Elle ne poursuit aucun but personnel : elle se contente d'écouter, et avec moi, ça marche.

— Caitlin est aussi ma fille. Il faut que tu me dises ce que tu fais avec elle, surtout en ce moment.

— Ce n'était pas prévu. Ça m'est venu comme ça."

J'ai entendu quelqu'un s'adresser à Abby, qui a étouffé le téléphone de la main pour répondre quelque chose comme : "Ça va, ça va." Puis elle est revenue au bout du fil. "Ça m'attriste que cette femme soit ton seul recours dans une situation difficile. Tu es tellement seul, Tom. Je m'inquiète pour toi.

— Il faut que j'y aille. Caitlin sera bientôt prête.

— Tu voudras bien qu'on en reparle tout à l'heure ? On ne devrait pas en rester là.

— Il faut que j'y aille, Abby. Au revoir."

## 40

J'ai attendu encore une demi-heure avant que Susan ne sorte de la maison et me fasse signe de la suivre, le visage impassible.

Caitlin était toujours assise dans son fauteuil, mais elle tenait à présent un mouchoir roulé en boule. Elle avait pleuré. Quand nos yeux se sont croisés, elle a détourné les siens d'un air honteux.

"Qu'est-ce qu'il y a ?

— Asseyez-vous, Tom", m'a dit Susan en désignant une chaise vide.

Je me suis exécuté. J'ai serré les mains sur mes cuisses, sans trop savoir quoi en faire. J'ai voulu toucher Caitlin, mais elle s'est dérobée, et ce mouvement de recul m'a piqué au vif. Une fois Susan installée, j'ai répété :

"Alors ?"

Susan a posé les mains sur ses genoux. "Caitlin a vécu une expérience bouleversante, pour quelqu'un d'aussi jeune.

— J'imagine, ai-je répondu en secouant la tête. J'imagine très bien.

— Je n'en suis pas sûre, Tom. Je ne sais pas si quelqu'un en est capable.

— C'est vrai, vous avez raison. Je commence tout juste à le comprendre."

Susan a regardé Caitlin. Je n'aurais pu le jurer, mais il m'a semblé que ma fille lui adressait un signe imperceptible, un minuscule et bref hochement de tête. Susan a acquiescé à son tour.

"Caitlin ne veut plus que vous lui posiez de questions. Elle m'a fait part de certaines choses, et accepte que je vous les rapporte.

— Donc elle vous a parlé. Mais à moi, non. Pourquoi refuses-tu de me parler ? ai-je demandé à Caitlin, avant de me rendre compte du ton enjôleur et suppliant que j'adoptais.

— Elle redoute votre réaction. Comme maintenant. Elle craint que votre point de vue de père vous empêche d'entendre ce qu'elle a à dire.

— D'accord. Je vous écoute. Que ça vienne de vous ou d'elle, j'écouterai tout ce qu'on me dira."

Susan s'est tournée vers Caitlin. "Ma puce, tu préfères vraiment que ce soit moi qui lui en parle ?"

Caitlin a acquiescé, s'accrochant toujours à son mouchoir.

"Bien. Caitlin est tombée amoureuse de cet homme, celui qui se trouve au commissariat. Elle tient à vous le dire, pour que vous compreniez pourquoi elle a essayé de partir l'autre nuit et pourquoi elle refuse de coopérer avec la police. Elle ne veut pas que cet homme aille en prison."

Susan a marqué une pause, et je me suis rendu compte qu'elle attendait une réaction de ma part. La pièce me semblait tout à coup plus petite, trop étroite. Pris du sentiment que je me dirigeais droit vers un cul-de-sac, j'ai fait marche arrière.

"Quel est votre intérêt dans cette histoire ? ai-je demandé à Susan. Je croyais que vous vouliez m'aider."

Susan ne s'est pas froissée, et n'a pas cédé d'un pouce. "C'est ce que je fais.

— Qu'est-ce que tu veux, alors ? ai-je dit à Caitlin. Que j'arrête de poser des questions, et la police aussi ? C'est tout ?"

Elles ont à nouveau échangé un regard, mais cette fois c'est Caitlin qui a répondu, sans se tourner vers moi.

"Je veux le voir.

— Non, ai-je déclaré, avant de répéter : Non, d'une voix morne mais ferme, dénuée d'émotion – en tout cas à mes propres oreilles.

— Je ne dirai rien à la police. Ils ne pourront pas l'accuser.

— Ils ont d'autres témoins. Des gens qui vous ont vus ensemble dans des clubs de strip-tease, et Dieu sait où encore.

Ils vont le coincer, avec ou sans toi. Et rien ne me fera plus plaisir." Je me suis levé. "Allez, on rentre.

— Tom...

— Ça suffit. Vous en avez assez fait. Viens, Caitlin."

Elle s'est de nouveau tournée vers Susan, laquelle a de nouveau hoché la tête – dans ma direction cette fois, pour lui signifier qu'elle devait me suivre.

Caitlin n'a pas bougé. Elle tenait toujours son mouchoir, mais ses yeux étaient secs, et je craignais de me heurter bientôt aux limites de ma propre autorité. Qu'allais-je faire si elle refusait de bouger, si elle se pelotonnait sur son fauteuil en une masse inerte, dotée de toute la force de résistance d'une adolescente ? Comment parviendrais-je à la toucher, à l'émouvoir ?

Mais Caitlin n'était pas encore prête à livrer bataille.

Elle s'est levée, les épaules voûtées, comme repliée sur elle-même. Quand nous avons atteint la porte, j'ai refermé la main sur son bras osseux, constatant sa maigreur à travers son sweat-shirt. Elle a levé les yeux puis regardé l'endroit où je la touchais. Comme elle essayait de se dégager, j'ai resserré ma prise sans aucune douceur, me moquant bien des marques que je pourrais laisser.

"Tom, m'a appelé Susan au moment où nous sortions. Je reverrai Caitlin avec plaisir, et vous aussi. Ensemble ou chacun de votre côté. Mais je crois qu'une partie du problème dépasse mes compétences, et que vous devriez également consulter un spécialiste."

J'ai guidé Caitlin jusqu'à la voiture, telle une paire de siamois mal assortis.

À l'intérieur, une fois la sécurité enfant enclenchée, Caitlin a pris la parole.

"Très bien. Je vais te dire tout ce que tu veux savoir.

— Tout ?"

Elle a hoché la tête. "À une condition.

— Laquelle ?

— Quand ce sera fait, quand je t'aurai raconté tous ces foutus trucs, tu me laisseras partir. Tu me laisseras retrouver John, et la vie que je veux mener. Dans ce cas-là, je te raconterai tout.

— Cet homme va croupir en prison pour le reste de ses jours.

— Donc tu refuses le marché."

Secouant la tête, j'ai démarré la voiture pour nous ramener à la maison.

# 41

On était mercredi matin, et j'étais sorti chercher le journal. Il faisait de nouveau bon, les feuilles mourantes des arbres resplendissaient de rouge, d'orange et d'or, et en cet instant paisible sur la pelouse, ce spectacle a réussi à me remonter le moral. Mes voisins avaient commencé à se mettre dans l'esprit de la saison en installant citrouilles, gerbes de blé et toiles d'araignée factices devant leur maison ; quelques-uns avaient même planté dans leur jardin de fausses pierres tombales ornées d'un "RIP" dégoulinant.

J'ai inspiré une grande bouffée d'air.

Une fois, pendant la fête de Halloween qui avait suivi la disparition de Caitlin, un groupe d'enfants s'était présenté à notre porte. Parmi eux se trouvait un adolescent un peu trop vieux pour les farces et attrapes, affublé d'une perruque blonde filasse et d'une robe de petite fille. Il ne devait pas savoir qui j'étais ni à quelle porte il avait frappé, parce que quand je lui ai demandé en quoi il était déguisé, il m'a répondu d'un ton désinvolte : "Caitlin Stuart, la fille qui a disparu."

Alors j'ai refermé la porte et éteint les lumières de la maison, laissant notre bol de friandises à disposition des enfants sur la terrasse.

Nous ne pouvions pas mener une vie normale. C'était vrai à l'époque, et ça l'était encore maintenant que Caitlin était revenue. Pourtant, en ce bref instant dans le jardin, j'ai eu l'impression d'être un homme comme les autres, qui allait chercher son journal pendant que sa famille dormait. Mais si je dépliais le journal et que j'y trouvais un article sur Caitlin ou sur l'arrestation de John Colter, le charme se briserait.

Je ne suis pas rentré tout de suite.

Je me suis assis sur la terrasse, pieds nus, en robe de chambre, le journal roulé à la main ; et pendant quelques minutes, j'ai regardé le temps passer tranquillement. Je savais que tout le reste m'attendait encore : Abby et Caitlin, John Colter, Ryan et la police. Une brise légère s'est levée, et j'ai inspiré profondément l'air pur du matin, l'odeur douceâtre des feuilles en train de pourrir.

J'avais dû me perdre dans ma rêverie, car je n'ai pas vu la voiture de Liann approcher de chez nous. Elle s'est arrêtée en soulevant des feuilles mortes dans son sillage, puis Liann en est descendue, lunettes de soleil remontées sur la tête. Elle m'a adressé un sourire un peu forcé, et j'ai noté qu'elle tenait un porte-documents dans la main gauche.

Il se passait quelque chose.

"Bonjour, Tom.

— Je me demande s'il va être si bon que ça."

Elle s'est assise à côté de moi sur les marches. "Est-ce que tu as parlé à Ryan aujourd'hui ?

— Non. Qu'est-ce qui se passe ?

— J'étais au tribunal ce matin. Je connais pas mal de monde là-bas, des gens qui me parlent encore. Bref, j'ai appris que John Colter avait obtenu une audience de liberté conditionnelle. À dix heures. Je pense que tu devrais y assister avec Abby, si vous vous en sentez capables. Ryan va sûrement vous appeler. L'avocat de Colter demande sa libération sous caution depuis le début, et si l'affaire passe devant un juge...

— Ils ne...

— Tracy demeure introuvable. Et même si les témoins confirment qu'ils ont vu John Colter avec Caitlin, ça prouve juste que c'est une ordure, pas qu'il est coupable.

— Et le viol ?

— Où sont les faits ? Est-ce que Caitlin est prête à témoigner contre lui ? La police ne peut s'appuyer que sur l'incendie. C'est un acte criminel, et quand l'enquête sera terminée, ils le poursuivront en justice..."

— Pour fraude à l'assurance.

— Il n'a pas établi de déclaration de sinistre, et je doute qu'il le fasse. Son avocat demande la liberté conditionnelle. La caution sera élevée, mais il obtiendra gain de cause.

— Colter peut se le permettre, avec sa pension d'invalidité ?

— Sa mère va hypothéquer sa maison, et d'autres biens." Fronçant les sourcils, Liann a conclu : "Il va sortir de prison, Tom."

J'ai lâché le journal et me suis pris la tête entre les mains. Mes intestins se tordaient comme des serpents dans mon ventre.

"Alors à quoi ça sert qu'on y aille ?

— Ça ne peut pas faire de mal. Votre présence aura peut-être une influence sur le juge, même minime. J'y serai aussi. Il faut essayer, Tom."

J'ai relevé les yeux. La même rue tranquille, les mêmes feuilles mortes en train de tomber. Rien ne serait plus jamais comme avant. Pas réellement.

"Je n'ai plus envie d'essayer, Liann. Tu peux reprendre le flambeau."

# TROISIÈME PARTIE

## 42

Mon beau-père, Paul, est mort à l'époque où je faisais mes études. Quand j'ai annoncé la nouvelle à Abby – c'était Buster qui me l'avait apprise au téléphone, d'une voix rauque et défaillante – j'ai précisé que je ne retournerais pas chez moi pour l'enterrement.

Mais elle m'a répondu que je devais y aller, non seulement parce que ma mère et ma famille avaient besoin de mon soutien, mais parce qu'il fallait que j'affronte une fois pour toutes les démons du passé.

"C'est justement pour ça que je ne veux pas y aller. J'ai déjà réglé cette histoire.

— Non, avait rétorqué Abby, ce n'est pas vrai."

Quand j'ai vu mon beau-père dans son cercueil, le visage émacié, maquillé, une bible placée entre ses mains noueuses et ridées, je n'ai ressenti aucune émotion. Ce n'était pas lui. Ou du moins, ce n'était pas l'homme que j'avais connu. Au cours de nos rares conversations téléphoniques, ma mère m'avait confié qu'il avait changé. C'était devenu un homme meilleur. Il ne buvait plus ; mieux, il parvenait à garder un emploi stable.

Ça m'indifférait, et je n'y croyais pas.

Si j'avais espéré éprouver une certaine jubilation à le voir mort, ça n'est pas arrivé non plus. Ce n'était qu'un cadavre, une enveloppe charnelle vide.

Plus tard, après la cérémonie religieuse et l'enterrement, les "amen" et le discours répétitif du pasteur, nous sommes retournés chez ma mère, dans la maison où j'avais grandi avec mon beau-père et Buster. J'ai annoncé à tous ceux qui voulaient bien m'entendre que je ne pouvais pas rester longtemps, que je devais retourner à l'université dès que possible. Dans ma tête, j'avais prévu de rester une heure. Pas plus, pas moins.

Mais au fil de la réception, tandis que les membres de la famille et les amis se succédaient pour me présenter des condoléances que j'acceptais malgré mon absence de douleur, mes yeux ne cessaient de revenir à un endroit précis de la maison : l'escalier qui menait à notre ancienne chambre, où mon beau-père venait nous terroriser lorsque l'alcool le mettait en rage. Je n'y étais pas retourné depuis des années – depuis mon départ à l'université –, mais à présent que Paul était mort, je ressentais une certaine curiosité à l'égard de la pièce qui tenait un rôle central dans mes cauchemars.

Au moment opportun, je me suis aventuré jusqu'au pied de l'escalier.

Les marches étaient toujours recouvertes d'une moquette marron terne élimée sur les côtés, qui aurait eu besoin d'un bon coup d'aspirateur. Mon cœur s'est mis à suivre un rythme étrange et accéléré, et mes paumes m'ont semblé tout à coup humides et glissantes, comme recouvertes d'une fine couche d'huile. J'ai failli tourner les talons, fendre la foule pour rejoindre ma voiture et retrouver la vie que je m'étais construite loin de cet endroit. Mais l'influence d'Abby s'exerçait encore sur moi. Puisqu'elle m'avait poussé à venir, j'irais jusqu'au bout. J'ai entrepris de grimper les marches à pas lents et mesurés.

Le bois grinçait, comme d'habitude. L'escalier me paraissait plus étroit que dans mon enfance. J'avais grandi, bien sûr, tandis que cet univers rétrécissait. Mais là où ma main touchait la rampe, je sentais toujours une humidité poisseuse, comme une pellicule de sueur que mon corps sécrétait pour se défendre du passé.

Je me suis arrêté en haut de l'escalier.

Il régnait toujours la même odeur de renfermé, de chambre en mal d'aération.

À droite se trouvait la salle de bains, un local exigu au papier peint effiloché et aux tuyaux rouillés. Et de l'autre côté, la chambre que je partageais avec Buster. Je m'en suis approché d'un pas raide et gauche, mais au lieu d'entrer tout de suite, je suis resté sur le seuil, la main posée contre le chambranle de la porte. La pièce avait changé. On avait remplacé nos lits jumeaux par un lit double, et le papier peint aux couleurs du drapeau américain par de la peinture blanche. Malgré tout, j'ai reconnu immédiatement la ligne du plafond, la forme de la fenêtre, la vue sur le toit de la maison en brique rouge des voisins.

Il ne m'a pas échappé que je me tenais au même endroit et presque de la même manière que Paul lorsqu'il venait dans notre chambre le soir. J'ai ressenti un froid intense, comme on n'en connaît que les pires jours d'hiver. C'était le printemps, il faisait bon dehors, mais le fait de me trouver dans cette chambre me glaçait au point de me donner des frissons. Je m'apprêtais à partir quand quelqu'un a déclaré :

"On dirait que cet endroit te manque."

Je me suis retourné d'un bond, manquant perdre l'équilibre, et me suis retrouvé nez à nez avec ma mère qui, malgré l'escalier grinçant et tout le reste, avait trouvé le moyen de me surprendre.

Elle avait l'air étrangement contente de me trouver devant cette porte, comme si j'étais en train de me remémorer les joies du passé.

"Je pense que tout le monde regrette son enfance", a-t-elle continué.

J'ai secoué la tête. "Pas moi.

— Oh, Tom…" Elle a posé la main sur mon bras, mais je suis resté de marbre. "Tu devrais revenir plus souvent. Tu aurais dû le faire quand Paul vivait encore.

— Et pourquoi ?

— Parce qu'on est ta famille. Tu ne gardes pas d'heureux souvenirs de ta vie ici ?

— Il faut que j'y aille, maman. Avec l'université…"

Elle ne m'a pas lâché. "Je suis sérieuse, Tom. Je sais que tu as souffert quand ton père est mort et que je me suis remariée, mais on s'est bien occupés de toi, non ? Et Paul aussi."

J'ai reculé d'un pas pour étudier son visage et m'assurer qu'elle ne plaisantait pas. Mais je n'ai décelé nul sourire, nulle trace d'amusement dans ses yeux, seulement cette tristesse que j'avais remarquée dès l'enfance, accentuée désormais par les signes de plus en plus visibles de l'âge – cheveux grisonnants, rides profondes autour de la bouche et des yeux, taches de vieillesse au dos des mains.

"Paul nous battait, maman. Il me battait. Il nous terrorisait tous, toi y compris."

Pendant un instant, elle a eu l'air perdu, comme si je parlais d'événements lointains dont elle n'avait pas connaissance.

Puis elle s'est mise à secouer la tête lentement, et au lieu de s'effacer, sa perplexité a semblé grandir.

"Paul ne t'a jamais battu. Il n'a jamais levé la main sur aucun de mes enfants.

— Tu divagues, maman. Tu étais au courant.

— Toutes ces choses que vous me dites… Je n'arrive pas à comprendre pourquoi vous me détestez autant, tous les deux. J'étais donc une si mauvaise mère, pour que vous vous sentiez obligés d'inventer ces histoires pour me blesser ?

— On n'invente rien." J'ai dégagé mon bras, envahi par une colère irraisonnée. "C'est la vérité. Reconnais-le !"

Ses yeux se sont emplis de larmes, et elle a porté la main à sa bouche. On aurait dit qu'elle voulait empêcher les sanglots de s'échapper de sa gorge – ce qui a fonctionné, car rien n'en est sorti. Mais elle a réussi à parler.

"Pas aujourd'hui, Tom. S'il te plaît, pas un jour pareil.

— Pourquoi refuses-tu de me dire ce que je veux entendre ?"

Buster est apparu en haut de l'escalier.

Il devait avoir entendu notre conversation, du moins en partie. Les éclats de voix. Les supplications de ma mère. Il paraissait furieux, mais au lieu de se ranger de mon côté – comme je m'y attendais –, il a pris la défense de ma mère.

"Tom, on n'est pas là pour parler de toi ni de tes souffrances. On souffre tous aujourd'hui, et on n'a pas besoin que tu viennes encore inventer ces histoires sur papa.

— Je n'invente rien. Je veux seulement qu'elle le reconnaisse."

Buster a serré les dents. "Mais quel salaud…"

Les yeux baissés vers le sol, ma mère a essuyé ses larmes.

Je les ai observés un instant. Ils formaient une véritable muraille de déni, un obstacle impossible à franchir. Il n'y avait pas de place pour moi ici. Il n'y en avait jamais eu. Ils n'avaient jamais pris ma défense, ni contre Paul, ni à aucun autre moment.

Je les ai laissés là et suis sorti de la maison.

Je n'ai plus jamais revu ma mère.

## 43

Je ne m'étais pas endormi, j'en étais sûr.

Depuis la visite de Liann, je passais mes nuits à contempler le plafond de la chambre d'amis, avec pour seule compagnie le bruit occasionnel d'une voiture dans la rue. Caitlin était à la maison, et John Colter dans celle de quelqu'un d'autre. Libéré sous caution. Inculpé pour incendie volontaire, tout comme Liann l'avait prédit.

Quelque chose a heurté ma fenêtre.

Je me suis redressé brusquement.

Colter ? Et s'il essayait de s'introduire dans la maison ?

Je suis allé regarder dehors, le froid extérieur pénétrant mes paumes appuyées contre la vitre.

Rien.

La rue et le jardin étaient vides.

Ce n'était que mon imagination, rien de plus.

Pourtant, je n'ai pas pu me recoucher.

Je suis descendu au rez-de-chaussée pour inspecter la maison, vérifiant chaque porte et chaque fenêtre afin de m'assurer qu'elles étaient bien fermées. C'était le cas. On avait baissé le chauffage pour la nuit, et le carrelage de la cuisine me gelait les pieds. J'ai jeté un œil au frigo. N'y trouvant rien à mon goût, j'ai attrapé une pomme, mais n'ai pas mordu dedans. Je pensais à la fille du cimetière et au bruit contre ma fenêtre.

Et si elle était revenue ?

Il ne m'a pas fallu longtemps pour retourner à l'étage et m'habiller. Sur le palier, j'ai collé l'oreille à la porte d'Abby et Caitlin. Une respiration ténue m'est parvenue : elles étaient toujours là, en sécurité. Je me suis glissé hors de la maison comme un voleur.

À presque une heure et demie du matin, les rues étaient vides et silencieuses. Quand j'ai atteint la route principale, quelques voitures sont passées devant moi ; pourtant même cet endroit était calme. Debout dans l'étrange lueur jaune d'un lampadaire, j'ai scruté le trottoir, à gauche puis à droite. Il n'y avait personne ; absolument aucun signe de la fille. J'avais fourré les mains dans les poches de ma veste, mais le froid me forçait à rentrer les épaules.

On parvenait encore à distinguer les tombes dans l'obscurité, silhouettes de pierre solides et éternelles. J'ai traversé la route à petites foulées, puis coupé en diagonale devant le parc pour rejoindre l'allée qui traversait le cimetière. Un panneau annonçait que celui-ci fermait à la tombée de la nuit ; il arrivait parfois qu'une voiture de la sécurité y patrouille en fin de journée, mais la plupart du temps la surveillance laissait à désirer.

L'allée centrale était bordée d'arbres épais et noueux. Beaucoup avaient poussé près des tombes et dérangé l'alignement des vieilles pierres, qui penchaient sur le côté comme des tours branlantes.

À mesure que je m'éloignais de la route, je ralentissais le pas. Je me sentais vulnérable. Si la fille se trouvait dans le cimetière, elle pouvait m'observer de n'importe où, cachée derrière un monument ou un mausolée.

Et si elle n'était pas venue seule…

Malgré l'avancée de l'automne et l'arrivée du froid, des criquets chantaient encore dans l'herbe. Au-dessus de ma tête, dans les trouées du feuillage, les étoiles scintillaient sur un ciel clair. C'était beau, paisible. Un merveilleux endroit pour passer l'éternité, s'il s'agissait effectivement de ce qui nous attendait.

Arrivé au fond du cimetière, là où se dressait la pierre tombale de Caitlin – le cénotaphe –, j'ai regardé autour de moi ; mais je ne décelais toujours aucun bruit, aucun mouvement.

C'est alors qu'un froissement s'est fait entendre à ma gauche.

C'était un son bref, un bruit de feuilles mortes écrasées qui aurait pu être causé par la chute d'une branche ou la fuite d'un raton laveur ; mais tandis que j'examinais les alentours, l'oreille aux aguets, j'éprouvais la sensation grandissante de ne pas être seul parmi les légions de morts endormis.

J'ai attendu que le son se reproduise. Il a duré plus long-temps cette fois-ci, comme si quelqu'un se déplaçait sur le tapis de feuilles. Et puis j'ai vu la fille.

Elle a émergé entre deux tombes, tout près de la stèle de Caitlin. Mon cœur a fait un bond. Je me suis avancé, mais elle a reculé d'un pas, prête à s'enfuir.

"Non !" J'ai tendu la main, un geste que je voulais apaisant. "Ne pars pas."

Dans l'obscurité, elle paraissait aussi flottante que les ombres entre les pierres. Je distinguais ses cheveux blonds et le coupe-vent trop ample qui lui descendait jusqu'aux genoux. Ses grands yeux miroitaient comme des flaques d'eau. Elle a porté un doigt à sa bouche, et commencé à se mordiller l'ongle.

"Qui es-tu ?"

Elle a continué à se triturer la peau.

"Qu'est-ce que tu veux de moi ? Est-ce qu'on se connaît ?"

Elle m'a observé un instant.

"Il m'a envoyée.

— Qui ?"

Elle a gardé le silence, mais la réponse m'est venue tout à coup.

"John Colter ?"

Elle a hoché la tête. "Il veut la voir. Il veut voir la fille qui est chez vous.

— Il va aller en prison.

— Non. Il dit qu'il veut la voir.

— Il est ici, dans le cimetière ?"

La fille a tendu le cou derrière elle.

"Qui est là-bas ?" ai-je demandé.

J'ai avancé d'un pas, scrutant l'obscurité, mais je ne voyais rien. Au bout d'un long moment, j'ai perçu de nouveaux bruits de pas sur les feuilles, plus lourds, cette fois.

Une silhouette émergeait peu à peu des ténèbres.

Je m'attendais à voir le visage du portrait, celui de la photo que Ryan m'avait montrée. Un visage laid, grossier, marqué.

Il m'a donc fallu un moment pour reconnaître l'homme qui se tenait devant moi. Celui qui ressemblait tant à mon beau-père, Paul.

J'ai dû cligner des yeux plusieurs fois avant qu'il ne prononce mon nom.

"Tout va bien, Tom."

C'était Buster.

## 44

Il s'est avancé lentement, yeux écarquillés, lèvres entrouvertes.

J'avais l'impression que la terre s'était mise à tourner ; le ciel tourbillonnait au-dessus de moi, les étoiles traversaient la nuit comme des boules de feu. Tout m'est remonté à la gorge avec un arrière-goût brûlant : colère, frustration, incompréhension. Mes mains se sont tendues, ont empoigné Buster par le revers de sa veste, et tiré sur le tissu jusqu'à ce que mes ongles plient sous la pression.

"Qu'est-ce que tu fous là ? Qu'est-ce que tu me fais, putain ?

— Du calme, Tom. Du calme…"

Tandis que je le secouais, il grimaçait, lèvres retroussées en un rictus hagard. Un rictus de peur face à ce qu'il voyait en moi. Ma fureur. Ma rage incontrôlable. J'ai continué à le secouer jusqu'à ce qu'il parvienne à lever les mains pour m'agripper les bras et m'obliger à ralentir.

"Tom. Arrête. C'est moi, Buster.

— Paul…

— C'est Buster.

— Tu as pris Caitlin. Tu l'as enlevée…

— Non, non. Écoute. Écoute-moi."

Je ne pense pas que je me serais calmé si la fille, l'enfant qui était apparue devant ma fenêtre, ne m'avait pas empoigné. Elle s'est mise à tirer sur les passants de ma ceinture et à hurler pour se faire entendre au milieu de nos grognements et des bruits de la bagarre.

"Arrêtez ! Ne faites pas ça, arrêtez, arrêtez !"

Sa voix a réussi à traverser le brouillard de ma colère. Je me suis retourné pour la regarder et, au même moment, j'ai lâché Buster.

Elle devait avoir douze ans. Je la voyais enfin de près : des cheveux gras, une peau pâle, presque translucide. Elle flottait dans ses vêtements, comme si son corps ne possédait pas une once de graisse, et des cernes noirs soulignaient ses yeux, signe de malnutrition. Cette enfant ne mangeait pas assez.

"Qui es-tu ?" ai-je demandé.

J'avais l'air de lui faire peur, mais elle ne s'est pas démontée. "Il veut qu'elle revienne, a-t-elle répété. La fille. Votre fille.

— C'est John Colter qui t'a envoyée ?"

Silence.

"Réponds !" ai-je crié.

La fille a dégluti, mais elle s'est tue.

"Tom ?"

Je me suis retourné.

À dix pas de là, Buster se frottait la gorge.

"C'est lui qui l'a envoyée, a-t-il dit. Colter.

— Et toi ? Qu'est-ce que tu…"

Il a levé la main pour m'intimer le calme.

"Laisse-moi t'expliquer, Tom. Écoute-moi."

Je suis resté figé sur place, le cerveau en ébullition.

"C'est moi qui ai trouvé cette fille. Elle était devant chez vous. Tu en avais parlé une fois dans le journal, alors quand je l'ai vue là, sous ta fenêtre, j'ai tout de suite compris qui c'était.

— Et toi, qu'est-ce que tu faisais devant la maison en plein milieu de la nuit ? Tu étais venu chercher Caitlin ?

— Non, Tom. Je venais te voir. T'apporter mon aide. J'ai vu dans le journal qu'ils allaient laisser sortir Colter, qu'ils ne l'inculpaient que pour une histoire d'incendie ou une connerie comme ça." Il a joint les paumes et commencé à les frotter l'une contre l'autre, augmentant peu à peu la cadence. "Tu peux me croire, Tom, j'étais furieux quand j'ai appris ça. Je n'imagine même pas ce que tu dois ressentir. Mais je voulais faire quelque chose. J'en avais besoin.

— Et qu'est-ce que tu allais faire ?

— Je ne sais pas, a-t-il répondu en tapant du poing dans sa paume. J'ai découvert un truc en regardant l'annuaire. Est-ce que tu savais que le numéro de Colter était dedans ? Tout ce temps où il a séquestré Caitlin, son numéro était juste là, dans l'annuaire. Il recevait des appels de démarcheurs, de gens qui lui proposaient de donner de l'argent pour une bonne cause ou de changer son service d'appel à l'étranger, et lui, il gardait Caitlin dans une cave." Buster a fouillé dans sa poche pour en sortir un petit bout de papier froissé. "C'est sa mère qui a payé sa caution, tu sais ? Elle a hypothéqué sa baraque. Tu as vu ça ?

— Oui.

— Son numéro était aussi dans l'annuaire, a-t-il dit en agitant le papier. Je l'ai appelée. C'est cette vieille conne qui m'a répondu, et quand j'ai demandé à parler à John, elle m'a dit : « J'aimerais que les journalistes le laissent tranquille. Il ne sait rien au sujet de cette fille. » Je lui ai répondu d'aller se faire foutre. Mais tu sais quoi ? Ça veut dire qu'on sait où il habite. Il habite là, à cette adresse, a-t-il conclu en agitant à nouveau le papier.

— Qu'est-ce que tu veux qu'on fasse ?"

Il a haussé les épaules. *À ton avis ?*

J'ai pointé la fille du doigt. "Et qu'est-ce que tu allais faire d'elle ?

— Quand je l'ai trouvée devant chez vous, j'ai essayé de l'attraper pour découvrir ce qu'elle voulait. Pour toi. Mais elle s'est enfuie vers le cimetière, alors je l'ai suivie. Je l'ai rattrapée ici, et je lui ai demandé ce qu'elle fabriquait devant la maison de mon frère. J'ai dû lui flanquer la peur de sa vie, même si ce n'était pas mon intention. Mais elle m'a dit quelque chose, Tom. Quelque chose de vraiment flippant.

— Quoi ?"

Buster a regardé la fille. "Dis-lui.

— Je viens de le faire.

— Répète-lui tout ce que tu m'as dit.

— Comment ça ?" ai-je demandé.

La fille nous a observés tour à tour d'un air nerveux.

"Dis-lui, a répété Buster.

— D'accord, d'accord." Elle s'est remise à mâchouiller son ongle, avant de se reprendre. Elle a fermé le poing et baissé le bras. "Il m'a envoyée chez vous pour ramener la fille. Je devais lui dire qu'il regrettait de l'avoir laissée partir. C'était une erreur. Il ne voulait pas.

— La laisser partir ?"

Elle a acquiescé. "Il a dit qu'il l'avait fait parce qu'il avait peur. À cause de cette histoire dans le journal, et puis le dessin. Il lui a demandé de s'en aller pendant la nuit." Plissant le nez, elle a continué : "Il disait qu'elle était trop vieille. Et puis il m'avait moi…"

Buster a émis un hoquet de dégoût.

"Où sont tes parents ? ai-je demandé.

— Il l'aime. Il dit qu'elle lui manque et qu'il veut qu'elle revienne. Il m'a envoyée chez vous pour la ramener, mais je ne savais pas comment faire. J'ai essayé de deviner où était sa chambre, mais je n'ai pas trouvé. Et puis vous m'avez couru après l'autre nuit. Et aujourd'hui c'est lui qui m'a poursuivie, a-t-elle ajouté en désignant Buster.

— C'est lui qui a laissé un mot lui disant de ne pas revenir ?

— Il a changé d'avis", a-t-elle répondu avec un haussement d'épaules.

Je me suis approché d'elle, me baissant à sa hauteur, tandis que Buster venait se placer à côté de moi.

"Comment tu t'appelles, petite ? ai-je demandé. Qui sont tes parents ?

— Je retourne chez eux des fois. Ils s'en fichent." Elle s'est essuyé le nez du dos de la main. "Il a dit qu'il n'aurait plus besoin de moi quand votre fille reviendrait.

— Ce n'est pas bien que tu restes avec lui comme ça.

— On devrait appeler la police, a coupé Buster.

— Non, a-t-elle dit en reculant de deux grands pas, avec la voix blanche d'un enfant qui s'éveille d'un cauchemar. Non. Vous ne pouvez pas faire ça.

— On est obligés, a répliqué Buster.

— Il va partir. C'est décidé. Il ne veut pas rester ici, parce que la police va l'attraper et l'enfermer.

— C'est ce qui devrait se passer, a confirmé Buster en sortant son portable de sa poche.

— Non, a-t-elle répété.

— Attendez, ai-je déclaré. Une minute, tous les deux."

Buster avait son téléphone en main, mais il n'a pas ouvert le clapet ni composé de numéro. La fille m'observait de ses grands yeux, immobile.

"Qu'est-ce qu'il veut ? ai-je dit. Qu'est-ce que Colter veut à Caitlin ?

— Tom…

— Tais-toi. Écoute."

La fille nous a de nouveau observés. Elle semblait prête à se sauver à tout moment. Finalement, son regard s'est arrêté sur moi.

"Il veut seulement la revoir.

— Tu viens de dire qu'il allait partir.

— Oui. C'est ce qu'il veut, s'en aller.

— Alors il veut emmener Caitlin avec lui ?

— Je ne sais pas."

Buster a posé la main sur mon bras. "Ça suffit, Tom."

Je me suis dégagé. "Il veut l'emmener ?"

La fille regardait Buster. Quand je me suis tourné vers lui, il était en train de pianoter un numéro avec son pouce.

"J'appelle les flics. C'est n'importe quoi.

— Nom de Dieu !"

Au moment où je faisais tomber le téléphone de sa main, j'ai entendu un bruissement.

La fille s'était élancée dans le noir. Je l'ai regardée disparaître, tache floue se mouvant à la vitesse d'un lièvre. J'ai fait trois pas dans sa direction avant de m'arrêter. Elle était partie. C'était trop tard.


Lorsque je suis revenu vers lui, Buster ramassait son téléphone.

"Arrête.

— La batterie est morte, l'appel n'est pas passé.

— Tant mieux.

— Tant mieux ? Cette gamine est sous la coupe de ce cinglé. Elle doit avoir le même âge que Caitlin…

— J'ai compris.

— Qu'est-ce que tu veux, alors ?

— Je ne sais pas."

Je me suis mis à faire les cent pas entre les tombes, dispersant les feuilles mortes du bout de mes chaussures. Je transpirais ; le vent s'est mis à souffler, refroidissant ma sueur, et j'ai frissonné.

"Il va s'en tirer, Buster. Malgré tout ce qu'il a fait.

— On tient cette fille. Il l'a enlevée aussi.

— Elle est partie, et on ne la reverra plus. Tu lui as fait peur.

— La police a d'autres témoins. Ils n'ont qu'à recoller les morceaux.

— Pour prouver quoi, exactement ? Que ma fille aime sortir avec des vieux ?

— Ne plaisante pas là-dessus, Tom. Ne plaisante surtout pas. C'est très sérieux. C'est de ta fille qu'on parle.

— Tu crois ?

— Comment ça ?

— Tu crois que c'est toujours ma fille, après quatre ans ?

— Oui. Une espèce de monstre l'a kidnappée et lui a fait subir des choses horribles. Des choses innommables. Mais tu ne peux pas simplement tirer un trait sur le passé. Il faut que tu te battes. C'est un combat, Tom.

— Des choses innommables ?

— Oui.

— La clé du problème est là, non ? Caitlin refuse d'en parler, que ce soit à moi, à Abby ou à la police. Mais on sait tous de quoi il s'agit, pas vrai ? Ce n'est pas parce qu'on ne peut pas les nommer que je n'y ai pas pensé, et que je ne les imagine pas. Toutes les nuits, je les vois dans ma tête." Mes paroles se déversaient à toute vitesse, et j'ai pris un moment pour me ressaisir. "Je les vois au lit. Ou sur le sol. Je vois ce porc qui grogne et qui souffle sur elle. Qui la monte. Qui l'embrasse. Et tout le reste. Et le pire, c'est qu'elle lui répond et que ça lui plaît."

Je n'arrivais pas à regarder Buster. Mes molaires crissaient au fond de ma bouche.

"Tu crois que la vérité peut être pire que ce que tu imagines ? m'a-t-il demandé.

— Impossible."

Il a rangé son téléphone et croisé les bras. Il semblait comprendre ce que je ressentais.

Finalement, il a ressorti le bout de papier de sa poche. "J'ai laissé ma voiture devant chez toi. On peut y aller tout de suite."

Je me suis mis en route, avant de me rendre compte que Buster ne me suivait pas. Dans les ténèbres, j'ai distingué sa silhouette, penchée sur la pierre tombale de Caitlin. Lorsqu'il s'est mis à pousser des grognements et des ahanements, je suis retourné à ses côtés.

"Aide-moi. J'en peux plus de voir cette espèce d'avortement."

Il a recommencé à peser sur la pierre, mobilisant toutes ses forces pour la renverser. Je me suis joint à lui. La stèle résistait vaillamment, mais au bout de quelques minutes, elle a fini par se desceller et s'est effondrée sur l'herbe avec un choc sourd.

Buster s'est redressé en s'essuyant les mains sur son pantalon.

"Maintenant, je suis prêt."

## 45

La mère de Colter vivait au nord de la ville. Le trajet pour rejoindre l'autoroute passait par ce quartier, et je me rappelais avoir aperçu depuis la voie rapide quelques usines, des zones commerciales et tout un tas de caravanes et de petites maisons – le genre de bicoque au jardin encombré de détritus où les habitants restaient assis sur le perron, les yeux dans le vague, à fumer ou boire des sodas dans des bouteilles en plastique.

"Quel quartier pourri, a commenté Buster.

— Pas étonnant.

— À mon avis, y a pas beaucoup de professeurs dans ce coin-là.

— Je ne pense pas, non."

Buster s'est mis à tambouriner des doigts sur le volant. "Tu sais, tu m'as appelé Paul, tout à l'heure.

— Certainement pas.

— Si, je t'assure. Tu m'as regardé droit dans les yeux, quand tu me tenais par le col, et tu m'as appelé Paul. C'était parfaitement clair."

Après la bretelle de sortie, nous nous sommes arrêtés à un feu. J'ai pris une carte de la ville dans la boîte à gants, puis, en attendant que le feu passe au vert, j'ai repéré la rue que nous cherchions parmi les lignes bleues et rouges et indiqué à Buster la direction à prendre. Il a effectué les premiers tournants avant de reprendre la parole.

"Dans le fond, tu mènes une assez belle vie.

— Ah oui ?

— Oui.

— On est en plein milieu de la nuit, et je m'apprête à affronter l'homme qui a kidnappé et violé ma fille. Quel sacré veinard.

— Tu t'es mieux débrouillé que la plupart des gens. Tu as un bon travail, de l'argent. D'accord, ta vie personnelle est à chier en ce moment, avec ton mariage qui part en vrille.

— Et ma fille…

— Ta fille est revenue. Ne l'oublie pas."

Il a pris le dernier tournant. Nous nous trouvions dans un lotissement baptisé "Voie lactée", où toutes les rues portaient des noms de corps célestes : Vénus, Saturne, Aurore. La mère de Colter vivait rue Neptune. Guettant les numéros des maisons, j'ai tendu le doigt.

"C'est là. Arrête-toi."

Buster a freiné, et la voiture s'est immobilisée trois portes plus loin.

"Alors ?

— Je devrais être reconnaissant pour tout ce que j'ai, c'est ça ?

— En quelque sorte.

— Dis-moi, est-ce que tu avais l'impression d'avoir ta place dans notre famille ?

— Je n'y ai jamais pensé.

— Exactement. Tu n'en avais pas besoin. Il y avait vous trois d'un côté, et moi de l'autre. Mais ça a changé. Ça a changé quand Caitlin est née. J'avais enfin quelqu'un rien que pour moi. J'avais une famille. Mon lien avec Caitlin était plus fort que tout ce que j'avais pu ressentir avec Abby."

Je me suis mis à tâtonner dans le noir pour déverrouiller la portière.

"Qu'est-ce que tu fais ?

— Je vais jeter un œil. Attends-moi là."

Je suis descendu de la voiture. Mes pas résonnaient beaucoup trop fort dans le silence de la nuit. J'avais à peine franchi un mètre que la portière de Buster s'est ouverte derrière moi. Je lui ai fait signe d'attendre, sans résultat.

"Reste dans la voiture."

Il a secoué la tête, et quand il est arrivé à ma hauteur, je lui ai pris le bras.

"Pourquoi tu ne m'écoutes pas ?

— Je ne peux pas te laisser y aller seul. Tu ne sais pas quoi faire dans ce genre de situation.

— Et toi si ?

— Plus que toi, déjà."

Nous nous tenions à la limite du halo projeté par un réverbère, le visage plongé dans l'ombre.

"Quand on était au cimetière tout à l'heure, avec la fille, tu m'as dit la vérité ? Tu l'as vraiment rencontrée par hasard ?

— Comment je l'aurais trouvée, sinon ?

— Aucune idée."

Nous avons repris notre marche. J'étais content de l'avoir à mes côtés. Il avait raison : je ne m'étais jamais battu avec personne. Je n'avais jamais eu affaire à un criminel. Toute cette entreprise me paraissait tellement démente que mes mains en tremblaient, et que mes genoux menaçaient de se dérober à chaque instant.

Une fois devant la maison, Buster a tendu le doigt, et je l'ai suivi. De la lumière émanait du côté du bâtiment, projetant un grand rectangle sur le bitume craquelé. Buster s'est approché de la fenêtre éclairée et m'a fait signe de rester où j'étais.

Comme l'ouverture se situait à hauteur de regard, il n'était pas difficile d'y jeter un œil. Le cou tendu, Buster a examiné la pièce d'un côté puis de l'autre.

"Alors ?

— Rien à voir. Juste une télé et un lit." Soudain, il a rejeté la tête en arrière. "Merde !

— Quoi ?

— Un type vient d'entrer.

— Il t'a vu ?"

Buster a fait non de la tête. J'ai agrippé son bras. Fort.

"C'était lui ?

— Je ne sais pas, j'ai pas eu le temps de voir.

— Laisse-moi regarder."

Je me suis glissé devant lui pour risquer un œil par la fenêtre.

Le plafonnier éclairait toute la pièce, aux murs peints en vert pâle. Un petit poste de télévision noir et blanc de treize pouces qui devait bien avoir trente ans diffusait une image brouillée malgré ses grandes antennes. Des habits roulés en boule jonchaient le sol, et d'autres vêtements débordaient du placard ouvert.

Puis j'ai aperçu l'homme, assis dans un fauteuil défoncé. Il regardait la télévision en dodelinant de la tête.

J'ai étudié son profil. Le nez proéminent, les joues grêlées. Ses longs cheveux mous avaient été coupés, mais les mèches grises demeuraient. Il portait un sweat-shirt et un jogging grisâtres et des chaussons aux pieds.

C'était lui. Colter.

Il ne savait pas qu'on l'observait. Les coudes appuyés sur les bras du fauteuil avachi, il tenait une tasse fumante devant sa poitrine. Je l'ai regardé porter la tasse à sa bouche, souffler doucement sur le liquide brûlant, avant de prendre une petite gorgée et de faire la grimace. J'ai attendu la suite, mais rien n'est venu.

Buster m'a rejoint. Il a incliné la tête vers la fenêtre, m'interrogeant du regard : *C'est lui ?*

J'ai acquiescé, et au même moment, j'ai senti la colère m'envahir. Colter avait l'air pathétique, complètement vulnérable et inoffensif, mais ça n'empêchait pas la fureur de monter en moi.

Sans réfléchir, j'ai levé le poing pour marteler la vitre.

"Colter ! Hé, Colter !"

Buster m'a attrapé le bras, mais il était trop tard.

Colter a sursauté au premier coup sur la fenêtre, renversant le contenu de sa tasse sur sa poitrine. J'ai dégagé mon bras et continué de frapper le verre, encore et encore. La vitre tremblait dans son cadre, et l'espace d'un instant mon poing s'est mis à agir indépendamment de ma volonté. Je martelais la fenêtre, souhaitant qu'elle se brise pour que je puisse la traverser et empoigner l'homme qui avait enlevé ma fille.

Finalement, Buster a réussi à m'attraper par-derrière et à m'arrêter.

"Du calme, du calme. Tu vas te briser la main.

— Je m'en fous.

— Attention !"

Colter s'était levé et scrutait la fenêtre. La lumière à l'intérieur de la pièce l'empêchait de bien voir ; de là où il se tenait, il ne devait distinguer que deux silhouettes fantomatiques, deux ovales blêmes qui vacillaient dans la nuit. Il a tendu le bras pour éteindre la lampe, ne laissant que la télévision allumée. Puis il s'est rapproché, un air mal assuré sur son visage disgracieux.

Je m'attendais à ce qu'il aille chercher un téléphone, ou bien une arme ; au lieu de quoi il s'est avancé rapidement vers la fenêtre et a remonté le panneau coulissant.

"Qu'est-ce que c'est ?"

Il ne paraissait ni furieux ni inquiet, mais plutôt las, sur la défensive, l'air d'un homme qui commence à en avoir assez des questions.

J'ai gardé le silence. Je me trouvais nez à nez avec lui. J'ai tenté de lui agripper le cou, mais il était plus rapide que moi. Il a esquivé mon attaque avec la souplesse d'un boxeur. J'ai basculé en avant et me suis rattrapé au bord de la fenêtre.

Colter se tenait désormais sur le qui-vive, un animal aux abois.

"Dégagez, connards, a-t-il grondé. J'ai cru que vous étiez journalistes…"

Sa voix s'est éteinte. Il gardait les yeux fixés sur moi. Je l'ai senti m'étudier. M'examiner.

"Oh… je vois.

— Qu'est-ce que tu vois, ordure ?" a grincé Buster.

Colter l'a dévisagé un instant avant de se retourner vers moi. Il a levé un doigt en l'air, comme s'il venait de se rappeler quelque chose.

"C'est quoi votre nom, déjà ?

— Oh, tu le reconnais ? a fait Buster. Tu connais sa fille, hein ? C'est Tom Stuart. *Stuart*. Le père de Caitlin. Le père de la petite fille que tu as kidnappée. Ma nièce."

Colter n'a manifesté aucune surprise. Il n'a pas cillé, ni hoché la tête, mais j'ai vu un éclair de compréhension passer sur son visage.

"Alors, rien à dire ? ai-je demandé.

— S'il vous plaît. Ma mère dort.

— Rien à foutre. Je devrais…

— Taisez-vous, nom d'un chien, a coupé Colter en tendant les mains – des mains étonnamment petites, aux doigts longs et fins. Les flics ont dit qu'ils garderaient un œil sur moi, mais j'ai pas vu une seule voiture depuis qu'ils m'ont relâché. Si ça se trouve, un cinglé pourrait bien essayer de venir me tirer dessus. Avec tous ces mensonges qu'ils racontent dans les journaux…

— Pauvre petit, a fait Buster.

— Passez par-derrière. Ne faites pas de bruit."

J'ai commencé à m'éloigner, avant de constater que Buster ne me suivait pas. Je l'ai appelé d'un geste, mais il a secoué la tête.

"Tu devrais y aller seul.

— Quoi ? C'est toi qui voulais venir ici !

— Je sais. Mais il faut que tu fasses ça tout seul. Si tu as besoin de moi, je serai là."

J'ai reculé d'un pas. "Et s'il a une arme ?

— Tu as entendu ce que la fille nous a dit au cimetière, a rétorqué Buster. Tu détiens quelque chose qui l'intéresse. Vas-y."

Alors je suis parti vers l'arrière de la maison, abandonnant Buster.


À mon arrivée, il n'y avait personne. La porte en bois, recouverte d'une peinture craquelée, était fermée, et l'ampoule au-dessus éteinte. L'entrée donnait sur la cuisine, elle aussi plongée dans le noir.

Puis une lampe s'est allumée au-dessus du fourneau, et j'ai distingué l'épaisse silhouette de Colter qui s'avançait vers la porte. L'ampoule de l'entrée s'est illuminée à son tour, attirant aussitôt une poignée de papillons de nuit et de moucherons en retard sur la saison. Il y a eu un bruit de verrous et de chaîne, puis Colter a débloqué la porte avec effort.

Son corps occupait toute la largeur de l'entrée, éclairée par la faible lueur de la cuisine. Il est resté en haut des marches, les bras ballants.

"Est-ce qu'elle demande à me voir ?"

Je me sentais encore tout tremblant, et quelque chose de chaud remuait dans ma poitrine. "Espèce de porc."

Colter a descendu les marches pour se retrouver à ma hauteur. Il était plus petit que moi, mais aussi plus robuste, avec un corps de lutteur gagné par l'embonpoint de l'âge.

"Vous êtes venu pour quoi ? Me tirer dessus, me tabasser ? Vous voulez me tuer ?"

Je me suis rapproché. J'avais la bouche sèche, mais j'ai rassemblé ma salive avec ma langue, et quand j'ai estimé être suffisamment près, je lui ai craché dessus. Même si le résultat n'avait rien d'impressionnant, une partie du crachat l'a touché au visage et il a eu un mouvement de recul.

Les yeux fixés sur moi, il a levé le bras pour s'essuyer la figure.

"Bon. On peut passer à autre chose ?"

Mon cœur battait à la vitesse d'un moteur en surchauffe, et pourtant ma colère s'est atténuée devant le ridicule de la situation. Un adulte qui crachait sur un autre.

"Ce n'est pas ce que vous êtes venu faire, si ? a continué Colter.

— C'est vous qui m'avez demandé de venir ici.

— Parce que vous êtes apparu à ma fenêtre. Avec du renfort. Donc... Comment elle va ?

— Non, non. Je vous interdis de parler d'elle. Vous ne saurez rien.

— Je sais déjà une chose : elle ne témoignera pas contre moi.

— Laissez faire le temps."

Il a secoué la tête. "Je l'aime. Et surtout, elle m'aime. C'est pour ça qu'elle ne témoignera pas. Jamais.

— Et Tracy Fairlawn pensait la même chose ?"

Il a émis un grognement étouffé, une sorte de ricanement. "Elle a encore bavardé, à ce que je vois. Cette fille n'a jamais compris la valeur du silence.

— Où est-elle ?

— Aucune idée. Elle a sûrement mis les bouts pour aller s'amuser ailleurs.

— Si vous aimez ma fille tant que ça, pourquoi l'avez-vous forcée à partir ?"

Il a eu un moment d'hésitation, les yeux baissés vers le sol. L'ampoule de l'entrée éclairait ses pieds toujours chaussés de pantoufles.

"Je vois que vous avez rencontré la petite Jasmine. C'est comme ça que vous vous êtes retrouvés ici, alors.

— Pourquoi avoir renvoyé Caitlin ?

— Qu'est-ce que je gagne à vous parler ? Vous allez me pardonner ? Me faire gracier ?

— Vous… me le devez.

— Quoi ?

— Vous m'avez entendu. Je… vous l'ai donnée. Je l'ai laissée promener le chien toute seule. J'ai relâché ma vigilance un instant de trop. Laissez-moi deviner : vous l'avez abordée dans le parc. Vous l'aviez déjà vue se promener, et vous êtes allé lui poser une question sur ce foutu chien, non ? Une question bête. Peut-être que ça l'a fait rire, ou glousser… et vous l'avez eue. Vous avez eu ce que vous vouliez. Et moi non."

Je me suis tu. Mes mains tremblaient de froid, et je les ai frottées l'une contre l'autre.

"Je ne devrais pas vous parler, a-t-il rétorqué. Si ça se trouve, c'est un coup monté. Vous portez un mouchard.

— Non. Je me fiche de tout ça, vraiment. Je veux juste savoir pourquoi elle est revenue chez nous. Pourquoi ?"

Il m'a observé, et j'ai cru déceler une vraie sollicitude, une véritable pitié dans ses yeux. Puis il a haussé les épaules.

"Ça m'est égal, si on vous a collé un mouchard. Ça ne tiendrait pas devant un tribunal, et j'ai aucune intention de passer devant le juge, de toute façon." Il a donné un coup de pied dans un caillou avant de continuer : "À un moment, je me suis dit que Caitlin devait partir. Il y avait ces trucs dans le journal, ces bobards que Tracy racontait. Et mon portrait. J'ai pensé à filer en douce, à faire mes valises pour tout recommencer ailleurs. Mais je ne voulais pas passer ma vie en cavale. Les gens ne nous auraient pas compris. On aurait pu se faire passer pour un père et sa fille, au début. Et puis Caitlin grandissait. Je me suis dit qu'elle avait peut-être besoin d'une meilleure vie que celle que je pouvais lui offrir. On n'était que tous les deux. Je pouvais pas lui apprendre à devenir une femme… Pas sur tous les plans, en tout cas. Je pouvais toujours recommencer avec une autre fille, plus jeune. Jasmine, peut-être.

— Est-ce que Caitlin voulait revenir à la maison ?"

Le seul fait de poser cette question me donnait l'impression d'être un lâche, un mendiant. Mais j'étais obligé de la poser. Il fallait que je sache.

"Non, elle n'avait pas envie."

*Je veux rester. Je veux rester.*

"Comment avez-vous réussi à la faire partir ?

— Je lui ai dit que j'allais me livrer à la police si elle ne partait pas. Je lui ai forcé la main. Je me rappelle ce soir-là…" Il a observé un moment de silence, les yeux perdus dans l'obscurité. "Vous savez ce que c'est, de se séparer de quelqu'un qu'on aime. Ça s'est terminé dans les larmes. J'en ai quasiment eu le cœur brisé, je vous jure. Avant de partir, elle m'a promis de ne jamais raconter ce qu'on avait fait ensemble. Et elle a dû tenir parole, sinon vous ne seriez pas là.

— Qu'est-ce qui s'est passé entre vous ?

— Ah ça, c'est privé, vous ne croyez pas ?"

Il a esquissé un sourire en relevant un sourcil. Ce geste m'a fait bondir. Je me suis rué sur lui avec l'intention de le renverser d'un coup d'épaule dans le ventre. Mais il a affronté ma charge en expert et je me suis très vite retrouvé au sol, le cou bloqué par son avant-bras. Il n'appuyait pas complètement sur ma gorge ; je pouvais encore respirer, mais il exerçait assez de pression pour me faire savoir qu'il pouvait resserrer sa prise à tout moment.

Buster est arrivé au coin de la maison. J'ai entendu ses pas dans l'allée, mais il est resté dans l'ombre.

"Du calme, a dit Colter, sans que je sache s'il s'adressait à moi ou à Buster. Du calme, bonhomme", a-t-il répété, un genou encore à terre. J'ai aperçu la silhouette de Buster du coin de l'œil. "Restez où vous êtes, a ordonné Colter. On est en train de se calmer, tout doucement.

— Lâchez-le."

J'ai essayé de parler – en vain. J'espérais que Buster allait obéir, et qu'il avait remarqué que Colter me bloquait la gorge. Apparemment oui. Il a reculé d'un pas, laissant un peu plus d'espace à Colter.

"Retournez où vous étiez. On a encore deux trois choses à se dire."

Colter a relâché son étreinte pour me permettre de parler.

"Vas-y. Ça va aller." J'avais la gorge à vif, comme si je venais d'avaler une poignée de punaises.

"Ça n'a pas l'air d'aller du tout, a rétorqué Buster. On dirait que tu es dans la merde.

— Va-t'en", ai-je répété.

Obéissant à mon ordre, il a reculé lentement jusqu'à ce que sa silhouette disparaisse derrière la maison. Après son départ, Colter m'a laissé respirer un peu plus.

"Vous allez vous tenir tranquille ?"

J'ai acquiescé comme un imbécile.

Il m'a lâché puis s'est relevé tandis que je m'affaissais par terre, le visage à quelques centimètres du bitume. J'ai porté la main à ma gorge et aspiré de grandes goulées d'air. Il m'a fallu quelques minutes pour me ressaisir. Quand je me suis mis debout, le ciel a vacillé légèrement ; j'ai cru que j'allais m'évanouir, mais non. J'ai fini par retrouver l'usage de mes jambes, et me suis raclé la gorge pour m'assurer que je pouvais parler.

"Ça va ? m'a demandé Colter.

— Allez vous faire foutre.

— Je vous ai épargné. J'aurais pu vous broyer la gorge.

— Et vous n'auriez jamais revu Caitlin.

— Je peux la voir quand je veux. Il me suffit de claquer des doigts, a-t-il déclaré en joignant le geste à la parole. Inutile de le nier. Je vais vous accorder une faveur : je vous laisserai lui dire au revoir avant qu'elle parte avec moi.

— Je vais appeler la police et leur répéter ce que vous m'avez raconté. Vous avez tout avoué.

— Ouï-dire, a-t-il rétorqué avec un petit rire. Mais je dois reconnaître que j'ai commis une petite erreur avec Caitlin. Elle ne ressemble pas aux filles que je fréquente d'habitude. Il n'y a qu'à vous regarder : elle vient d'une bonne famille. Elle a de bons parents. Vous vous faites du souci pour elle. Il y a beaucoup de filles qui n'ont pas ce genre de chose, en ce bas monde. Quand elles disparaissent, personne ne s'en aperçoit. Quand elles reviennent et portent plainte à la police, on les ignore. Au final, tout dépend de Caitlin, à savoir si elle veut me dénoncer ou pas."

Il avait raison. Je ne pouvais pas faire grand-chose tant que Caitlin refusait de témoigner.

"Pourquoi m'accorder une faveur, alors ? Pourquoi faites-vous ça ?"

Colter m'a détaillé du regard. "Parce que c'est ce qu'elle voudrait. Comme elle vous aime, je veux bien me montrer clément.

— Est-ce qu'elle parlait de moi ? Est-ce qu'elle se souvenait…"

Un bruit venu de la maison m'a interrompu. La porte s'est ouverte de nouveau et une femme âgée d'environ soixante-dix ans est apparue dans la lumière, portant une robe d'intérieur et un fichu sur la tête. Elle avait le visage long et fin, contrairement à son fils, et la peau du menton affaissée.

"Qu'est-ce qui se passe, Johnny ? Qui est cet homme ?

— C'est un ami, maman.

— Il est de la police ?

— Non.

— Je ne suis pas un ami. Je suis le père de Caitlin Stuart."

La femme a porté la main à sa poitrine pour resserrer les plis de son peignoir. Elle avait l'air mal en point, souffrante, même. Elle avait hypothéqué sa maison pour payer la caution de son fils, et s'il quittait la ville avant son procès…

"Qu'est-ce que vous faites chez nous ?" Sans attendre ma réponse, elle a enchaîné : "Johnny n'est pas… Il ne peut voir personne en ce moment.

— Vous étiez au courant, madame Colter ? Vous saviez pour Caitlin ?"

Elle s'est reculée dans l'ombre. "Rentre à la maison, Johnny. Il est tard."

Colter a remonté les marches comme un enfant obéissant. Mais avant d'entrer, il s'est retourné vers moi.

"Souvenez-vous de ma proposition, monsieur Stuart. Vous avez l'occasion de faire vos adieux, cette fois-ci."

# 46

Buster n'a pris la parole qu'une fois dans la voiture, alors qu'on s'éloignait de la maison.

"Qu'est-ce qui s'est passé ? Colter parlait d'une proposition ?"

Comme il gardait les yeux sur moi, la voiture a dérivé au milieu de la rue et j'ai pris peur, même si personne d'autre ne passait à cette heure tardive.

"Attention !

— De quoi vous parliez ?"

J'observais les maisons qui défilaient derrière la vitre. Elles avaient l'air mal fichues et décrépites, et pourtant j'enviais la tranquillité d'esprit et le confort de leurs occupants, qui dormaient certainement du sommeil du juste.

"Tom ? Réponds-moi."

Je ne l'ai pas regardé. "Il veut revoir Caitlin.

— Sans blague, a ricané Buster.

— Il dit qu'il l'aime, et qu'il n'aurait pas dû la laisser partir.

— Putain… Mais il est cinglé ou quoi ?"

Je gardais les yeux braqués devant moi, les joues brûlantes. Buster m'a observé.

"Non, non, non, a-t-il dit. Non."

Au moment où nous atteignions la bretelle d'accès à l'autoroute, il a braqué le volant à droite, et freiné brutalement sur le bas-côté. Le véhicule s'est immobilisé dans une secousse, et je me suis rattrapé d'une main au tableau de bord.

"Tu vas le faire ? Tu vas emmener ta fille voir ce type ?

— Je ne sais pas ce que je vais faire.

— Tu ne sais pas ? Ce n'est pas une réponse, a-t-il rétorqué en me pointant du doigt. Il n'y a qu'une réponse possible, et c'est « non ». Un point c'est tout.

— Ramène-moi à la maison, tu veux ?

— C'est ta petite fille.

— Plus si petite que ça, si ? Elle est capable de dire qu'elle aime ce type. Elle est capable de le ressentir, de le penser. Je sais bien ce qu'en dit le psy. Le syndrome de Stockholm, je connais. Mais qu'est-ce que je peux faire de tout ça, nom de Dieu ? Ils couchaient ensemble, Buster.

— C'est lui qui a couché avec elle, pas l'inverse."

J'ai posé les mains sur mes genoux et les ai retournées d'un côté puis de l'autre, tordant mes doigts noués jusqu'à en avoir mal.

"Tu l'as vu ? Tu as vu sa putain de gueule ? C'est un sale porc. Un pauvre mec qui vit avec sa mère. Et elle est restée avec lui quatre ans. On a perdu quatre ans, c'est ça qui me tue.

— Il l'a kidnappée, Tom. Tu comprends ? Il l'a kidnappée. C'est un criminel."

*Ce qui m'est arrivé.* Ces mots qui résonnaient sans arrêt dans ma tête ne concernaient plus seulement Caitlin. Ils se rapportaient aussi à moi.

*Ce qui m'est arrivé.*

Je me suis frotté les yeux. "J'aimerais qu'on rentre. Il est tard, Buster.

— On partira quand tu auras laissé tomber cette idée." Il s'est tourné vers moi. Dans l'habitacle exigu, les voyants du tableau de bord donnaient à sa peau une teinte vert pâle surnaturelle. Je sentais son souffle sur mon visage. "Jure-moi que tu ne feras rien."

J'ai observé les rares voitures qui passaient sur l'autoroute, projetant des cônes de lumière blanche dans l'obscurité.

"Ce n'est pas à toi d'en décider, Buster. Ce n'est pas ta fille.

— Oh que si. On est venus ici au milieu de la nuit, ensemble, côte à côte. Comme des frères. Ça veut dire que c'est ma fille aussi bien que la tienne.

— Tu n'as pas d'enfants. Tu ne sais pas ce que c'est.

— Oh, va te faire foutre, Tom. Tu sais quoi, j'en ai ma claque de tes pleurnicheries. Ta petite comédie du type que personne n'a jamais aimé… Pendant toute notre enfance, je t'ai soutenu. J'étais de ton côté. Et maintenant tu craches sur tout ça et tu me traites comme de la merde. Tu peux aller te faire foutre."

J'ai envoyé un pauvre coup de poing maladroit dans le noir. Je voulais frapper Buster en pleine figure, le forcer à reculer, le blesser. Mais il a esquivé le coup.

Il a ouvert sa portière sans rien dire. Puis il a contourné la voiture, passant dans la lumière des phares, et s'est arrêté devant ma vitre.

Je n'ai pas eu le temps de réagir. Buster a ouvert la portière et m'a attrapé par le devant de la chemise.

"Mais qu'est-ce que tu fous ?"

Il a continué à tirer. Le col de ma chemise me sciait le cou, jusqu'à ce que j'abandonne toute résistance et me laisse traîner dehors. J'ai essayé de me libérer en frappant sur ses mains, sans succès. Il me tenait toujours. Puis quelque chose m'a atteint au visage, et j'ai mis une seconde à comprendre que je venais de recevoir un coup. Buster m'avait cogné à la mâchoire. Je suis tombé contre la voiture, mais il m'a tiré vers lui pour me frapper à nouveau, m'assommant à moitié. Mes genoux se sont dérobés et j'ai commencé à m'affaisser. Tandis que je glissais vers le sol, il m'a asséné un dernier coup à l'arrière du crâne et je me suis effondré derrière la voiture. Le sol était froid. De la poussière et des gravillons se sont collés à mon visage. Je n'ai pas essayé de me relever.

Les chaussures de Buster sont entrées dans mon champ de vision. Il portait de gros godillots, et j'ai deviné ce qui allait suivre. Je ne me trompais pas. Buster a pris de l'élan, puis balancé son pied en avant. J'ai réussi à me recroqueviller un peu, et sa chaussure m'a percuté du côté gauche, juste en dessous de la cage thoracique.

"Estime-toi heureux que je ne te tue pas."

La douleur m'a traversé comme une décharge électrique, irradiant mon dos et ma jambe gauche. J'étais incapable de parler.

"J'en ai fini avec toi", a-t-il craché.

J'ai cru qu'il allait m'envoyer un autre coup de pied, mais non. Il a claqué ma portière, puis les chaussures ont disparu derrière la voiture. J'ai réussi à m'éloigner de quelques mètres en roulant sur moi-même. Il a démarré en trombe, et une giclée de gravillons m'est retombée sur le visage et le corps. Après son départ, je suis resté couché au bord de la route, recroquevillé dans le noir comme un enfant brisé, terrifié.

# 47

Je suis resté un long moment étendu sur le bas-côté, à contempler le ciel en attendant que ma douleur au flanc s'atténue. Les étoiles et les satellites clignotants ne m'ont offert ni réconfort ni solution ; rien qui puisse m'aider à m'orienter ou à comprendre ce qui se passait.

Une fois la douleur un peu apaisée, je me suis remis debout. Le paysage tournait et vacillait, les lumières de l'autoroute se brouillaient et dansaient devant mes yeux. J'ai cru un moment que j'étais gravement blessé, trop commotionné pour repartir sans aide. Mais au bout de quelques minutes, comme je recouvrais peu à peu mes esprits, le monde s'est stabilisé et j'ai retrouvé l'équilibre. Il ne restait plus que ma douleur au côté.

Je n'avais personne à appeler. Si je réveillais Abby, je devrais expliquer pourquoi et comment je m'étais retrouvé dans ce quartier au milieu de la nuit. Tout le monde me poserait les mêmes questions, d'ailleurs. La seule personne que j'aurais pu appeler venait de m'abandonner au bord de la route.

Marcher m'a fait du bien. J'ai parcouru les huit kilomètres qui me séparaient de la maison à la vitesse d'un escargot. Mes muscles douloureux se relâchaient petit à petit, après s'être crispés lorsque non pas un mais deux hommes m'avaient attaqué à la suite. J'essayais de comprendre comment j'en étais arrivé là. La roue de la fortune avait tourné, et sa flèche s'était arrêtée sur moi : on m'avait enlevé ma fille. Puis la roue s'était remise à tourner, et j'avais hérité d'un destin plus inhabituel encore, et peut-être plus cruel : on m'avait rendu ma fille. Le fait que je n'arrive toujours pas à décider lequel était le pire témoignait-il de ma profonde confusion ?

Lorsque je suis arrivé chez moi, le ciel prenait la teinte grise de l'aube. J'avais mal aux pieds, et une seule idée en tête : m'effondrer sur mon lit. Mais la roue de la fortune me réservait une dernière surprise.

La voiture de Ryan attendait devant la maison. Il était à peine six heures et demie – bien trop tôt pour une visite, à moins qu'il ne se passe quelque chose.

Je croyais savoir de quoi il retournait. Buster leur avait tout balancé : la fille du cimetière, la visite chez Colter, mes tractations avec l'homme qui avait kidnappé ma fille.

Je n'avais nulle part d'autre où aller, et plus aucune énergie ; alors j'ai monté les marches, prêt à affronter la tempête.

Ryan et Abby se trouvaient dans le salon. Abby était habillée, mais je voyais à ses cheveux qu'elle n'avait pas encore pris sa douche. À mon arrivée, ils ont tourné la tête à l'unisson, comme les acteurs d'une pièce de théâtre bien rodée.

"Où étais-tu ? m'a demandé Abby.

— Je me promenais.

— Ça fait des heures que tu es parti.

— Je n'arrivais pas à dormir.

— Vous êtes blessé, Tom ? s'est enquis Ryan en m'évaluant du regard.

— Je suis tombé."

Abby a reporté les yeux sur sa tasse de café, puis l'a levée à sa bouche pour prendre une gorgée.

"Vous avez atterri sur le poing de quelqu'un ?"

Je suis resté debout près de la porte, à reposer mon poids sur le chambranle, et n'ai pas répondu à sa question.

"Je suis là à cause de votre frère, a repris l'inspecteur.

— D'accord."

Abby a posé sa tasse et s'est mise à pleurer. Ses yeux débordaient de larmes, qu'elle a essuyées des deux mains.

"Il lui est arrivé quelque chose ?

— Oh, Tom… Si seulement c'était aussi simple, a dit Abby.

— Asseyez-vous", m'a proposé Ryan.

Avec mille précautions, je suis allé m'installer à l'autre bout du canapé qu'occupait Abby. Elle m'a détaillé du regard, puis a secoué la tête d'un air atterré.

"Avez-vous eu des nouvelles de votre frère récemment ?

— Vous voulez bien me dire ce qui se passe ? ai-je demandé en changeant de position pour atténuer ma douleur au côté. La nuit a été longue."

Ryan a étudié mon visage un long moment avant de céder.

"Nous avons poursuivi notre enquête sur John Colter et sa relation avec Caitlin. Nous avons examiné toutes les possibilités pour comprendre comment il avait rencontré votre fille. Les gens que vous fréquentez au travail, à l'église… C'est le genre de chose que nous étudions en détail dans des cas comme…

— Je ne comprends pas. Qu'est-ce que mon frère vient faire là-dedans ?

— Nous avons découvert des points communs entre votre famille et les fréquentations de John Colter. Il y a un lien, un rapport entre les deux.

— Quelqu'un de la famille connaissait John Colter ?

— C'était Buster, Tom, est intervenue Abby. Buster. Depuis le début. C'est lui qui a livré Caitlin à ce monstre."

Je n'ai pas bougé. Tandis qu'Abby se remettait à pleurer, je suis resté cloué sur mon siège, le regard fixé sur Ryan.

Pas Buster. C'était impossible.

Finalement, Ryan a fait un petit signe de tête en direction d'Abby, et ce geste m'a tiré de ma torpeur.

Je me suis glissé le long du canapé pour poser la main sur son dos, mais elle s'est écartée brusquement.

"Ne me touche pas." Elle a levé la tête, le visage strié de larmes, les yeux étincelants. "Tu étais au courant ? Tu t'en doutais depuis tout ce temps, et tu me l'as caché ?

— Je ne sais même pas de quoi on parle.

— Ton frère a sacrifié notre petite fille. C'est un junkie, un raté, et il est venu empoisonner notre vie avec ses problèmes."

J'ai interrogé Ryan du regard.

"Au cours de l'enquête, nous avons découvert que John Colter était ami avec un dénommé Loren Brooks. Est-ce que vous le connaissez ?

— Non.

— Tu es sûr ? a insisté Abby.

— Ça ne me dit rien. Il faudrait ?

— Loren Brooks se livrait à des petits trafics dans la région. Cocaïne et marijuana, surtout. Il baignait aussi dans des affaires de cambriolage, de vol de voiture. Bref, c'était un élément perturbateur, un vrai parasite.

— Vous l'avez arrêté ?

— Bien des fois, mais ça n'avait aucun rapport avec cette affaire. Il est mort il y a deux ans, d'une overdose. Je ne peux pas dire que le monde s'en porte plus mal. On a réussi à retrouver son ex-petite amie, qui a vécu avec lui plusieurs années. Quand on lui a demandé ce qu'elle savait au sujet de John Colter, elle nous a répondu qu'il y avait une chose que tout le monde savait sur lui.

— Quoi ?

— Qu'il aimait les petites filles. Et que parfois, il aimait les enfermer dans sa cave."

J'ai senti l'air se vider de mes poumons, comme si on venait de m'asséner un coup entre les omoplates.

"Vous pouvez l'arrêter maintenant. Le renvoyer en prison. Vous avez un témoin, a déclaré Abby.

— Buster…" ai-je commencé, sans parvenir à terminer ma phrase.

Quel est le rôle de Buster dans tout ça ? *Qu'est-ce qu'il a fait ?*

"Il y a cinq ans, votre frère devait de l'argent à Loren Brooks à cause d'une affaire de drogue. La petite amie de Brooks pense que votre frère lui a livré Caitlin en guise de paiement.

— Mais Caitlin n'appartenait pas à Buster, a rétorqué Abby. Il ne pouvait pas en disposer comme ça. Elle n'était jamais seule avec lui.

— Mais il savait où elle vivait, a dit l'inspecteur. Il connaissait ses habitudes. Elle lui faisait confiance, et l'aurait suivi s'il le lui avait demandé, n'est-ce pas ?"

L'argent que Buster m'avait emprunté… ses excuses au téléphone… son apparition au cimetière…

"Vous êtes en train de me dire que Buster a livré Caitlin à Colter et cet autre type ? Qu'il l'a attirée par la ruse, et qu'il l'a vendue comme…" Le seul mot qui me venait à l'esprit me paraissait ridicule, mais je l'ai dit quand même : "… comme une concubine ?

— La petite amie de Brooks a repéré la photo de Caitlin parmi une série de clichés. Elle est prête à témoigner qu'elle l'a vue chez Colter. C'est exactement le genre de témoin qu'on attendait. L'affaire va beaucoup progresser grâce à elle.

— Elle est digne de confiance ? a demandé Abby.

— Déjà plus que les hommes contre qui elle va témoigner, malgré les ennuis qu'elle a pu avoir. Tom, a poursuivi Ryan, j'ai une question très importante à vous poser. Savez-vous où se trouve votre frère ?

— Vous êtes allés voir chez lui ?

— Bien sûr. Je voudrais que vous m'indiquiez d'autres endroits où le trouver.

— Je ne sais pas…

— Et je voudrais aussi savoir s'il vous a contacté ces derniers temps."

Ryan gardait les yeux braqués sur moi, comme s'il me passait aux rayons X.

"Buster est…" Ma voix s'est éteinte. J'ai fait une nouvelle tentative : "Écoutez…"

J'ai repensé à ce qui s'était passé dans la voiture ce matin. À ce que Buster m'avait dit. Je devais bien admettre qu'il avait raison. Il m'avait toujours soutenu dans notre enfance, et je ne pouvais pas négliger ce fait. Même s'il avait joué un rôle dans l'affaire – ce dont je doutais fort –, je voulais le découvrir par moi-même. Je ne supportais pas l'idée de le livrer à la police, à des étrangers. Ma limite se trouvait là.

"Je ne sais pas où il est. On s'est disputés, comme souvent. Ça fait des semaines que je ne lui ai pas parlé. En fait, la dernière fois que je l'ai vu, c'était ici, à la maison. Et vous étiez là. Écoutez, Ryan, vous pensez vraiment que Buster est directement impliqué dans l'affaire ? Juste à cause de ce que cette femme a dit ?

— Notre enquête vise avant tout à remettre Colter derrière les barreaux, mais nous devons aussi parler à William. S'il se présente de son plein gré, ça jouera en sa faveur. Sinon…

— Où est-il ? m'a demandé Abby.

— Je n'en sais rien. Je vous ai dit que je ne l'avais pas vu."

Avec un petit soupir, Ryan a appuyé les mains sur ses genoux pour s'extraire de son fauteuil, puis a rajusté sa veste en tirant sur les revers.

"Prévenez-nous s'il se passe quelque chose, a dit Abby.

— C'est entendu." Désignant mon visage, Ryan a poursuivi : "Et si j'étais vous, je me mettrais de la glace sur l'œil. La personne sur qui vous êtes tombé essayait visiblement de vous faire mal."

## 48

Abby et moi sommes restés chacun de notre côté du canapé. Sans rien dire. Sans bouger. Je me suis déplacé légèrement, à la recherche d'une position plus confortable.

"Tu n'as rien à dire, Tom ?

— Comme quoi ? ai-je rétorqué en tournant la tête vers le couloir, là où les photos de Caitlin avaient été enlevées.

— J'aurais dû me douter que c'était lui. J'aurais dû me douter que ce serait quelqu'un de la famille, un proche. Ça se passe toujours comme ça. Les statistiques montrent bien qu'il y a toujours un membre de la famille en cause. Et si on pense au passé de Buster, à son casier judiciaire... Mais toi, tu le défendais. Tu disais qu'il n'aurait jamais fait de mal à Caitlin.

— Où est-elle ?

— En haut. Elle dort. En tout cas, elle dormait quand Ryan est arrivé."

J'ai porté la main à ma joue, douloureuse et un peu enflée. Ryan avait raison, il fallait que je mette de la glace.

"Où étais-tu ? m'a demandé Abby. Dis-moi la vérité.

— J'ai cru que quelqu'un essayait de s'introduire dans la maison, alors je suis descendu voir. Et comme je n'ai pas réussi à m'endormir après, je suis allé me promener.

— Quelqu'un essayait d'entrer dans la maison, et tu nous as laissées seules ?

— Je croyais que quelqu'un essayait d'entrer, c'est tout.

— Tu es vraiment tombé ?"

J'ai jeté un œil à l'escalier. "Le sol était humide, à cause de la rosée. Et j'avais ces chaussures, ai-je dit en désignant mes pieds distraitement. Je vais parler à Caitlin.

— De quoi ?

— De Buster.

— Bonne idée. Demande-lui de descendre.

— Non, je pense qu'il vaut mieux que j'y aille seul. Elle m'écoutera."

Abby a émis un grognement de dédain. "Ça fait des années qu'elle ne t'écoute plus, Tom. Elle ne t'a jamais écouté. Vous étiez amis, tous les deux. C'est pour ça qu'elle te préférait : elle n'était jamais obligée de t'obéir."

Je me suis levé, puis j'ai entrepris de grimper l'escalier, doucement, lentement, une marche à la fois.


J'ai frappé à la porte de la chambre et suis entré sans attendre. Caitlin, vêtue d'un pyjama long, était assise par terre sur un sac de couchage, adossée au lit. Son regard vif m'indiquait qu'elle était parfaitement éveillée.

Je me suis approché du lit. Alors que je m'asseyais, une pointe de douleur m'a transpercé le flanc et j'ai grimacé. Ça n'a pas eu l'air d'inquiéter Caitlin.

"Tu sais qui m'a fait ça ? ai-je demandé en désignant ma joue enflée. Buster. Ton oncle Buster. On ne s'était pas battus comme ça depuis qu'on était gamins, et c'était encore plus violent à l'époque. Mais hier soir, il m'a mis une sacrée dérouillée."

Elle a écarquillé les yeux.

"Est-ce qu'il était là-bas, Caitlin ? Avec Colter ? Est-ce que Buster est venu chez lui ?"

Elle a regardé ses mains et commencé à tirer sur ses cuticules. À voir la peau rouge et éraflée autour de ses ongles courts, ce n'était pas la première fois qu'elle les arrachait.

"Je ne le répéterai pas à ta mère", l'ai-je encouragée.

J'étais sur le point de me relever quand elle a pris la parole.

"J'ai cru entendre sa voix une fois, a-t-elle commencé, les yeux toujours fixés sur ses mains. Je me suis dit que j'avais rêvé. Au début…" Un long silence. "J'entendais beaucoup de voix.

J'avais souvent l'impression que des gens étaient là, et qu'ils me cherchaient." Elle a hésité. "J'ai même cru vous entendre, maman et toi.

— Non, non.

— Je n'arrivais pas à savoir si c'était mon imagination ou la réalité. Ça avait l'air tellement réel… On aurait vraiment dit vos voix. Je les connaissais très bien.

— On n'est jamais venus. Sinon, on ne serait jamais repartis sans toi."

Caitlin a paru réfléchir à cet argument, puis elle a continué : "Une fois, j'ai entendu quelqu'un parler et rire, et il avait exactement la même voix que Buster. J'ai failli l'appeler, mais je ne l'ai pas fait.

— Tu l'as vu ?"

Elle a secoué la tête.

"Caitlin, c'est très important. Est-ce que tu as vu ton oncle chez Colter ?

— Non, jamais."

J'ai posé la main sur son épaule, à travers le tissu épais du pyjama. "Tu étais au sous-sol ? C'est pour ça que tu ne l'as pas vu ?"

Elle a secoué la tête à nouveau, plus vigoureusement.

"Tu peux me le dire, tu sais ? Si tu as envie de me confier quelque chose que tu préfères cacher à ta mère, c'est possible.

— Tu sais déjà ce que je veux."

Ma main a glissé de son épaule. "Vraiment, Caitlin ? Encore maintenant ?"

Elle a continué à se triturer les ongles, sans me prêter attention. J'ai replacé la main sur son épaule.

"Allons, Caitlin. Ce n'est pas ce que tu veux. Pas ça. Tu peux te défaire de cette idée, maintenant."

Elle s'est dégagée, puis s'est glissée un peu plus loin sur le sol.

"Tu n'en sais rien. Ne dis pas ça.

— Caitlin…

— Non. Je t'ai dit ce que je voulais."

Je suis allé ouvrir la porte pour jeter un œil dans le couloir. Aucun signe d'Abby. J'ai refermé la porte, et Caitlin a paru surprise quand je suis revenu m'asseoir sur le lit.

"Tout à l'heure, je t'ai dit que je m'étais battu avec ton oncle. Tu veux savoir pourquoi ?

— Je m'en fiche.

— On se battait à cause de toi. Et ça devrait t'intéresser, parce que j'étais de ton côté." Voyant qu'elle ne me suivait pas, j'ai continué : "On est allés voir ton ami hier soir. M. Colter.

— Tu mens.

— On est allés chez lui, ou plutôt chez sa mère, puisque c'est là qu'il habite en ce moment. Tu la connais ? Je ne sais pas si tu es au courant, mais il a brûlé sa propre maison. Celle où tu vivais avec lui. Il l'a réduite en cendres.

— C'est vrai ?

— Oui, pourquoi ?

— Il m'avait dit qu'il la brûlerait. Je ne l'avais pas cru.

— Il tient ses promesses, hein ? Il a détruit toute trace de toi, toute preuve de ton passage, pour couvrir ses arrières. Sauf qu'il n'a pas pu détruire la pièce au sous-sol, celle où tu vivais sûrement et d'où tu as dû entendre la voix de Buster. Après l'incendie, il en restait assez de vestiges pour que la police comprenne à quoi elle servait."

Les rayons du soleil traversaient la fenêtre, englobant la moitié du corps de Caitlin dans un rectangle de lumière.

"Pourquoi tu me dis tout ça ?

— Parce que j'ai parlé à M. Colter. À propos de toi.

— Qu'est-ce qu'il a dit ?"

Je prenais tout mon temps, désormais. Je me suis reculé sur le lit, bras croisés.

"Qu'est-ce qu'il a dit ? a-t-elle répété.

— Tu veux le revoir, non ?"

Elle a tapé du pied. "Merde enfin ! Qu'est-ce qu'il a dit ?

— On va passer un marché, ai-je déclaré en me penchant à nouveau vers elle. Ça t'intéresse ? Si tu veux savoir ce qu'il a dit, il faut que tu acceptes.

— Comment je peux accepter sans savoir ce que tu proposes ?"

Ça n'a pas été facile, mais je me suis relevé, faisant mine de vouloir quitter la pièce.

"C'est bon, a-t-elle déclaré. C'est bon, j'accepte. Mince alors ! Dis-moi ce qui se passe."

Je suis retourné m'asseoir sur le lit. Caitlin me regardait avec impatience, le visage plein d'attente. J'ai failli ne rien dire. J'ai failli m'en aller pour de bon. Mais je ne pouvais pas. Il fallait que je termine.

"Il veut te revoir."

Il m'a fallu un moment pour déchiffrer sa réaction. Elle a cligné des yeux plusieurs fois, et j'ai cru qu'elle allait pleurer. Puis les commissures de ses lèvres se sont relevées, tandis que l'émotion envahissait son visage – et sans aucun doute le reste de son corps.

Elle était heureuse.

Heureuse à l'idée de retrouver l'homme qu'elle prétendait aimer. Jamais elle n'avait témoigné autant d'émotion, autant de joie depuis son retour.

Elle a porté la main à sa poitrine pour toucher le collier de topaze. Elle ressemblait à Abby : même main fine, mêmes longs doigts, même fossette qui apparaissait sur sa joue gauche à mesure que son sourire s'élargissait.

"Tu vas m'y emmener, papa ?"

*Papa.*

Elle ne m'avait pas appelé comme ça depuis une éternité.

"Peut-être.

— D'accord, a-t-elle murmuré dans un souffle.

— À une condition. D'abord, tu dois me raconter tout ce qui s'est passé pendant ces quatre ans. Tu dois me dire comment il t'a kidnappée et où vous êtes allés. Tu dois me dire ce qu'il t'a fait là-bas. Et tu dois me dire pourquoi tu es restée, et pourquoi tu tiens tellement à y retourner. Si tu me dis tout ça, j'envisagerai peut-être de t'emmener le voir.

— Peut-être ?

— C'est ça.

— Est-ce que maman est d'accord ?

— Absolument pas. Si tu lui en parles, notre marché ne tiendra plus. Et tu peux t'attendre à ce que cet endroit devienne une vraie prison."

Elle a réfléchi un long moment. "Mais si je lui dis ce que tu m'as proposé, elle sera furieuse, non ? Je veux dire, elle te jettera dehors.

— Certainement. Et tu ne reverras jamais ton petit ami.

— Quand est-ce qu'on y va ?

— Dès que tu auras parlé."

Elle a secoué la tête. "Je ne te fais pas confiance. Tu ne veux pas que je reste avec lui. Si je te raconte tout, tu ne m'emmèneras jamais le voir.

— Tu n'as pas le choix. Parle." Puisqu'elle ne répondait pas, j'ai décidé d'augmenter la pression. "Plus on attend, moins tu as de chances de le revoir. Tu as entendu ce que l'inspecteur nous a dit, non ?

— En partie.

— Ils ont trouvé un témoin, une pauvre pouilleuse qui affirme t'avoir vue chez Colter. Est-ce que tu as rencontré un certain Loren Brooks ? Tu le connais ?

— Il est passé à la maison quelques fois.

— Il t'a fait du mal ?

— Qu'est-ce que cette connasse raconte sur moi ?" Le visage de Caitlin restait impénétrable, mais sa voix aurait pu couper l'acier.

"Suffisamment de choses pour mettre Colter sous les verrous. La police prépare les papiers en ce moment même. Il va retourner en prison – très bientôt. Et vu ta réaction, je pense qu'il va y rester.

— Quelle importance, alors ? Ce marché ne sert à rien. Ils vont l'emmener."

Il m'a fallu un effort considérable pour prononcer la phrase suivante.

"Il s'apprête à quitter la ville. Et il veut que tu viennes avec lui."

## 49

Caitlin me dévisageait, bouche bée. Un profond silence régnait dans la pièce et le reste de la maison. À l'extérieur, on entendait gronder un moteur Diesel. Un bus de ramassage scolaire progressait dans la rue, s'arrêtant pour faire monter des enfants du quartier puis repartant aussitôt. Le train-train quotidien. Cette année, Caitlin serait allée au lycée en voiture. Nous lui aurions acheté un véhicule d'occasion, en l'inscrivant sur notre assurance.

Au lieu de quoi…

"Tu veux dire que…

— Tu veux partir avec lui, non ?"

Caitlin a acquiescé lentement puis, joignant les mains, a recommencé à se triturer la peau autour des ongles.

"Tu es sûre ?

— Oui. Mais je ne pensais pas que tu me laisserais partir.

— C'est ce que tu veux. Et un père doit tout faire pour rendre sa fille heureuse, non ?"

Elle continuait à s'arracher la peau.

Je commençais à me relever quand elle a déclaré :

"Mais les parents ne sont pas censés laisser leurs enfants partir, si ?"

Je me suis rassis sur le matelas. Caitlin étudiait toujours ses mains, mais je sentais qu'elle était prête à m'écouter.

"Dès le jour de ta naissance, j'ai su que je devrais te laisser partir un jour. Tu allais grandir, faire ta vie. Te marier, peut-être. Déménager. Les parents qui ne se rendent pas compte de ça courent tout droit à la catastrophe émotionnelle."

J'ai attendu sa réponse.

"Mais parfois, ça arrive trop tôt, a-t-elle finalement avancé.

— C'est vrai. Comme pour toi et moi. Tu as changé d'avis ?

— Non, a-t-elle répliqué en levant les yeux. Pas du tout." Elle a haussé les épaules. "Et maman ?

— C'est une grande fille.

— Vous allez rester ensemble ?

— Non. On va se séparer, que tu partes ou non." De l'avoir dit tout haut, je me sentais soulagé. "Ça t'embête ?"

Elle a secoué la tête énergiquement, presque trop. On aurait dit qu'elle tenait à me prouver à quel point elle s'en moquait.

Abby a frappé doucement à la porte, nous faisant sursauter tous les deux. Je me suis demandé depuis combien de temps elle attendait là, et ce qu'elle avait entendu ; mais quand je lui ai ouvert la porte, elle ne semblait pas fâchée.

"De quoi vous parlez ?

— J'étais en train de répéter à Caitlin ce que l'inspecteur nous avait dit.

— Oh.

— Elle a pratiquement tout entendu d'ici. Et pour le reste… elle n'a pas grand-chose à répondre."

Il m'a semblé qu'Abby voulait s'adresser à Caitlin, mais c'est finalement vers moi qu'elle s'est tournée.

"Liann est là. Elle veut te parler."

Au moment où je quittais la pièce, la voix de Caitlin m'a arrêté.

"Merci, papa."

Je me suis retourné. "Pourquoi ?

— Pour ce que tu m'as dit.

— Pas de problème", ai-je répondu avant d'aller retrouver Liann.


Abby m'a suivi dans l'escalier. Au milieu des marches, elle m'a touché le bras.

"Tu as entendu, Tom ? Elle t'a appelé papa. C'est un progrès, non ?

— Oui, je crois aussi.

— Tu lui as parlé de Buster ?

— Oui." Je me suis tu. J'avais la gorge serrée, et les yeux me piquaient. "Elle a cru entendre sa voix un jour." Les larmes montaient, mais je me suis efforcé de les retenir, de les ravaler. "Elle a cru entendre la nôtre, aussi."

Abby s'est rapprochée de moi. "Ça va aller, Tom.

— Souvent, je l'imaginais en train de hurler, de crier mon nom dans le parc. J'aurais dû être là. J'aurais dû empêcher ça.

— Ce n'est pas ta faute."

Je me suis pincé l'arête du nez. "Je croyais que tu pensais le contraire.

— Ce n'est la faute de personne, a-t-elle affirmé en me serrant la main. Caitlin est à la maison, Tom. Avec nous. La police sait qui est le coupable, et ils vont l'arrêter. On peut passer à autre chose. Ce qui compte, c'est notre situation actuelle.

— Oui, tu as raison." J'ai enlevé ma main de la sienne. "Je vais voir ce que Liann me veut.

— Et il faudra bientôt qu'elle reprenne une vie normale. L'école, l'église, les amis… Il est temps.

— Quand on en aura fini avec Colter", ai-je déclaré en descendant les dernières marches.


Liann était assise à la table de la salle à manger, son portable à l'oreille. Quand je suis entré dans la pièce, elle a refermé le téléphone et l'a glissé dans son sac.

"Tu as une mine affreuse, a-t-elle commenté.

— Merci."

J'avais envie d'un café. Je suis allé me servir une tasse à la cuisine, avant de revenir m'asseoir. Liann s'est raclé la gorge.

"L'atmosphère a l'air un peu tendue dans cette maison.

— Tu n'es pas au courant ?"

Elle a secoué la tête. "Je m'occupais d'autre chose."

Je lui ai parlé de Buster et de son lien avec Colter. Liann m'a écouté, le visage impassible. Une fois mon explication terminée, je lui ai demandé ce qu'elle en pensait.

"J'allais te poser la même question.

— C'est mon frère, ai-je répondu, ne sachant pas quoi dire d'autre.

— Ils s'intéressent de très près à lui, depuis le tout début. Ça, je peux te l'assurer. Ils s'intéressent toujours à la famille. Comme on le sait tous les deux...

— Les membres de la famille sont les premiers suspects.

— Amen. Dans quatre-vingt-dix-huit pour cent des cas, c'est parole d'évangile.

— Mais dans ce cas-là ? Buster ? Il adore Caitlin. Il est fou d'elle, depuis toujours. Leur complicité m'avait donné quelques doutes, mais je pense qu'il l'aime, tout simplement.

— L'amour n'a rien à voir là-dedans. S'il s'est embrouillé avec des types louches, s'il a dit la mauvaise chose à la mauvaise personne, il jouait sa peau."

Le café avait un goût de brûlé, un goût amer. Il manquait de crème et de sucre. J'ai songé à le jeter.

"Tu lui as parlé ?"

J'ai jeté un œil vers l'escalier. Aucun signe d'Abby.

"Tu es mon avocate, n'est-ce pas ?

— Bien sûr.

— Je l'ai vu hier soir, ai-je avoué à voix basse. Dans le cimetière, de l'autre côté de la rue."

Liann s'est raidie, et ses épaules se sont contractées un instant.

"Qu'est-ce qu'il faisait là ?

— Je crois qu'il venait à la maison, pour me voir. C'était en plein milieu de la nuit..."

Je ne pouvais pas lui parler de la fille, Jasmine. Pas encore.

"Et tu ne veux pas le dire à la police ?"

J'ai secoué la tête. "Je ne peux pas le dénoncer.

— Après ce qu'il a fait ?

— Soi-disant. Tu répètes sans cesse qu'il ne faut pas se fier à la police. Et tu ne peux pas comprendre, Liann... j'ai une relation compliquée avec lui. Ça remonte à notre enfance.

— Ils pourraient t'accuser d'entrave à la justice. Tu détiens une information que tu refuses de partager.

— C'est ma faute. Il voulait nous emprunter de l'argent. Je ne lui ai pas donné la somme qu'il demandait, alors il lui restait des dettes. On aurait pu éviter ça..."

Liann s'est penchée vers moi et a posé la main sur mon avant-bras. "Qu'est-ce que tu as l'intention de faire ? Qu'est-ce qui se passe ?"

J'ai dégagé mon bras et me suis forcé à avaler du café. "Rien. Tout ce que je veux, c'est que le coupable finisse derrière les barreaux."

Liann m'a de nouveau agrippé, avec tant de force que ma tasse a vacillé et que du liquide s'est répandu sur la table.

"Hé !

— Je ne peux pas te protéger de tout, Tom, a-t-elle dit en serrant les mâchoires. Je sais ce que tu cherches.

— Ah oui ?

— Tu veux découvrir ce qui s'est passé pendant ces quatre ans. Ce n'est pas la justice qui t'intéresse.

— Mes sentiments ne sont pas aussi nobles que les tiens, je suppose.

— Tu crois vouloir savoir tout ça… Mais en es-tu vraiment sûr ? Tiens-tu vraiment à mettre le nez dans toute cette horreur ? Est-ce que tu te sentiras mieux en sachant que ce que tu as imaginé est loin d'être aussi terrible que la réalité ? Parce que je ne pense pas que tu puisses, même dans tes plus mauvais jours, imaginer ce qui s'est réellement passé dans cette maison."

Je ne l'ai pas regardée. J'ai passé le doigt dans la flaque de café, étalant le liquide sur la table. Liann s'est levée.

"Tu ne me demandes pas pourquoi je suis venue ?"

Notre conversation me l'avait fait oublier. "Pourquoi ?

— On a repêché un cadavre dans un étang de Mayfair. On ne l'a pas encore identifié, mais la police pense qu'il pourrait s'agir de Tracy Fairlawn."

Elle s'est tue, le temps que la nouvelle fasse son effet. Je me sentais mal. Vidé. Ma bouche s'est emplie d'un goût amer, qui n'avait rien à voir avec le café.

"Qu'est-ce que tu en penses ? ai-je demandé.

— Je n'ai pas besoin d'attendre la confirmation, je sais que c'est elle. Les filles de ce genre finissent souvent au fond d'un étang. Ou d'un bois. Ou d'un fossé. Il n'y a que les plus chanceuses qui en réchappent."

*Comme Caitlin*, ai-je pensé. *Une chanceuse.*

"Je vais tenir compagnie à sa mère, a repris Liann. Appelle-moi s'il y a du nouveau. Ou si tu changes d'avis."

Et elle m'a laissé là, à étaler mon café sur la table comme un enfant perturbé.

# 50

J'étais encore assis à la table quand Abby est descendue. J'ai rempli ma tasse et contemplé le liquide noir en pensant au cadavre de Tracy, baignant dans l'eau froide d'un étang de campagne.

"Qu'est-ce qu'elle voulait ?"

Comme je le lui expliquais, Abby s'est laissée tomber sur une chaise, et son corps a semblé perdre consistance, se recroqueviller. Elle a porté la main à sa poitrine, les yeux dans le vague.

"Il l'a tuée. Ils vont l'arrêter pour ça, aussi.

— Peut-être. Mais vont-ils réussir à le prouver ? Une fille comme Tracy, avec ce genre de problèmes…"

J'entendais la voix de Liann dans ma tête : *Criminalisation de la victime.* Autrefois, je jugeais sévèrement les parents d'enfants rebelles et incontrôlables ; et aujourd'hui, je me retrouvais incapable de contrôler ma fille. Qui fallait-il blâmer ?

*Colter.*

"J'allais partir à l'église, mais peut-être que je ne devrais pas…

— Tu peux y aller, ça va.

— Non, ça ne va pas."

Elle a attendu une réponse que je ne lui ai pas donnée. Nos affrontements conjugaux se déroulaient parfois ainsi : Abby me sondait, me poussait ; je résistais. Caitlin avait hérité de ce trait de caractère, avec sa capacité à se couper du monde entier, y compris des gens qui lui voulaient le plus de bien.

"Tom, j'ai peur. Cet homme est en liberté, et il a tué une autre fille. Qu'est-ce qu'on fait encore là ?

— On attend, je suppose.

— Et s'il voulait s'en prendre à Caitlin ? Et s'il venait ici ?"

J'ai secoué la tête. "Il ne lui fera pas de mal.

— Comment le sais-tu ?

— Il croit l'aimer, et elle aussi."

Je sentais qu'elle m'étudiait du regard.

"D'où est-ce que tu tiens ça, Tom ? Tu me caches quelque chose ?"

J'ai attendu un moment avant de secouer la tête à nouveau. "Tu devrais aller à l'église, si tu en as envie. Je reste avec elle.

— Je pourrais l'emmener…

— Non. Je veux que Caitlin reste ici, avec moi."

Elle m'a examiné encore un instant, puis a hoché la tête. "D'accord. Si tu changes d'avis, dis-le-moi. Je rentrerai tout de suite", a-t-elle déclaré en me pressant doucement la main.

Après son départ, je suis allé en bas de l'escalier pour appeler Caitlin.


Nous nous sommes assis l'un en face de l'autre à la table de la salle à manger. J'avais l'impression que mon cœur flottait dans ma poitrine, comme placé en apesanteur.

Caitlin ne me regardait pas. La main droite près de la bouche, elle mordillait un bout de peau morte sur son pouce. Inutile de lui demander d'arrêter. Elle n'abandonnerait plus sa façon de mâcher, de jurer, son hygiène déplorable. Toutes ces choses que nous aurions pu changer, toutes les batailles disciplinaires que nous aurions pu mener, étaient perdues. Que nous restait-il ?

"Qu'est-ce que tu veux savoir ? m'a demandé Caitlin, avant de prendre une gorgée du grand verre d'eau posé devant elle.

— Ce qui s'est passé dans le parc ce jour-là. Comment il s'est arrangé pour que tu le suives."

Elle a plissé le front, plongée dans une réflexion intense. Quatre ans. Et j'avais imaginé que les événements lui reviendraient en claquant des doigts.

"J'étais en train de promener Frosty. Il n'aimait pas trop qu'on le tienne en laisse, tu sais. Il essayait toujours de s'en débarrasser, il tirait dessus, et il faisait ce bruit de gorge bizarre quand le collier l'étranglait. Tu vois de quoi je parle ?"

Je voyais.

"En fait, j'étais trop petite pour le promener toute seule. Il n'était pas assez bien dressé. Il me tirait derrière lui tout le long du chemin, et moi je m'agrippais du mieux que je pouvais, mais au bout d'un moment, la laisse a commencé à me scier les mains. J'avais les doigts tout serrés, ils frottaient les uns contre les autres et ça me faisait vraiment mal. J'ai voulu passer la laisse dans mon autre main pour me soulager un peu, mais à ce moment-là, Frosty s'est sauvé. Il est parti comme une flèche vers le cimetière. Tout à coup, il avait disparu." À ce souvenir, Caitlin a eu un sourire peiné, presque mélancolique. "Bref, j'ai paniqué. J'avais très peur. Si quelque chose lui arrivait, je savais que j'aurais des ennuis, et que vous ne me laisseriez plus le promener dans le parc.

— C'est ta mère qui aurait réagi comme ça.

— Si tu le dis. Je lui ai couru après aussi vite que possible, mais quand je suis arrivée au cimetière, il avait disparu. Je ne le voyais plus nulle part. J'ai cherché autour de moi, j'ai crié son nom, sans résultat. Il avait disparu. Je me suis mise à pleurer. Je n'étais pas fière de moi, parce que j'étais trop vieille pour ça, mais je n'ai pas pu m'en empêcher. J'avais les yeux qui me piquaient, et j'ai fondu en larmes."

Elle a marqué une pause. J'aurais voulu avoir un magnétophone, un moyen de conserver sa voix.

"Je crois que je m'apprêtais à rentrer en courant à la maison, pour vous retrouver et vous dire ce qui s'était passé, quand une camionnette s'est arrêtée à côté de moi. Une camionnette blanche. Le conducteur a baissé sa vitre et m'a demandé ce qui n'allait pas. Quand je le lui ai expliqué, il m'a proposé de monter avec lui, et de faire un tour dans les environs pour chercher Frosty." Caitlin a pris une nouvelle gorgée d'eau, puis continué : "Je savais que je ne devais pas monter dans la voiture d'un inconnu. Je savais tout ça. Toi et maman, vous me l'aviez bien appris."

Comme elle ne disait plus rien, j'ai relancé la conversation : "Alors pourquoi es-tu montée ?

— Je ne suis pas montée.

— Alors comment…

— Je suis partie. J'ai tourné les talons et je suis partie vers la maison. L'homme dans la camionnette m'a rappelée, il répétait qu'il voulait m'aider. Alors je me suis mise à marcher plus vite, et c'est à ce moment-là que John est arrivé près de moi. Il promenait aussi son chien, et il avait entendu ce que le type dans la camionnette me disait. Il m'a conseillé de ne pas faire attention à lui, et m'a dit que si je voulais de l'aide pour chercher mon chien, il ferait un bout de chemin avec moi, et qu'on le retrouverait sûrement. « Il n'a pas pu aller bien loin, avec cette laisse autour du cou », il m'a dit. Il avait l'air gentil et inoffensif, beaucoup plus en tout cas que l'autre type. Un peu bêta, en fait, a-t-elle commenté avec un sourire. Alors on s'est mis à marcher dans le parc avec son chien, à la recherche de Frosty. Je ne sais pas où est passé l'homme à la camionnette. Il a dû repartir. Qui sait ce qu'il voulait… On ne le saura jamais, je pense. Le monde est sûrement plein de gens comme ça."

Elle a pris une gorgée d'eau.

"Qu'est-ce qui s'est passé pour que tu partes avec lui ? ai-je demandé.

— On a cherché Frosty très longtemps. On a fait le tour de la piste sportive, exploré les allées du cimetière. Comme je pleurais encore un peu, John a essayé de me parler, de me rassurer."

*John*. Elle l'appelait John.

"Et puis je me suis rendu compte qu'il commençait à se faire tard, et que vous alliez vous inquiéter si je ne rentrais pas à la maison. J'allais sûrement me faire disputer parce que j'avais perdu Frosty. J'ai dit à John qu'il fallait que je rentre chez moi. Il m'a proposé de me ramener en voiture, comme ça on pourrait en profiter pour chercher encore un peu Frosty. Il m'a dit qu'il était peut-être tout simplement retourné à la maison, que les chiens faisaient ça parfois. Ils suivent leur instinct." Caitlin s'est tue un instant. "Je ne savais pas quoi faire. J'étais en panique, effrayée, et John avait vraiment l'air gentil.

— On ne t'aurait pas disputée.

— Maman, si. Et toi aussi, d'ailleurs. Tu fais toujours semblant de ne pas t'énerver pour ce genre de choses, mais ce n'est pas vrai. Tu ne t'en rends peut-être pas compte, mais tu prends une certaine expression, un air désapprobateur. Et je le remarque toujours." Elle m'a regardé, s'attendant sûrement à ce que je me défende. Puis, comme je ne réagissais pas, elle a repris : "Alors je l'ai accompagné jusqu'à sa voiture et je suis montée dedans. Elle n'avait rien de spécial, c'était juste une vieille Toyota. Et ça ne m'a pas fait tellement bizarre que ça de partir avec lui." Elle s'est interrompue et a levé un doigt. "Attends. Si, ça m'a fait bizarre. C'était différent, je crois, et c'est pour ça que j'avais envie de le faire.

— Comment ça, différent ?

— Parce que je n'aurais pas dû me trouver là, mais que je me sentais quand même en sécurité. J'étais un peu excitée, même si j'avais peur et que je m'inquiétais pour Frosty. Ça me paraissait assez exceptionnel, de monter dans une voiture avec un inconnu, même s'il allait juste m'aider à chercher mon chien et me ramener chez moi.

— Mais tu n'es pas revenue.

— Non.

— Où êtes-vous allés ?

— Chez lui.

— Qu'est-ce qui s'est passé ?

— On a cherché Frosty dans le quartier. On est passés juste devant la maison, en fait."

Si seulement j'avais été dehors. Si seulement j'avais guetté son retour.

*Si seulement.*

"On a passé un moment à chercher, et puis il m'a proposé de passer chez lui pour me débarbouiller le visage. D'après lui, il valait mieux que je n'arrive pas à la maison avec cette tête-là ; si je me rafraîchissais le visage, je ferais plus adulte, et ça ne se passerait pas aussi mal que je le pensais. Je suis persuadée que si je le lui avais demandé, il m'aurait déposée devant la maison. Je ne crois pas qu'il avait l'intention de me forcer à faire quoi que ce soit. Je contrôlais parfaitement la situation, et ça me plaisait. Alors je me suis dit : « Pourquoi pas, après tout, on va bien voir ce qui se passe. » Et j'ai accepté d'aller chez lui.

— Tu sais que tu ne contrôlais rien, n'est-ce pas ? Rien du tout."

Mais Caitlin s'était tue. Elle avait conclu son récit par un point final. Elle s'est levée pour se resservir un verre d'eau à l'évier, l'a vidé d'un trait, puis s'en est resservi un autre et a continué à boire, le dos tourné, comme si je ne me trouvais pas dans la pièce.

"Mais tu avais déjà vu Colter, non ?"

Elle s'est retournée. "Pourquoi tu dis ça ?

— Dans la poche de ton manteau, celui que tu portais la veille de ta disparition, il y avait une fleur. Une fleur rouge. C'était juste avant la Saint-Valentin, et puisque tu as gardé cette fleur dans ta poche, je me suis dit que quelqu'un te l'avait offerte."

Elle a dégluti, mais n'a pas répondu.

"Tu sais, ça n'a plus d'importance maintenant. Ça ne va rien changer. Je veux juste savoir s'il t'avait donné cette fleur.

— Oui."

Elle a pris une gorgée d'eau. Je me suis tu, devinant qu'elle n'avait pas fini.

"Je l'avais croisé au parc. On s'était parlé quelques fois.

— Combien de fois ?

— Je ne sais pas.

— Combien ?" ai-je répété, tapotant de l'index sur la table.

Elle a haussé les épaules d'un air exaspéré. "Cinq ou six fois ?

— Un inconnu, un adulte, t'a parlé dans le parc cinq ou six fois, et tu ne nous as rien dit ?

— Et pourquoi pas ?

— On est tes parents. On est censés te protéger de ce genre de choses.

— Eh bien, vous ne l'avez pas fait, hein ? Vous ne l'avez pas fait.

— C'est à ce moment-là qu'il t'a donné le collier ? Avant de t'emmener ?

— Non, a-t-elle répondu en posant la main sur la pierre. Il me l'a offert un an plus tard. C'est un symbole de ce qu'on ressent l'un pour l'autre. Tant que je le porte…

— Non, non. Si tu nous avais avertis quand tu l'as vu dans le parc…"

Je me suis interrompu. Sous l'effet de la colère, j'avais haussé le ton. *Si, si, si...* Si je les avais vus passer devant la maison. Si je ne l'avais pas laissée promener le chien. Si je n'avais pas accepté de garder un animal de compagnie aussi turbulent. *Si, si, si...*

"Pourquoi es-tu restée, après tout ça ? Des gens t'ont vue en public avec lui. Tu aurais pu crier, pleurer. Tu aurais pu t'enfuir. Pourquoi es-tu restée avec lui ? Pourquoi as-tu fait ça ?" J'ai lutté un long moment pour retenir la phrase suivante, mais elle a fini par m'échapper. "Pourquoi m'as-tu fait ça, Caitlin ? Pourquoi ?"

Elle a secoué la tête. "Pourquoi je t'ai fait ça ?

— Oui. Pourquoi ?"

Elle a observé son verre, puis l'a mis de côté. "Non.

— Non quoi ?

— Je ne te dirai plus rien tant que tu ne m'auras pas emmené voir John, a-t-elle affirmé, le visage crispé. Je t'ai donné un acompte. C'est déjà quelque chose.

— Tu viens seulement de commencer. On n'en est qu'au début.

— Qu'est-ce que tu veux savoir d'autre ? Tout le reste ? Chaque petit détail ?

— Dis-moi qu'il t'a forcée à rester.

— Emmène-moi chez lui. Ou laisse-moi partir, et j'irai toute seule.

— Il t'a obligée à rester, n'est-ce pas ? Il t'a retenue contre ton gré.

— Ne me demande pas de te mentir."

J'ai frappé du poing sur la table, faisant tressauter ma tasse.

"Il t'a forcée à rester, j'en suis sûr. Tu n'aurais pas imaginé nos voix si tu n'avais pas voulu partir. Pas vrai, Caitlin ? Tu n'aurais pas imaginé que tu nous entendais.

— Qu'est-ce qui te fait croire que je l'ai imaginé ?

— Parce que je ne savais pas où tu étais. Personne ne le savait.

— Ça, c'est toi qui le dis."

Je me suis levé brusquement, manquant renverser ma chaise au passage. Je l'ai écartée d'un geste pour me rapprocher de Caitlin.

"Non, chérie, ça ne serait jamais arrivé. Jamais, jamais."

Elle a eu un mouvement de recul. Son corps s'est raidi à mon approche, et elle a reculé de deux pas, mains tendues devant elle comme pour me repousser.

"Emmène-moi chez lui. On a passé un marché. Si tu veux que je te dise autre chose, emmène-moi chez John."

Elle a quitté la pièce sans me laisser le temps de répondre.

## 51

J'ai cherché son numéro dans l'annuaire. Il m'a fallu deux essais pour trouver le bon. Une vieille femme a répondu, et j'ai demandé à parler à John. Un long silence a suivi, meublé par le bourdonnement statique du téléphone. "Vous ne pouvez pas le laisser tranquille ? a soupiré sa mère.

— Je ne suis pas journaliste." Un long silence, encore. "Je suis venu chez vous hier soir pour parler à John.

— Oh, je vois, a-t-elle dit en reniflant. Vous êtes vraiment le père de cette fille ?

— Oui.

— Vous savez… Johnny… Il a toujours aimé les enfants. Je veux dire… Il ne ferait pas de mal à une mouche. Pas intentionnellement, en tout cas. Ça ne vous est jamais venu à l'idée que ces filles… Elles l'ont bien cherché, non ? Avec les vêtements qu'elles portent. Même les plus jeunes…

— Passez-le-moi."

Elle a poussé un profond soupir, puis j'ai entendu le combiné heurter une surface dure. "Johnny ?"

Quelqu'un a récupéré le téléphone, et des éclats de voix me sont parvenus. Je ne distinguais pas tout, mais la mère de Colter disait : "Ne t'attire pas de nouveaux ennuis. Ma maison, Johnny…

— Va-t'en", a-t-il répondu. Il a dû attendre qu'elle quitte la pièce, car il s'est écoulé encore un peu de temps avant qu'il reprenne la parole. "Monsieur Stuart ?"

Au son de sa voix, un frisson de dégoût m'a traversé.

"C'est moi.

— Je suis content de vous entendre. Je savais que vous appelleriez."

Le combiné me brûlait l'oreille. "Vous êtes bien sûr de vous.

— Nous possédons tous les deux une chose que l'autre désire, non ? Nous avons… ce qu'on pourrait appeler une relation symbiotique.

— Symbiotique ?

— Ça veut dire qu'on en profite mutuellement.

— Je sais ce que ça veut dire.

— D'ailleurs, on fait quasiment partie de la même famille. Quelle est votre réponse, alors ?

— J'ai parlé à Caitlin aujourd'hui." J'ai avalé ma salive avec difficulté avant de poursuivre. "Elle est partante, et moi aussi. Donc…

— Vous acceptez de me l'amener ?"

J'ai hésité. Je voulais savoir. Je voulais seulement savoir. "Oui.

— Bien, bien", a-t-il répondu, ce qui signifiait : *Maintenant, parlons affaires.* J'ai entendu une porte se fermer ; il devait être en train de passer dans une autre pièce ou de sortir de la maison, pour plus de discrétion. Quand le mouvement s'est arrêté, Colter a repris : "Bon, comment allons-nous procéder ?

— Je vous écoute.

— Mon avocat m'a appelé ce matin. Apparemment, la police dispose d'un nouveau témoin et de nouvelles informations sur l'affaire. Je dois m'attendre à une arrestation et à une nouvelle mise en accusation d'un jour à l'autre. Si ça se trouve, ils vont se pointer aujourd'hui pour me passer les menottes. Bref, on n'a plus beaucoup de temps.

— Peut-être que je devrais laisser tomber, alors. Vous vous retrouverez en prison sans même que Caitlin ait à témoigner contre vous.

— Je vous l'ai dit : quoi qu'il arrive, je file. Et si vous n'y mettez pas du vôtre, vous n'apprendrez jamais ce que vous voulez savoir.

— J'en sais déjà une partie. Caitlin m'a confié deux trois choses aujourd'hui. Tout compte fait, j'en sais peut-être déjà assez."

J'ai traversé la maison jusqu'au salon, où je me suis arrêté pour contempler le jardin. Les arbres étaient quasiment nus à présent, leurs feuilles tombées à terre ou entassées sur le trottoir par mes zélés voisins. Les nuages semblaient planer juste au-dessus de la cime des arbres, aussi gris que de la cendre froide.

"Qu'est-ce qu'elle a bien pu vous dire ? a finalement demandé Colter.

— Bien assez de choses. Comment vous l'avez fait monter dans votre voiture pour chercher le chien. Comment vous l'avez ramenée chez vous, dans votre petite baraque miteuse."

Tandis que je parlais, le regard fixé sur le jardin, j'imaginais cette journée. La voiture qui faisait le tour du parc, puis s'en allait avec Caitlin. La voiture qui passait devant notre maison, et ma fille, assise à l'avant, peut-être, qui regardait cet endroit pour la dernière fois.

"Je peux aller trouver la police, leur répéter tout ce que Caitlin m'a dit. Ajouter à ce qu'ils savent déjà.

— Ouï-dire.

— Comment avez-vous fait pour qu'elle reste chez vous ? Comment l'avez-vous retenue ?

— Personne ne vous croira, a-t-il affirmé, esquivant mes questions. Depuis que vous avez raconté cette histoire de fantôme aux flics, vous n'avez plus aucune crédibilité.

— Le père de la victime reste toujours crédible. Dites-moi : comment l'avez-vous retenue ?

— Avant de vous raconter quoi que ce soit, je veux la voir. C'est le marché que je vous ai proposé."

Je me suis détourné de la fenêtre. "Si vous voulez la voir, vous devez d'abord me donner quelques informations.

— Pourquoi est-ce que je devrais négocier ? a-t-il répliqué, une nuance de menace dans la voix. Ça vous intéresse plus que moi. La vérité vous obsède, je l'entends bien. Vous savez, Caitlin m'a parlé de vous. Elle m'a parlé de votre beau-papa, qui ne vous aimait pas, et qui venait dans votre chambre et vous faisait pleurer comme un petit bébé.

— Caitlin n'était pas au courant.

— Quelqu'un lui en a parlé. Quelqu'un de la famille.

— Vous connaissez mon frère ? Vous l'avez vu hier soir. Vous le connaissez ?

— C'est ça la théorie des flics, hein ? Que votre frère m'a mis sur la piste de Caitlin ?

— Vous le connaissez ?

— Disons juste que j'ai croisé le chemin de beaucoup de personnes dans ma vie, et que votre frère a pu en faire partie.

— Caitlin dit qu'elle a entendu sa voix chez vous.

— Il est peut-être venu. Comme je vous le disais, je ne me souviens pas de tout ce qui s'est passé en quatre ans. Et quelqu'un dans la situation de Caitlin, qui se retrouve dans une maison inconnue, loin de son environnement habituel, peut se mettre à imaginer certaines choses. Il se peut même que quelqu'un comme moi l'encourage dans cette direction.

— Qu'est-ce que vous voulez dire ?

— Est-ce qu'elle vous a dit aussi qu'elle avait cru entendre votre voix ? a-t-il demandé d'un ton presque jovial.

— Oui.

— Ce n'est pas difficile de pousser une enfant désemparée à croire certaines choses. Que ses parents ne veulent pas qu'elle revienne, par exemple. Ou bien qu'ils sont passés me voir, et qu'ils acceptent qu'elle reste avec moi. Pour toujours."

Ma gorge me brûlait. "Non. Non, vous n'avez pas osé !

— Comment allons-nous procéder à l'échange ?

— C'est comme ça que vous l'avez gardée ? En lui bourrant le crâne de mensonges ? Répondez-moi si vous voulez la revoir. Vous l'avez enfermée ? Retenue de force ?"

Colter a poussé un petit gloussement. "Ça vous arrangerait que je l'ai enfermée, hein ? C'est ça que vous voulez entendre.

— Je veux entendre ce qui s'est passé. Ce qui s'est vraiment passé.

— Et ensuite ?

— On organisera l'échange."

J'entendais sa respiration à l'autre bout du fil. Les battements de mon cœur se sont ralentis. Je me suis assis sur le canapé, m'enfonçant entre les coussins.

"Je n'ai pas eu à l'enfermer. Pas vraiment.

— Qu'est-ce que ça veut dire ?

— Au début, elle est restée parce que… Je ne sais pas… Elle prenait ça pour un jeu, peut-être. Quelque chose de différent, de nouveau. Vous vous rappelez ce que c'est, d'être un enfant ? Tout le monde vous donne des ordres. Votre vie ne vous appartient pas. Vous restez toujours sous la coupe de quelqu'un. Tenez, je vis bien avec ma mère, en ce moment. Ça ne change jamais.

— Vous avez dit que vous n'aviez « pas vraiment » eu à l'enfermer. Ça sous-entend que vous avez dû faire quelque chose pour la retenir. Quoi ?

— Bon, bon. Je crois qu'elle a… commencé à s'inquiéter… à la fin du premier jour, et elle m'a demandé si elle pouvait rentrer. Chez vous. Vous voyez, à ce moment-là, je savais que j'allais avoir des ennuis. Un type comme moi ne peut pas garder une fille de douze ans chez lui toute la journée sans en subir les conséquences. Les flics allaient me tomber dessus. Je sais comment les ennuis arrivent dans ce genre de situation, et à qui ils arrivent. Les flics ne comprennent jamais ce genre de truc. Ils ne voient pas que deux personnes comme Caitlin et moi peuvent partager quelque chose de spécial. Ils appellent ça un crime, et en font toute une histoire. Pourtant, ce n'est pas si compliqué quand on regarde au fond des choses. C'est de l'amour.

— Qu'avez-vous fait ?

— Qu'est-ce que je pouvais faire ? a-t-il rétorqué d'un ton réellement perplexe. J'ai essayé de lui parler, vous voyez, de la raisonner. Elle m'avait l'air d'une fille intelligente. Je lui ai demandé de rester, tout simplement. Je lui ai dit qu'elle pourrait partir quand elle voudrait le jour suivant, mais que pour le moment il fallait qu'elle reste chez moi. Je lui ai même proposé de l'aider à chercher son chien le lendemain matin, avant de la ramener à la maison. Elle n'a rien dit pendant un long moment. Elle avait le regard vide. Vous savez, cet air inexpressif qu'elle prend parfois, au point qu'on se demande si elle a bien entendu. Vous voyez de quoi je parle ?

— Je connais cette expression, ai-je répondu à contrecœur.

— Alors elle est restée comme ça, le regard vide, pendant un long moment, plusieurs minutes au moins. Je vous jure, elle m'épuisait vraiment avec cette attitude. Mais finalement, elle a dit : « Je ne préfère pas. » Elle avait mis tellement de temps à répondre que je ne savais plus de quoi elle parlait. Est-ce qu'elle préférait rester avec moi, ou bien rentrer ? Quand je lui ai posé la question, elle a dit qu'elle préférait rentrer. Qu'est-ce que vous vouliez que je fasse à ce moment-là, hein ? J'étais déjà mouillé jusqu'au cou. Il n'y avait plus qu'une chose à faire."

J'avais la gorge rauque, à vif. "Quoi ?

— Je l'ai enfermée au sous-sol. Je l'ai prise par le bras – pas trop durement, parce qu'elle n'essayait pas de résister ou de se débattre –, et je l'ai emmenée à la porte du sous-sol. Je lui ai fait descendre l'escalier, et puis je l'ai laissée dans la chambre, en lui disant qu'il n'y avait pas d'issue et que personne ne l'entendrait crier d'ici.

— Vous le saviez par expérience ?

— J'ai eu d'autres relations, oui.

— Tracy Fairlawn ? Vous savez ce qui lui est arrivé ?

— Il se peut que mon avocat ait évoqué le sujet, mais cette fille avait beaucoup de problèmes.

— Comme l'enfant qu'elle laisse derrière elle. Votre enfant."

Colter a émis un ricanement étouffé. "Vous savez, j'ai eu l'impression… Pour être honnête, il m'a semblé que si j'étais tombé sur Caitlin dans ce parc, au moment où elle avait perdu son chien, c'était parce que le destin l'avait voulu. Comme si on était faits pour se rencontrer ce jour-là et finir ensemble." Colter s'est remis à rire. "Ha, si ça se trouve, vous êtes en train d'enregistrer notre conversation, en espérant l'utiliser contre moi. C'est ça que vous êtes en train de faire ? M'enregistrer ? Vous voyez, on ne peut pas mettre d'étiquette sur le destin. On ne peut pas l'expliquer, ni lui donner de nom. Mais ce qui est arrivé, même s'il y a eu un peu de résistance au début, c'était le destin. C'est aussi simple que ça. Et si vous me laissez revoir votre fille, vous saurez tout. Pour de vrai. Et elle sera de nouveau heureuse. Laissez-moi deviner ce qui se passe chez vous : elle vous parle à peine. Elle boude toute la journée, joue sa petite comédie de l'indifférence. J'étais sûr qu'elle ferait ça. C'est du Caitlin pur jus.

— Arrêtez. Ne faites pas comme si vous la connaissiez mieux que moi.

— Mais c'est vrai. J'ai passé ces quatre dernières années avec elle. Où est-ce qu'on peut se retrouver ? Tout le monde aura ce qu'il veut.

— Pourquoi l'avez-vous laissée partir ? Si vous étiez si heureux que ça, pourquoi l'avoir chassée ? Et pourquoi avez-vous brûlé votre maison après son départ ? Qu'est-ce que vous vouliez cacher ?

— Vous ne pouvez pas venir ici, à cause de ma mère. Et d'ailleurs, les flics me surveillent peut-être. Mais je peux sortir quelques instants, en fin de journée. Où est-ce que je peux vous retrouver ? Vous et Caitlin ?"

J'avais l'impression qu'il me tenait en laisse et me promenait par le bout du nez. Il avait raison. Je voulais trop en savoir. Il fallait que je fasse marche arrière, que je me libère de son emprise. Je me sentais vaciller au bord du gouffre. Mais j'aurais beau battre des bras, je finirais par tomber.

"Je peux venir chez vous ? m'a-t-il demandé.

— Non. Ma femme…" J'ai hésité à nouveau. "Je pense que ce serait mieux si on…

— Où, alors ?" a insisté Colter.

Je serrais le téléphone de toutes mes forces. *Tu veux juste savoir. Tu veux juste savoir. Tu n'es pas obligé de lui donner ta fille, mais il faut que tu apprennes la vérité.*

Le lieu de rendez-vous me paraissait tellement évident que je n'aurais même pas dû avoir à le préciser.

"Nous n'avons qu'à retourner au commencement. Retrouvons-nous dans le parc, à côté du cimetière.

— Quand ?

— Quand pouvez-vous y être ?"

Il s'est tu, le temps de calculer, sûrement.

"Une heure après le coucher du soleil. Il me reste des choses à régler, et le parc sera vide à ce moment-là.

— Une heure après le coucher du soleil.

— Et vous viendrez avec Caitlin ?

— Vous ne me laissez pas vraiment le choix, si ?"

## 52

Je suis monté à l'étage. Caitlin avait laissé la porte de la chambre ouverte, et se trouvait de nouveau assise par terre, les yeux perdus dans le vague.

"J'ai une question, ai-je demandé depuis le seuil.

— Quoi ?

— Tu croyais vraiment que ta mère et moi n'allions pas te chercher, ni vouloir te récupérer ?"

Elle a acquiescé, mais son expression manquait de morgue et d'assurance.

"Vraiment ? ai-je insisté.

— Oui.

— Et combien de temps…"

Je me suis interrompu. *Combien de temps faudra-t-il pour que ce sentiment de rejet et d'abandon disparaisse ?* allais-je lui demander. Mais je connaissais déjà la réponse : il ne disparaîtrait jamais. Nous allions tous devoir vivre avec. Et j'étais prêt à endosser ce fardeau, à le partager avec ma fille, si seulement j'apprenais enfin ce qui s'était réellement passé.

"Tu devrais préparer quelques affaires. On retrouve John Colter ce soir, et il faut qu'on parte avant le retour de ta mère."

Caitlin n'a pas bougé. Elle m'observait d'un air méfiant, les yeux plissés.

"Eh bien ? Je croyais que c'était ce que tu voulais."

Mes paroles l'ont tirée de sa torpeur. Elle s'est levée d'un bond, et j'ai quitté la pièce, la laissant à ses préparatifs.

Pendant que j'attendais Caitlin, mon téléphone s'est mis à sonner. C'était Abby. J'ai laissé le répondeur s'en occuper.

"Caitlin, dépêche-toi !"

Elle est arrivée quelques minutes plus tard, un sac plastique rempli de vêtements à la main. Elle portait comme toujours un jean et un sweat-shirt, mais son visage avait changé : elle s'était maquillée – piochant sans doute dans la trousse d'Abby –, et avait réussi à coiffer et arranger ses mèches pourtant très courtes.

"Il faut qu'on y aille."

Le téléphone s'est remis à sonner au moment où nous sortions.

"J'aurais bien voulu prendre une douche. On n'a pas le temps ? a demandé Caitlin.

— Non. Je ne veux pas rester ici."

Une fois dans la voiture, Caitlin a jeté son sac de vêtements sur le plancher, et j'ai entrepris de reculer dans l'allée. J'allais vite – trop vite. La voiture a mordu la pelouse. Je me suis arrêté, ai fait marche avant pour rectifier ma trajectoire, puis ai terminé ma manœuvre. Au moment où je redressais le volant pour partir, un autre véhicule est apparu à l'horizon.

"C'est ta mère.

— Et alors ?

— Elle est au courant. Elle sait qu'il se passe quelque chose."

Abby s'est arrêtée à côté de nous, agitant les bras d'un air affolé.

J'ai avancé tout doucement.

Elle a ouvert la porte pour descendre de voiture. "Tom ! Arrête !"

J'ai baissé ma vitre de quelques centimètres. "On va juste faire un tour, ne t'inquiète pas.

— Buster m'a appelée. Il m'a dit ce que tu allais faire." Elle a attrapé la poignée de ma portière et s'est mise à tirer dessus. "Il se fait plus de souci pour ta fille que toi !

— Lâche ça, Abby. Arrête."

Elle a cogné deux fois contre la vitre, puis a cherché à atteindre la porte arrière. Je ne lui en ai pas laissé le temps. J'ai appuyé sur l'accélérateur, et la voiture a bondi en avant. Je n'ai jeté qu'un seul coup d'œil dans le rétroviseur. Abby se tenait au milieu de la route, la tête entre les mains. Quant à Caitlin, elle regardait droit devant elle, les yeux braqués vers l'avenir.

Il nous restait quelques heures à tuer avant le coucher du soleil. Nous avons erré sans but pendant un moment, sillonnant la ville, passant devant le campus, puis le centre commercial et ses chaînes de restauration rapide. Je repensais aux paroles d'Abby. *Buster a appelé. Il m'a dit ce que tu allais faire.* Allait-elle prévenir Ryan ?

Sans aucun doute.

"Où est-ce qu'on va ? m'a demandé Caitlin.

— C'est encore trop tôt. Il faut qu'on trouve un endroit où patienter.

— Où ça ?"

Je traversais le centre-ville, dangereusement près du commissariat. Je n'ai pas répondu, mais j'ai observé Caitlin alors que notre destination se profilait. Lorsqu'elle a écarquillé les yeux, j'ai su qu'elle avait compris.

"La fourrière ?

— Tu te rappelles quand on y allait ensemble ?"

Elle a acquiescé.

Je me suis garé à l'arrière du bâtiment, pour que ma voiture ne soit pas visible de la rue.

Nous ne sommes pas descendus tout de suite.

"Qu'est-ce qu'il y a ? a fait Caitlin.

— Tu sais, j'ai essayé de récupérer Frosty, après l'avoir laissé ici. C'est ton oncle qui m'a emmené.

— Qu'est-ce qui s'est passé ?

— Il n'était plus là. Quelqu'un l'avait déjà adopté. J'ai essayé d'obtenir le nom de ses nouveaux maîtres pour le récupérer. J'aurais payé en échange, mais le refuge ne donne pas ce genre d'information.

— Oh.

— C'est sûrement quelqu'un des environs qui l'a choisi, ai-je déclaré sur un ton que je voulais rassurant. Quelqu'un qui aime les chiens.

— Je ne veux plus parler de Frosty.

— On y va, alors ? Ils nous laisseront peut-être en sortir un."
Elle a acquiescé.

"Est-ce que… Tu m'as dit que Colter promenait son chien,
ce jour-là. Alors tu avais un animal, là où tu vivais ?

— Non, il n'était pas à lui. C'était celui de sa mère. Et ils
l'ont fait piquer au bout de quelques années, parce qu'il était
trop vieux.

— Tout a donc commencé par un mensonge. Tu vois ce
qu'il…

— Papa", m'a interrompu Caitlin d'un ton las. Et peut-
être était-elle vraiment fatiguée – de moi, sans aucun doute.
"Qu'est-ce que ça peut bien faire, maintenant ?"

Je n'ai pas répondu, mais je partageais son sentiment. Nous
sommes descendus de la voiture et avons pénétré dans le refuge.

Caitlin a choisi un animal de taille moyenne, un genre de
colley croisé avec un caniche, et après avoir écouté les ins-
tructions d'une bénévole, nous l'avons emmené se promener.
Pour un animal de la fourrière, il se tenait étonnamment bien
en laisse. Il devait avoir vécu dans une maison où on l'avait
dressé. Il ne cherchait pas à résister ni à lutter contre la laisse ;
au contraire, il l'acceptait, et marchait tranquillement à côté
de Caitlin.

Tandis que celle-ci parlait au chien, je jetais des coups d'œil
derrière mon épaule, m'attendant à chaque instant à voir sur-
gir des voitures de police. Au bout d'une vingtaine de minutes,
nous avons ramené le chien au refuge. La bénévole nous a
accueillis avec un grand sourire.

"Vous m'avez l'air parfaitement accordés, a-t-elle commenté.
On est partis pour l'adoption ?"

J'ai regardé Caitlin avec espoir. Je lui aurais donné tout ce
qu'elle voulait.

Mais elle a secoué la tête. "Non, merci. Je vais bientôt déménager."

## 53

Nous avons effectué un dernier arrêt avant de nous rendre au cimetière. Le soleil avait disparu, abandonnant une traînée rouge au-dessus des arbres. Il faisait bien plus froid à présent, et le vent se levait. Des nuées d'oiseaux noirs en pleine migration traversaient le ciel.

Je suis allé me garer derrière le supermarché, près de la zone de livraison. Personne ne s'y trouvait à ce moment de la journée, et quand j'ai coupé le contact, Caitlin m'a adressé un regard interrogateur.

"Qu'est-ce qu'on fait là ?

— J'ai une question à te poser. C'est la dernière fois que je te le demande : tu es sûre de vouloir faire ça ?"

Elle n'a pas hésité un seul instant. "J'en suis sûre.

— Rien ne sera plus comme avant, si on va jusqu'au bout.

— Je sais. C'est ce que je veux." Après un silence, elle a ajouté : "Rien n'est déjà plus comme avant, de toute façon.

— Oui. Mais parfois on a la possibilité de revenir en arrière, et parfois non. Et je pense qu'on va bientôt atteindre un point de non-retour."

Elle a inspiré profondément, et j'ai cru la voir frissonner.

"Je suis prête."

J'avais réfléchi toute la matinée au déroulement de l'opération, aux aspects pratiques de ce soi-disant échange. Il me suffirait d'emmener Caitlin auprès de Colter et de leur permettre de se voir pour obtenir les informations que je désirais. Le plus difficile serait de battre en retraite au bon moment, pour m'assurer que Caitlin reparte avec moi et pas avec lui.

"Va t'installer à l'arrière.

— Pourquoi ?

— Qu'est-ce qui me dit que tu ne vas pas t'enfuir dès que tu l'auras vu ? Si tu restes à l'arrière, j'aurai…

— Le contrôle ?

— L'assurance. L'assurance que tu ne t'enfuiras pas.

— Je te le promets. Tu me crois ? Je ne me sauverai pas. Je ferai tout ce que tu voudras."

Je la croyais. Elle s'exprimait d'une voix calme, et son regard était franc.

"D'accord. Mais je préfère quand même que tu ailles à l'arrière. Et restes-y."

Elle n'a pas cherché à discuter. Sans même sortir de la voiture, elle s'est faufilée entre les sièges comme une gamine, et a atterri sur la banquette avec un léger bruit.

"C'est bon ? Tu es content ?"

J'ai vérifié que la sécurité enfant était bien enclenchée.

Je savais que Caitlin se trouvait derrière moi, je percevais sa présence. Et pourtant je me sentais seul dans le noir. Très seul. Le vent s'est remis à souffler, éparpillant les feuilles mortes sur le parking, et un frisson m'a traversé.

Il n'était plus temps de faire demi-tour.

J'ai pris la direction du cimetière.

## 54

Je repensais à la première fois que j'avais transporté Caitlin en voiture, juste après sa naissance, quand nous l'avions ramenée de la maternité. Je conduisais à la vitesse d'un escargot, redoutant une catastrophe à chaque intersection, à chaque voiture croisée. Le syndrome du jeune papa. Ça m'était passé avec le temps, et j'avais fini par oublier mes peurs et mes angoisses pour la laisser grandir, trébucher et commettre ses propres erreurs.

Un jour ou l'autre, il faudrait à nouveau que je la laisse voler de ses propres ailes. Mais pas aujourd'hui, pas encore.

Je me suis engagé sur la route étroite qui séparait le parc du cimetière. L'heure de fermeture approchait. Les courts de tennis et les terrains de baseball vides sombraient dans l'obscurité, et dans les prochains jours l'équipe d'aménagement rangerait les filets et couvrirait la terre battue en prévision de l'hiver. J'ai revu le jour où, des mois plus tôt, j'avais promené Frosty à cet endroit ; il faisait encore chaud et Caitlin demeurait introuvable, son souvenir préservé dans une pierre tombale. Et j'ai pensé à Jasmine, cette petite fille qui ressemblait tant à Caitlin – et qui, à mes yeux, était Caitlin. Elle paraissait tellement plus jeune que celle qui se trouvait à l'arrière de ma voiture. Plus jeune, plus insouciante aussi ; une innocente qui pouvait encore courir, rire et virevolter avec l'entrain bondissant d'un farfadet. Où était-elle ce soir ?

À ma gauche, le cimetière était plongé dans les ténèbres. Je distinguais les contours imposants des monuments et des pierres tombales, et les anges qui veillaient dans la nuit au sommet des stèles et des mausolées, indifférents au froid et au drame humain qui se jouait dans ma voiture. À mesure que j'avançais sur la route, mes yeux s'habituaient au manque de lumière, et j'ai repéré la silhouette d'une voiture garée au fond du parc. Ses phares n'étaient pas allumés et l'obscurité m'empêchait de voir si quelqu'un se trouvait à l'intérieur. Il aurait pu s'agir de Colter aussi bien que d'adolescents en train de se peloter à l'abri de vitres embuées tandis que leurs parents naïfs dînaient devant la télévision. Lorsque je me suis arrêté derrière le véhicule, mes phares ont éclairé sa plaque d'immatriculation et j'ai constaté qu'il était vide.

La voiture paraissait énorme et démodée. C'était un véhicule de grand-père, une Oldsmobile 88 ou quelque chose dans ce goût-là, le genre d'antiquité qu'une vieille dame conserverait dans son garage et ne sortirait que dans les grandes occasions.

"C'est lui, a chuchoté Caitlin. C'est John.

— Reste bien dans la voiture, d'accord ? Attends juste encore un peu, pour moi."

Elle n'a pas répondu, mais n'a pas bougé non plus.

J'ai quitté la voiture et refermé la portière doucement. Puis j'ai observé les alentours, en quête d'une silhouette. Un joggeur égaré est passé sur la piste, ahanant dans le noir. La bande rouge au-dessus des arbres avait quasiment disparu, et un croissant de lune se levait à l'est.

Mes yeux ont mis un moment à s'habituer à l'obscurité, mais j'ai fini par apercevoir un homme au loin, du côté de la "tombe" de Caitlin. J'ai aussitôt reconnu Colter : son corps trapu et sa grosse tête se détachaient parfaitement dans le crépuscule. On aurait dit qu'il se recueillait devant la tombe, tête baissée, mains jointes devant lui. Il m'a fallu une bonne minute pour l'atteindre, en écrasant des feuilles mortes à chaque pas, et pourtant il n'a pas levé les yeux à mon approche.

"Vous avez bien fait, a-t-il déclaré.

— De venir ici ce soir ?

— Aussi." Il a redressé la tête et désigné la stèle qui gisait toujours sur le sol. "Mais je parlais de cette tombe. Vous avez bien fait d'enterrer le passé. Cette petite fille n'existe plus. Elle a disparu pour de bon le jour où je l'ai emmenée.

— Vous l'avez détruite.

— Non, non. Je l'ai délivrée. J'ai brisé les chaînes que vous lui aviez fabriquées – que nous avons tous fabriquées, dans cette société où nous vivons. Elle nous étouffe, nous entrave. J'ai libéré Caitlin.

— En la violant ? En l'enfermant dans une cave ?"

Colter s'est tourné vers moi, le doigt levé. "Non, non. Ça, jamais. Jamais.

— Alors comment est-ce arrivé ? Comment avez-vous fait pour coucher avec elle ?

— Qu'est-ce qui vous fait croire ça ?

— Elle n'est plus vierge. Le médecin l'a examinée à son retour. Elle l'était encore quand elle a quitté la maison.

— Vous en êtes sûr ?"

J'ai serré les poings. L'envie de le frapper me démangeait. "Arrêtez.

— Mais vraiment, vous en êtes absolument sûr ?

— Je connais ma fille.

— Vous pensiez la connaître. Vous pensiez qu'elle ne partirait pas. Vous pensiez qu'elle ne monterait pas dans la voiture d'un inconnu. Vous pensiez beaucoup de choses, à tort. Pourquoi est-ce votre frère qui est venu la chercher ?"

Une bruine légère s'était mise à tomber, me picotant le visage. Caitlin croyait avoir entendu la voix de Buster. Buster connaissait Brooks, qui connaissait Colter…

"De quoi est-ce que vous parlez ?

— Votre frère, William. C'était lui qui se cachait dans le noir chez ma mère, hein ?"

Devant mon absence de réaction, Colter a continué :

"Il est venu me voir, une fois. Il savait que j'aimais les petites filles, et sa nièce avait disparu. Il avait entendu des rumeurs, des ragots colportés par les raclures que je fréquentais. Alors il a débarqué sur son cheval blanc, comme un preux chevalier. Il allait m'arracher la fille et repartir en héros victorieux.

— Qu'est-ce qui s'est passé ?

— Je lui ai dit que s'il continuait à me harceler, j'irais raconter tout ce que je savais sur lui à la police, quitte à en rajouter un peu au passage. Ou alors, je conseillerais à Brooks de réclamer son argent." Il a haussé les épaules, aussi tranquille que la pluie qui tombait. "Pourquoi est-ce lui qui est venu chez moi, et pas vous ? Pourquoi cet intérêt de la part de l'oncle, et pas du père ?

— On l'a cherchée sans relâche. On n'a jamais baissé les bras.

— Ça, je n'en doute pas. Mais je me suis arrangé pour que Caitlin entende ma conversation avec William. Je me suis arrangé pour qu'elle sache bien qu'il n'y avait que son oncle qui était venu la chercher. Elle pouvait donc estimer que ses parents la tenaient pour morte. Elle s'est sentie rejetée. Quand je lui ai dit que vous ne la cherchiez plus, elle a eu l'impression que sa famille l'avait abandonnée. Et c'est moi qui suis devenu sa famille. En fait, je suis devenu tout pour elle. Le sentiment d'avoir été rejeté peut vous pousser à faire bien des choses, comme vous le savez sûrement."

Je serrais toujours les poings. Ma colère enflait, mais je ne savais pas contre qui la diriger : l'homme devant moi ? Brooks ? Buster ?

Colter s'en moquait. Il a tendu le cou pour regarder derrière moi.

"Où est la fille ? Vous l'avez amenée ? C'était ça le marché.

— Elle est dans la voiture.

— Et elle ne s'est pas précipitée ici ? s'est étonné Colter en tournant les yeux vers moi. Vous l'avez enfermée ? Vous voyez, c'est exactement ça le problème. Vous l'empêchez d'obtenir ce qu'elle veut.

— Où est-ce que vous iriez avec elle ? Qu'est-ce qui va se passer, à votre avis ?"

Mais Colter n'a pas répondu. Une fois de plus, il tendait le cou en direction de la route et de la voiture où attendait Caitlin.

Je me suis retourné, m'attendant à la voir courir vers nous ; puis j'ai compris ce que Colter regardait.

Des phares approchaient sur la route. Une voiture.

"Qu'est-ce que vous avez fait ?

— Ça doit être quelqu'un qui fait demi-tour, ai-je répondu, mais la voiture s'est arrêtée juste derrière la mienne.

— C'est un flic ? Vous m'avez piégé ?" Colter a commencé à reculer dans l'obscurité.

Le conducteur est descendu de la voiture et a tourné la tête dans notre direction. J'ai reconnu sa silhouette avant même qu'il ne parle. Je l'avais déjà croisé dans ce cimetière.

"C'est mon frère. C'est Buster."

## 55

Je me suis dirigé vers Buster, abandonnant Colter dans le noir.

"Qu'est-ce que tu fais là ?

— Je te cherchais. Je t'ai cherché dans toute la ville, et puis je me suis dit que tu viendrais peut-être ici.

— Je n'ai pas besoin de toi. Va-t'en.

— Où est Caitlin ? a-t-il demandé en scrutant l'intérieur obscur de mon véhicule. Tom... Qu'est-ce que tu as fait ? Tu l'as déjà livrée à Colter ?

— Elle est à l'intérieur, d'accord ?"

Caitlin devait avoir entendu nos voix. Son visage est apparu à la vitre, mais elle n'a pas fait mine de sortir.

Buster paraissait horrifié. "Tom, ramène-la à la maison.

— C'est mon seul moyen de négocier. Je la garde dans la voiture pour qu'elle ne se sauve pas avant que j'aie obtenu ce que je cherche.

— C'est affreux, bon Dieu... tu parles d'elle comme si c'était une marchandise.

— Tu as appelé la police, après avoir prévenu Abby ?

— On est de la même famille, Tom. On doit se protéger les uns les autres. J'ai fait ce qui me semblait juste.

— De la même famille... Pourquoi as-tu fait ça, Buster ? Pourquoi ? Tu l'as vendue comme un morceau de viande. Tu es allé chez Colter. Elle y était. Elle a entendu ta voix."

Buster a aussitôt porté un doigt à ses lèvres en m'indiquant la voiture

"Je m'en fiche, ai-je rétorqué.

— Viens. Viens là.

— Non.

— Je veux m'expliquer."

Nous nous sommes éloignés de quelques mètres pour éviter que Caitlin nous entende.

"Qu'est-ce que la police t'a dit ? m'a demandé Buster.

— L'essentiel. Que tu devais de l'argent à un dealer, et qu'il connaissait Colter. Alors…

— Je n'ai pas « donné » Caitlin. Je n'aurais jamais pu. Mais j'ai… Je débloquais. Tu te rappelles. Je lui devais de l'argent.

— À Colter ?

— À Brooks. Il n'arrêtait pas de me harceler. J'avais peur. J'ai pensé à quitter la ville pour de ne plus jamais revenir.

— Tu aurais dû."

Cette remarque a paru le blesser, mais il a poursuivi : "Je parlais de Caitlin. Je parlais tout le temps d'elle. C'est ma nièce. Il faut que tu comprennes… Pour moi, c'était plus que ça. Je la voyais comme ma propre fille. Je n'aurai jamais d'enfants, a-t-il déclaré avec un haussement d'épaules résigné. Mais on peut ressentir ce genre de chose pour un neveu ou une nièce : même s'ils ne sont pas vraiment nos enfants, on peut avoir le sentiment qu'ils nous appartiennent, d'une certaine façon. C'est un lien qui dépasse toutes les considérations de sang, de famille, ou de qui a donné naissance à qui. Tu vois ?

— Je vais devoir te croire sur parole.

— C'est comme pour toi et moi, Tom. Est-ce que je suis ton frère, ou ton demi-frère ? Quelle importance ? Écoute… Tu voulais que j'admette que mon père nous hurlait dessus et nous battait. Et moi je refusais de le faire, comme un con. Alors voilà, je l'admets, ici et maintenant. Il nous cognait et il nous terrorisait quand il avait bu. Et il s'en prenait surtout à toi, parce que tu n'étais pas vraiment son fils, je pense. Voilà, je l'ai dit, Tom. Je l'ai dit. Tu avais raison au sujet de mon père.

— Merci.

— C'est la vérité. Mais ce qui est vrai aussi, c'est que je te protégeais. Je me mettais devant toi, j'essayais de m'interposer entre vous deux. Je sais que tu t'en souviens. Tu vois, c'est de ça que je parle, de ce lien entre nous qu'on ne peut pas briser, peu importent les circonstances.

— Continue. Qu'est-ce qui s'est passé avec Brooks et Colter ?

— Quand Caitlin a disparu, j'ai pensé à ces types. Je me suis dit que j'avais peut-être trop parlé d'elle en leur présence.

— Donc tu connaissais Colter ?

— De nom seulement. Lui ne me connaissait pas. J'ai pensé à prévenir la police, mais qu'est-ce que j'avais à leur dire, exactement ? Que je connaissais un type qui connaissait peut-être un type qui avait peut-être enlevé ma nièce ?

— Tu aurais dû leur dire tout ce que tu savais.

— Et toi, tu leur as dit ce que tu savais sur moi ? Ils sont venus t'interroger à mon sujet, je le sais. Tu m'as couvert ? Tu m'as protégé ?

— Je n'aurais pas dû.

— Est-ce que tu leur as parlé de la petite fille qu'on a vue ici, au cimetière ?

— Pourquoi n'as-tu rien dit ?

— J'avais déjà un casier judiciaire. Ils m'avaient coffré pour m'être promené tout nu près d'une école. Et puis avec la drogue… Qu'est-ce qu'ils allaient faire de moi ?"

Buster a haussé les épaules et s'est éloigné de quelques pas. J'ai regardé vers le cimetière, où se détachait la silhouette de Colter. Il écoutait. Attendait.

Buster s'est rapproché de moi. "J'ai décidé de me renseigner par moi-même. J'ai demandé à Brooks s'il avait entendu parler de ces histoires de petites filles. Il m'a dit que Colter était un tordu et un pervers, mais qu'il ne pensait pas qu'il retenait qui que ce soit chez lui. Il y était allé plusieurs fois, et il n'avait rien vu. C'est ce qu'il prétendait, en tout cas.

— Caitlin a entendu ta voix chez Colter.

— Non, non. Jamais. Je ne savais pas où il habitait, et puis Brooks m'a dissuadé d'aller chez lui. Il m'a dit qu'il connaissait des gens assez répugnants, mais qu'il n'avait pas entendu parler de Caitlin. Tom, si j'étais allé dans cette maison, j'aurais tout retourné. Je ne serais jamais reparti sans Caitlin. Jamais."

Il me paraissait sincère. Malgré ce que Colter m'avait raconté, je croyais mon frère.

"Pourquoi n'as-tu pas prévenu la police que j'allais retrouver Colter ? Tu aurais pu empêcher tout ça.

— J'ai les flics sur le dos à cause de ce que la copine de Brooks a raconté. Je ne peux pas les contacter. Ils veulent me mettre en tôle. Et je tenais à te retrouver moi-même. Pour t'aider. Après la nuit dernière, notre bagarre et tout le reste, je voulais que ce soit moi qui t'aide à voir les choses sous un autre jour. Tout n'est pas encore très clair dans ta tête, mais ça viendra. Tu peux retourner dans ta voiture et ramener Caitlin à la maison. C'est tout ce que tu as à faire.

— C'est aussi facile que ça ?

— Oui, vraiment.

— Et pour la suite ?

— Je ne sais pas…

— Tu vois, il s'est passé quelque chose dans le sous-sol de cette maison. Quelque chose qui a changé ma fille, et qui a changé ma vie pour toujours. J'ai besoin de savoir ce que c'était. Puisque ça a pu modifier si profondément et si complètement le cours de ma vie, j'ai besoin de savoir ce qui est arrivé. Tout ce qui est arrivé.

— C'est impossible.

— Pourquoi ?

— Parce que… c'est terminé, maintenant. Et tu n'étais pas là. De toute manière… ça n'a pas vraiment de rapport avec ta vie aujourd'hui. Ça ne va pas changer le passé.

— Qu'est-ce qui le changera, alors ?"

Je parlais sérieusement. Qu'est-ce qui pourrait balayer le passé, l'effacer à jamais ?

Buster a pointé la voiture du doigt.

"Tu sais ce qu'il te reste à faire."

Je suis reparti vers ma voiture, et j'ai sorti les clés.

# 56

Avant que j'atteigne le véhicule, la porte du conducteur s'est ouverte. Dans la faible lueur du plafonnier, Caitlin paraissait effrayée, perdue. Elle devait s'être glissée entre les sièges pour déverrouiller la portière. Elle est descendue de la voiture, et nous a observés l'un après l'autre.

"Où est John ? Il est là ?"

J'ai fait un signe de tête vers le cimetière. "Il est là, ai-je confirmé, avant de poser la main sur le bras de Caitlin.

— Lâche-moi.

— On s'en va, Caitlin."

La tenant toujours par le bras, j'ai déverrouillé les portes à distance et l'ai poussée vers la banquette arrière.

"Tu m'avais promis !"

J'avais réussi à la faire entrer à moitié dans la voiture quand Colter est arrivé en courant.

"Hé !

— John ! John !"

M'interposant entre eux, je me suis retrouvé pris en tenailles, pressé de toutes parts tandis qu'ils essayaient de s'agripper. Caitlin l'appelait d'une voix plaintive, et je sentais le souffle chaud de Colter sur ma nuque, le relent des oignons qu'il avait mangés au dîner.

Soudain, la pression sur mon dos s'est atténuée. Colter était étendu par terre, Buster au-dessus de lui. Puis mon frère s'est laissé tomber à ses côtés et son poing a commencé à monter et descendre comme un piston tandis que Colter se tordait sous les coups.

"Ça suffit ! Arrête !"

J'ai lâché Caitlin pour attraper le bras de Buster et l'empê-cher de réduire Colter en bouillie. Lorsque j'ai réussi à le maî-triser, j'ai baissé les yeux.

Colter gisait encore au sol, le visage ensanglanté. Caitlin s'est glissée devant moi pour s'agenouiller à côté de lui, et a pris doucement sa tête entre ses mains.

"Oh, John... John, il t'a fait mal ?"

Mais Colter me fixait toujours. Il s'est même fendu d'un petit sourire, les dents tachées de sang.

"Vous êtes content ? On peut s'en aller ?"

Les yeux pleins de larmes, Caitlin reniflait dans le noir, une main posée sur le bras de Colter.

Je me suis penché pour l'attraper par le poignet et la remettre debout.

"Elle vient avec moi."

Caitlin a émis un hoquet, mais n'a pas opposé autant de résistance que je l'aurais cru.

"On avait passé un marché, a protesté Colter. Un putain de marché !"

Sans un regard en arrière, j'ai tiré Caitlin vers la voiture. Je savais que Buster me couvrait, qu'il ne laisserait pas Colter se relever.

"Lâche-moi !"

Caitlin essayait de se libérer, mais je la tenais toujours – assez délicatement pour ne pas la blesser, assez fermement pour l'em-pêcher de fuir. Je n'aurais jamais dû l'emmener, ai-je pensé. Je n'aurais jamais dû l'exposer à Colter. C'était fini. On ren-trait à la maison.

"Non, ai-je répondu. Tu viens avec moi."

Un son plaintif s'est élevé de nouveau, mais il semblait cette fois plus lointain, plus soutenu.

J'ai tourné la tête vers la route. Des lumières bleues et rouges se rapprochaient du cimetière, et ont bifurqué dans notre direc-tion. J'ai regardé Buster, qui a haussé les épaules.

"Abby ? Elle les aurait appelés ?"

Il a répété son geste.

Colter s'est relevé péniblement. Les voitures de police arri-vaient sur le chemin, nous bloquant la route. Il n'y avait qu'une seule issue, et Colter n'a pas hésité. Il n'a même pas jeté un regard en arrière. Il s'est élancé dans l'obscurité du cimetière, passant à côté de la tombe de Caitlin, et a disparu dans la nuit noire.

"John !" a crié Caitlin.

Elle s'est débattue, mais j'ai tenu bon.

Je ne la lâcherais plus.

# ÉPILOGUE

Des semaines plus tard, je retourne au parc avec Caitlin.

On est début décembre. Les arbres ont perdu toutes leurs feuilles, et les premières gelées sont déjà passées.

C'est Abby qui a appelé la police cette nuit-là.

Il lui avait fallu un moment pour y penser, mais tout comme Buster, elle me connaissait assez bien pour deviner l'endroit que je choisirais pour retrouver Colter.

Aussitôt après leur arrivée, les policiers ont arrêté John Colter dans le cimetière. Toutes les issues étaient bloquées, et ils l'ont trouvé accroupi derrière un monument funéraire. Il s'était tordu la cheville en glissant dans l'herbe mouillée, ce qui rendait sa fuite impossible. Comme Ryan l'avait promis, de nouveaux chefs d'accusation ont été retenus contre Colter, poursuivi désormais pour l'enlèvement et le viol de Caitlin. À cause de sa tentative de fuite, il ne peut plus bénéficier de la liberté conditionnelle et reste en prison jusqu'à son procès, prévu au printemps.

Chaque fois que j'interroge Ryan sur les chances de voir Colter condamné, l'inspecteur reste prudent et me rappelle qu'il faut parfois accepter une négociation de peine, surtout en l'absence de témoins oculaires et de preuves scientifiques solides. Caitlin refuse de témoigner ou de reconnaître quoi que ce soit, et j'essaye de me convaincre que John Colter n'existe plus.

L'identité du meurtrier de Tracy Fairlawn demeure un mystère, même si tous les soupçons se portent sur John Colter. Il est encore possible qu'on l'inculpe pour meurtre.

Jasmine, la fille du cimetière, n'a jamais été retrouvée. Ryan pense qu'il s'agit d'une fugueuse, et la police ne semble pas consacrer beaucoup d'énergie à sa recherche.

Pendant quelque temps après l'arrestation de Colter, j'ai eu maille à partir avec le procureur, qui n'appréciait guère mes actions lors de ces dernières nuits et envisageait de me poursuivre pour entrave à la justice, intimidation de témoin et agression. Finalement, il y a eu plus de peur que de mal. Une fois la nouvelle de l'arrestation rendue publique, l'opinion générale a joué en ma faveur, et le procureur, en cette année d'élection, a préféré abandonner les poursuites contre le père de la victime.

Ma famille n'a pas fait preuve d'autant d'indulgence. En moins de quarante-huit heures, Abby avait déménagé – emmenant Caitlin avec elle. Pour le moment, elles vivent dans le dortoir de l'église du pasteur Chris. Abby a entamé une procédure de divorce, que je n'ai pas l'intention de contester, mais je vois Caitlin à peu près quand je le souhaite, surtout les week-ends.

Caitlin n'a pas le droit de contacter John Colter tant qu'il reste en détention : pas de lettres, d'e-mails ni de conversations téléphoniques. Dans le cas contraire, il risquerait de voir sa peine prolongée. *A priori*, aucun des deux n'a enfreint cette interdiction. Caitlin poursuit sa thérapie, à la fois avec le Dr Rosenbaum et Susan Goff, et reçoit sans doute nombre de conseils gratuits du pasteur Chris quand elle se trouve à l'église.

Je n'ai évoqué la situation qu'une seule fois avec elle, une semaine après l'arrestation de John Colter.

"Il s'est enfui dans le cimetière, lui ai-je rappelé. Il n'a pas essayé de t'aider.

— Il avait peur. La police le poursuivait."

J'aurais dû m'en tenir là, mais il fallait que je sache une dernière chose.

"Qu'est-ce que tu vas faire, maintenant ?

— L'attendre", a-t-elle répondu sans hésiter.


Buster et moi n'avons parlé qu'une fois depuis cette nuit-là. Lui aussi a subi les foudres du procureur, à cause de son lien avec Loren Brooks. Mais après une enquête minutieuse, il a été établi que Buster n'avait enfreint aucune loi.

Il m'a appelé un soir, à l'improviste, alors que je lisais dans mon lit. Il ne s'est pas présenté quand j'ai décroché, ne m'a pas demandé comment j'allais, ne s'est embarrassé d'aucune politesse. Il est allé droit au but.

"Pourquoi est-ce que tu es reparti avec Caitlin ce soir-là, dans le cimetière ? Tu avais l'air décidé à la laisser rejoindre Colter."

J'ai pris mon temps pour répondre. Buster a attendu patiemment que je réfléchisse, sans chercher à me brusquer.

"Je n'avais pas l'intention de la laisser partir, ai-je finalement déclaré. En fin de compte, mon instinct paternel prend toujours le dessus. Je n'aurais jamais pu donner ma fille à un type comme ça."

Il y a eu un long silence. Puis Buster a répondu : "C'est bien ce que je pensais."

Et il a raccroché, apparemment satisfait.


Caitlin et moi allons souvent nous promener dans le parc. Nous ne parlons jamais des événements qui s'y sont produits, mais le fait qu'elle accepte d'y retourner me paraît bon signe. Il se peut qu'elle s'y rende par nostalgie, parce que l'endroit lui rappelle John Colter, mais lorsque cette pensée me vient à l'esprit, je la chasse immédiatement. Je préfère croire qu'il s'agit d'un pas vers l'avenir plutôt que d'un retour au passé.

Aujourd'hui, nous sommes assis sur un banc près du parcours de santé. Il y a moins de passage à cette époque de l'année, où seuls les plus endurcis des sportifs osent braver le froid. J'ai le bout des oreilles et les joues engourdies, et je serre les poings dans mes poches. Je me rends compte pour la première fois que Caitlin ne porte plus la topaze, sa pierre de naissance, que John Colter lui avait offerte quand il la retenait chez lui. Pour moi, c'est une petite victoire, même si je n'en dis rien.

D'ici, j'aperçois le cimetière, l'endroit où j'ai lutté avec Colter, et, plus loin, celui où se dressait la pierre tombale de Caitlin. Elle ne s'y trouve plus désormais ; on l'a enlevée après l'arrestation de Colter.

Je profite de cette journée, du peu de temps que je peux passer avec Caitlin, même maintenant.

Je me laisse presque aller à me détendre, à penser que notre vie retrouve peu à peu un semblant de normalité – ou de ce que la normalité sera pour nous à l'avenir.

Et quand ma garde est suffisamment baissée, Caitlin bondit du banc.

Il me faut un instant pour me rendre compte de la vitesse à laquelle elle est partie et de la direction qu'elle a prise.

Elle court vers le cimetière.

Elle s'éloigne de moi.

Je la suis en criant son nom, le souffle court. Des petits nuages de buée s'échappent de mes lèvres et disparaissent dans l'air.

Mais à peine me suis-je lancé que je comprends.

Je n'arrive pas à en croire mes yeux – mais je comprends.

Caitlin s'arrête au milieu du parc et met un genou à terre.

Il y a un chien dans ses bras, un chien qui la lèche et lui fait la fête. Un chien que je connais très bien.

Et quand j'arrive à leur hauteur, je les contemple en compagnie des propriétaires médusés, un couple de personnes âgées équipé d'une laisse inutile. Ils ont dû adopter Frosty et tenter d'en faire leur chien, mais ils semblent à présent se rendre compte qu'il ne leur appartient plus.

Et qu'il ne leur a jamais appartenu.

Le visage de Caitlin est baigné de larmes, mais elle sourit tandis que le chien les efface d'un coup de langue.

"Tu es revenu, Frosty. Oh, mon Frosty. Tu es revenu. Tu es revenu."

# REMERCIEMENTS

Je tiens tout d'abord à remercier Ed Gorman, qui est non seulement l'un de nos meilleurs écrivains, mais aussi un ami exceptionnel qui m'a toujours soutenu. Sans Ed, ce livre n'existerait pas. Je remercie également Tom Monteleone pour avoir cru en moi toutes ces années. Il a répondu à mes questions, m'a remonté le moral, et a plaidé ma cause à d'innombrables reprises. Pour leurs conseils et leur soutien, je dois une fière chandelle à Will Lavender, John Lescroart, Jonathan Maberry, David Morrell et Paul Wilson. J'aimerais aussi remercier mes amis et collègues du département d'anglais et du Potter College of Arts and Letters de Western Kentucky University, en particulier Karen Schneider, Tom Hunley, David Lenoir, Mary Ellen Miller et Dale Rigby. Je tiens particulièrement à remercier mes étudiants passés, présents et futurs, qui m'en apprennent beaucoup sur l'écriture, même s'ils ne s'en rendent pas toujours compte. Je suis également reconnaissant à Bob et Carrie Driehaus pour leur amitié indéfectible.

Mes remerciements à mon éditrice, Danielle Perez, et à toute l'équipe de New American Library/Penguin. Le don de Danielle pour poser les bonnes questions au bon moment, me guider subtilement et me secouer l'air de rien tout en gardant son sens de l'humour, a rendu le processus bien plus agréable que je ne l'aurais imaginé. Ses efforts ont grandement contribué à améliorer ce livre.

Les mots me manquent pour exprimer ma gratitude envers mon incroyable agent, Laney Katz Becker, et toute l'équipe de Markson Thoma. Laney a travaillé sans relâche pour mon compte ces deux dernières années, et sa confiance, sa sagesse et sa patience ont fait de moi un meilleur écrivain. J'ai tellement de chance de l'avoir de mon côté.

Enfin, je remercie Molly McCaffrey pour… tout.

OUVRAGE RÉALISÉ
PAR L'ATELIER GRAPHIQUE ACTES SUD
ACHEVÉ D'IMPRIMER
SUR ROTO-PAGE
EN DÉCEMBRE 2012
PAR L'IMPRIMERIE FLOCH
À MAYENNE
POUR LE COMPTE DES ÉDITIONS
ACTES SUD
LE MÉJAN
PLACE NINA-BERBEROVA
13200 ARLES